Oscar bestsellers

QUESTO È IL
MIO PREFERITO!!

Dello stesso autore

nella collezione Oscar

I love shopping
I love shopping a New York

nella collezione Omnibus

Sai tenere un segreto?

SOPHIE KINSELLA

I LOVE SHOPPING IN BIANCO

Traduzione di Annamaria Raffo

OSCAR MONDADORI

Titolo originale dell'opera: *Shopaholic Ties the Knot*

I edizione Omnibus ottobre 2002
I edizione Oscar bestsellers ottobre 2003

ISBN 88-04-46488-7

Questo volume è stato stampato
presso Mondadori Printing S.p.A.
Stabilimento NSM - Cles (TN)
Stampato in Italia. Printed in Italy

Ristampe:

8 9 10 11 12 13

2006 2007 2008 2009

Questo libro è un'opera di fantasia. Personaggi e luoghi citati sono invenzioni dell'autore e hanno lo scopo di conferire veridicità alla narrazione. Qualsiasi analogia con fatti, luoghi e persone, vive o defunte, è assolutamente casuale.

www.librimondadori.it

I LOVE SHOPPING IN BIANCO

Per Abigail, che avrebbe trovato in un attimo
la soluzione giusta

SECOND UNION BANK
300 Wall Street
NEW YORK NY 10005

Rebecca Bloomwood
Appartamento B
251 W 11th Street
New York
NY 10014

7 novembre 2001

OGGETTO: NUOVO CONTO COINTESTATO N. 5039 2566 2319

Gentile signorina Bloomwood,

siamo lieti di confermarle l'apertura del nuovo conto di cui lei è cointestataria insieme al signor Luke J. Brandon. Troverà allegata la documentazione illustrativa, mentre una nuova carta di credito le sarà inviata separatamente.

La Second Union Bank è orgogliosa del servizio personalizzato offerto alla sua clientela. Non esiti a contattarmi per qualsiasi questione: sarò lieto di aiutarla. Per noi, anche il più piccolo problema è un problema che va risolto.

Con i migliori saluti

Walt Pitman
responsabile rapporti con la clientela

SECOND UNION BANK
300 Wall Street
NEW YORK NY 10005

Rebecca Bloomwood
Appartamento B
251 W 11th Street
New York
NY 10014

12 dicembre 2001

Gentile signorina Bloomwood,

la ringrazio per la sua lettera del 9 dicembre u.s. relativa al nuovo conto di cui è cointestataria con il signor Luke J. Brandon. Convengo con lei che i rapporti tra banca e cliente dovrebbero essere improntati alla massima cordialità e collaborazione e, per rispondere alla sua domanda, il mio colore preferito è il rosso.

Tuttavia temo di non poter soddisfare la sua richiesta di formulare diversamente le voci del prossimo estratto conto. Il particolare addebito cui lei fa riferimento comparirà pertanto come "Prada, New York" e non potrà essere modificato in "Bolletta del gas".

Distinti saluti

Walt Pitman
responsabile rapporti con la clientela

SECOND UNION BANK
300 Wall Street
NEW YORK NY 10005

Rebecca Bloomwood
Appartamento B
251 W 11th Street
New York
NY 10014

7 gennaio 2002

Gentile signorina Bloomwood,

la ringrazio per la sua lettera del 4 gennaio u.s. relativa al nuovo conto di cui è cointestataria con il signor Luke J. Brandon, e per i cioccolatini che però mi vedo costretto a restituirle. Sono d'accordo con lei che sia difficile tenere traccia di ogni piccola spesa, e sono desolato nell'apprendere del "piccolo dissapore" sorto tra di voi.

Purtroppo, però, è impossibile dividere in due l'estratto conto come da lei suggerito, e mandarne metà a lei e metà al signor Brandon, onde "mantenere il nostro piccolo segreto". Tutte le entrate e tutte le uscite vengono riportate congiuntamente sullo stesso documento.

È per questo che viene definito conto cointestato.

Distinti saluti

Walt Pitman
responsabile rapporti con la clientela

1

Okay. Niente panico. Ce la posso fare. È assolutamente alla mia portata. È solo questione di spostarsi un po' verso sinistra, sollevare appena, e poi spingere con forza. Insomma, non sarà poi così difficile far entrare un mobile bar in un taxi, no?

Afferro il mio acquisto con decisione, faccio un bel respiro profondo e spingo, ancora una volta senza successo. È una limpida giornata invernale al Village, una di quelle giornate in cui l'aria sa di dentifricio e ogni respiro ti fa restare senza fiato. La gente se ne va in giro imbacuccata, ma io sto sudando. Sono paonazza e le ciocche di capelli sfuggite dal colbacco nuovo mi cadono sulla fronte e sugli occhi. Avverto su di me gli sguardi divertiti delle persone sedute dietro la vetrata del caffè Jo-Jo, sull'altro lato della strada.

Ma non ho intenzione di arrendermi. So che ce la farò.

Devo farcela. Non ho nessuna intenzione di pagare l'astronomica cifra del trasporto, visto che abito dietro l'angolo.

«Guardi che non entra.» Il tassista sporge la testa dal finestrino e mi rivolge un'occhiata scettica.

«Invece sì. Ho già fatto passare due gambe...» Do un'altra spinta violenta. Se solo riuscissi a farci stare anche le altre due! Ma è come convincere un cane a entrare dal veterinario.

«E poi non sono assicurato» aggiunge il tassista.

«Non importa. Sono solo due isolati di distanza. Lo tengo fermo io. Andrà tutto bene.» Il tassista inarca le sopracciglia e si pulisce i denti con uno stecchino sudicio.

«Pensa davvero di starci anche lei?»

«Mi stringerò. In qualche modo farò!» Esasperata, do un'altra spinta al mobile e lo incastro contro il sedile anteriore.

«Ehi! Se mi danneggia il taxi me lo paga.»

«Scusi» dico, senza fiato. «Aspetti che ci riprovo. Credo di averlo infilato con un'angolazione sbagliata.»

Con la massima delicatezza lo sollevo per la parte anteriore e lo tiro fuori dal taxi, arretrando sul marciapiede.

«Che diavolo è quella roba?»

«È un mobile bar degli anni Trenta! Guardi, la parte superiore si abbassa...» Sgancio il pannello anteriore e, con un moto di orgoglio, gli mostro l'interno art déco, tutto rivestito di specchi. «Qui ci vanno i bicchieri... e qui ci sono due shaker per i cocktail, fatti su misura...»

Lo accarezzo con la mano. Nell'attimo in cui l'ho visto nella vetrina di Arthur's Antiques ho capito che dovevo averlo. So bene che Luke e io abbiamo fatto il patto di non comprare altri mobili per l'appartamento, ma questo è diverso. Un vero mobile bar, proprio come nei film di Fred Astaire e Ginger Rogers! Darà una nuova impronta alle nostre serate. Ogni sera, Luke e io prepareremo un Martini e balleremo al suono di vecchi dischi, godendoci il tramonto. Sarà così romantico! Dovremo cercare uno di quei vecchi grammofoni con la tromba e cominciare a collezionare settantotto giri. E io dovrò comprarmi qualche abito vintage.

E forse la gente prenderà l'abitudine di fare un salto da noi la sera per un aperitivo. Diventeremo famosi per le nostre spumeggianti serate. Il "New York Times" farà un articolo su di noi! Sì! *L'ora dell'aperitivo reinterpretata con nuova eleganza nel West Village. La raffinata coppia inglese Rebecca Bloomwood e Luke Brandon...*

La portiera del taxi si spalanca con un rumore sordo. Sorpresa, vedo scendere il tassista.

«Oh, grazie» gli dico, riconoscente. «Una mano è proprio quello che mi ci voleva. Se avesse una corda, potremmo legarlo sul tetto...»

«Ma che mano e mano! Io me ne vado.» L'uomo richiude con violenza la portiera del passeggero e risale a bordo.

«Ma non può andarsene così! È contro la legge! Lo ha detto anche il sindaco!»

«Il sindaco non ha parlato di mobili bar» ribatte lui, mettendo in moto.

«Ma come faccio a portarlo a casa?» esclamo, indignata. «Aspetti! Torni indietro!» Ma il taxi si sta già allontanando a tutta velocità lungo la strada, lasciandomi sul marciapiede col mio mobile bar.

E adesso cosa faccio?

Bene. Riflettiamo. Forse potrei riuscire a trasportarlo fino a casa. Non è poi così lontano.

Allungo le braccia più che posso, e riesco ad afferrarlo su entrambi i lati. Lo sollevo lentamente da terra, faccio un passo in avanti e immediatamente lo mollo. Dio, come pesa! Credo di essermi stirata un muscolo.

D'accordo, così non ce la faccio. Ma potrei comunque farlo arrivare fino a casa. È sufficiente spostare in avanti le gambe di destra, poi quelle di sinistra... poi di nuovo...

Ecco, funziona. È un po' lento come metodo, ma se prendo il ritmo...

Lato sinistro... lato destro...

Il segreto sta nel non preoccuparsi di quanto si procede, ma di farlo in modo regolare. Arriverò a casa senza neppure accorgermene.

Una coppia di adolescenti in giaccone imbottito mi supera ridendo, ma io sono troppo presa per reagire.

Lato sinistro... lato destro...

«Senta» dice una voce infastidita alle mie spalle. «Potrebbe evitare di bloccare tutto il marciapiede?» Mi volto e, con orrore, vedo avvicinarsi una donna in cappellino da baseball e scarpe da ginnastica con almeno dieci cani al guinzaglio, tutti di razze e taglie diverse.

Oh, Dio. Non capisco proprio perché le persone non possano portarsi fuori il cane da sole. Voglio dire, se non gli va di camminare, perché non si prendono un gatto o dei pesci tropicali?

Mi sono addosso. Guaiscono e abbaiano in un intreccio di guinzagli e... No, non ci posso credere! Un barboncino ha alzato la zampa contro il mio splendido mobile bar!

«Fermo!» strillo. «Porti subito via quel cane!»

«Su, vieni, Flo» dice la donna, lanciandomi un'occhiata ostile mentre trascina via i cani.

Oh, è inutile. Non sono neppure arrivata alla fine della vetrina dell'antiquario, e sono già esausta.

«Allora» dice una voce secca alle mie spalle. «Non è che per caso ha cambiato idea sulla consegna?»

Mi volto e vedo Arthur Graham, il proprietario di Arthur's Antiques, appoggiato allo stipite della porta, tutto elegante in giacca e cravatta.

«Non saprei.» Mi appoggio al mobile bar, cercando di assumere un'aria disinteressata, come se avessi mille altre possibilità, compresa quella di restarmene lì ferma in mezzo al marciapiede. «Forse.»

«Sono settantacinque dollari, ovunque a Manhattan.»

Ma io non abito ovunque a Manhattan, vorrei gridare. Io sto proprio dietro l'angolo!

Arthur mi rivolge un sorriso implacabile. Sa di aver vinto.

«Okay.» Ammetto la sconfitta. «Potrebbe essere una buona idea.»

Arthur chiama un tizio in jeans, che si avvicina infastidito e solleva il mobile bar come se fosse di carta. Li seguo all'interno del negozio caldo e affollato di oggetti, e mi scopro a guardarmi attorno un'altra volta, come se non fossi uscita da lì solo cinque minuti fa. Adoro questo posto. Da qualunque parte ti giri, c'è qualcosa che vorresti avere. Come quella fantastica poltrona di legno intagliato, o quel copridivano in velluto dipinto a mano... e quella pendola! È semplicemente straordinaria. E ogni giorno arrivano articoli nuovi.

Non che io venga qui ogni giorno.

Era solo così per dire.

«Ha fatto un ottimo acquisto» osserva Arthur, indicando il mobile bar. «Lei ha davvero occhio.» Mi sorride e scrive qualcosa su un biglietto.

«Non saprei» rispondo, con una lieve alzata di spalle.

Ma suppongo che non abbia tutti i torti. Tutte le domeniche guardavo *Antiques Road Show* in tivù con la mamma, quindi un po' di esperienza devo essermela fatta.

«Quello è un bel pezzo» dico, con l'aria di chi se ne intende, accennando con la testa a una specchiera dalla cornice dorata.

«Sì» dice lui. «Certo, è moderna...»

«Be', certo» mi affretto ad aggiungere.

Ovviamente l'avevo capito. Volevo solo dire che era un bel pezzo nonostante fosse moderno.

«È per caso interessata ad accessori anni Trenta per completare il suo mobile bar?» mi chiede Arthur alzando lo sguardo. «Brocche... bicchieri? Talvolta ci capitano dei pezzi davvero deliziosi.»

«Ma certo!» rispondo, con un gran sorriso. «Naturalmente.»

Bicchieri degli anni Trenta? Voglio dire, chi preferirebbe bere da un misero bicchiere moderno quando ne può avere uno d'epoca?

Arthur sta aprendo un grosso registro rilegato in pelle con la scritta COLLEZIONISTI e io mi sento pervadere da una calda sensazione di orgoglio. Sono diventata importante! Ora sono una collezionista!

«Signorina R. Bloomwood... articoli da bar del 1930. Ho il suo numero, quindi, se dovesse arrivarmi qualcosa, la chiamerò.» Arthur scorre la pagina. «Qui vedo che lei è interessata anche a vasi di vetro veneziano...»

«Oh! Mmm... sì.»

Me n'ero dimenticata. A essere sincera non so neppure dove sia finito il primo che ho comprato.

«Nonché a orologi da tasca del diciannovesimo secolo...» Sta scorrendo la pagina con un dito. «Shaker... cuscini a mezzo punto... Nutre ancora un interesse vivo per tutti questi oggetti?» chiede, alzando lo sguardo.

«Be'...» Mi schiarisco la gola. «A essere sincera, non sono del tutto sicura a proposito degli orologi. E nemmeno degli shaker.»

«Capisco. E i cucchiaini da marmellata dell'epoca vittoriana?»

Cucchiaini da marmellata? Cosa diavolo me ne faccio di vecchi cucchiaini da marmellata?

«Sa cosa le dico?» rispondo con aria ispirata. «Credo che d'ora in poi mi concentrerò soltanto sugli articoli da bar degli anni Trenta. Meglio una sola collezione ma buona.»

«Decisione molto saggia.» Mi sorride e comincia a cancellare alcune voci dalla lista. «Ci vediamo.»

Quando esco in strada, fa un freddo cane e dal cielo comincia a scendere qualche fiocco di neve. Ma io mi sento bruciare di soddisfazione. Che investimento fantastico! Un autentico mobile bar degli anni Trenta... e presto avrò un'intera collezione di articoli da bar! Sono davvero fiera di me stessa.

Dunque, per cosa ero uscita, oggi?

Ah, sì. Due cappuccini.

Viviamo insieme a New York da un anno in un appartamento nella West 11th Street, una zona molto caratteristica e ricca di verde. Tutte le case hanno balconcini con elaborate ringhiere in ferro battuto e scalini di pietra che salgono al portone d'ingresso, e i marciapiedi sono ombreggiati da file di alberi. Sull'altro lato della strada abita qualcuno che suona musica jazz al pianoforte, e nelle sere d'estate saliamo sul tetto a terrazza che dividiamo con i nostri vicini e ci sediamo sui cuscini a bere vino e ad ascoltare la musica. (Cioè, lo abbiamo fatto una volta.)

Entrando, trovo una montagna di posta nell'atrio e la scorro velocemente.

Seccature...

Seccature...

Ah! "British Vogue"!

Seccature...

Oh! La carta acquisti di Saks Fifth Avenue!

Fisso la busta per un momento, poi la infilo in borsa. Non che la voglia nascondere. Solo che non c'è bisogno che Luke la veda. Recentemente su una rivista ho letto un articolo molto interessante intitolato "Diamo troppe informazioni?" nel quale si diceva che bisognerebbe filtrare gli eventi della giornata anziché raccontare al partner ogni dettaglio e sovraccaricare così la sua mente già stanca. Diceva che la casa dovrebbe essere un'oasi di pace, e che nessuno ha bisogno di essere informato proprio di tutto. Il che, se ci pensate bene, ha senso.

E così, ultimamente, ho cominciato a filtrare molto. Solo le informazioni banali e noiose tipo... be', i conti dei negozi, il prezzo esatto pagato per un paio di scarpe... e sapete una cosa? Dev'essere una teoria valida perché il nostro rapporto è molto cambiato.

Infilo il resto della corrispondenza sotto il braccio e salgo le scale. Non ci sono lettere dall'Inghilterra, ma d'altro canto non ne aspettavo. Perché stasera... indovinate un po'? Stasera saltiamo su un aereo e torniamo a casa per il matrimonio di Suze, la mia migliore amica! Non vedo l'ora.

Si sposa con Tarquin, un ragazzo dolcissimo che conosce da una vita. (In realtà, è suo cugino. Ma il matrimonio è legale, si sono informati.) Si sposano nello Hampshire, a casa dei genitori di lei. Ci saranno fiumi di champagne, una carrozza trainata da un cavallo, e, cosa più importante di tutte, io sarò la sua damigella!

Al solo pensarci provo una fitta di struggimento. Sono così impaziente! Non solo di farle da damigella, ma di vedere Suze, i miei genitori, la mia casa. Ieri mi sono resa conto che sono sei mesi che manco dall'Inghilterra, e all'improvviso mi è parsa un'eternità. Mi sono persa l'elezione di papà a capitano del golf club, l'aspirazione di tutta la sua vita. E lo scandalo di Siobhan, che ha rubato i soldi raccolti per il tetto della chiesa e li ha usati per andare a Cipro. Ma, peggio di tutto, mi sono persa il fidanzamento di Suze, anche se due settimane dopo lei è venuta a New York per mostrarmi l'anello.

Non che mi dispiaccia, perché qui mi trovo davvero bene. Il mio lavoro da Barneys è perfetto, come pure la vita nel West Village. Adoro passeggiare per le stradine secondarie, acquistare i muffin alla panetteria Magnolia il sabato mattina, e tornare a casa attraversando il mercato. Fondamentalmente, adoro tutto di New York. Tranne, forse, la madre di Luke.

Ma casa tua è sempre casa tua.

Arrivata al secondo piano, sento della musica filtrare dal nostro appartamento, e mi accorgo di essere impaziente. Danny dev'essere all'opera. Anzi, magari a quest'ora avrà già finito! Il mio vestito è pronto!

Danny Kovitz vive al piano di sopra, nell'appartamento di suo fratello, ed è diventato uno dei miei migliori amici qui a New York. È un designer eccezionale, dotato di grande talento, anche se finora non ha avuto molto successo.

Be', a essere sinceri, non ha avuto successo per niente. Sono cinque anni che ha finito la scuola, e sta ancora aspettando la grande occasione. Ma, come dice sempre lui, sfondare come stilista è ancor più difficile che sfondare come attore. Se non conosci le persone giuste o non sei figlia di un ex Beatle, tanto vale che ti rassegni. A me dispiace, perché secondo me lui meriterebbe di diventare famoso. E così, appena Suze mi ha scelto come damigella, gli ho chiesto di farmi il vestito. Al matrimonio di Suze ci sarà un sacco di gente ricca e importante, e si spera che tutti mi chiedano di chi è il vestito che indosso, e da lì partirà un passaparola internazionale che farà di Danny una star della moda.

Sono davvero impaziente di vedere la sua creazione. Gli schizzi che mi ha mostrato erano incredibili e, ovviamente, un abito fatto a mano è molto più rifinito ed elaborato di uno prodotto in serie. Il corpino, per esempio, dovrebbe essere un corsetto tutto ricamato a mano e sostenuto da stecche di balena, e Danny ha suggerito di inserire un piccolo nodo d'amore fatto con le pietre portafortuna di sposi e testimoni, dettaglio che trovo davvero originale.

La mia unica piccola, piccolissima, preoccupazione è che il matrimonio è fra due giorni e io non ho ancora provato l'abito. Non l'ho neppure visto. Questa mattina gli ho suonato alla porta per ricordargli che oggi partivo per l'Inghilterra e, dopo un'eternità, lui è venuto ad aprire barcollante e mi ha promesso che l'avrebbe finito per l'ora di pranzo. Ha detto che è abituato a lasciar fermentare le idee fino all'ultimo momento, e poi sull'adrenalinica onda dell'ispirazione, lavora a velocità incredibile. Lui è abituato così, mi ha assicurato, e non ha mai mancato una consegna.

Apro la porta di casa mia e grido un «ciao!» tutta allegra. Visto che nessuno mi risponde, spalanco la porta del soggiorno. La radio diffonde a tutto volume una canzone di Madonna, la televisione è sintonizzata su MTV, e il cane robot di Danny sta cercando di arrampicarsi sul sofà.

Danny invece è accasciato sulla macchina per cucire, e dorme profondamente in una nuvola di seta dorata.

«Danny?» chiamo, sgomenta. «Ehi, svegliati!»

Danny si tira su di scatto, sfregandosi il viso. Ha i riccioli tutti arruffati, e gli occhi azzurro chiaro sono ancor più iniettati di sangue di quando mi ha aperto la porta questa mattina. Indossa una vecchia T-shirt grigia e da uno strappo dei jeans spunta un ginocchio ossuto, completo di crosta, risultato della caduta coi roller lo scorso fine settimana. Sembra di dieci anni più vecchio.

«Becky!» dice, confuso. «Ciao! Cosa ci fai qui?»

«Questo è il mio appartamento. Ricordi? Stavi lavorando qui perché da te è saltata la corrente.»

«Ah, già» dice, guardandosi attorno annebbiato. «Giusto.»

«Ti senti bene?» chiedo, guardandolo preoccupata. «Tieni, bevi un po' di caffè.»

Gli porgo la tazza, e lui beve due lunghe sorsate. Poi il suo sguardo si posa sul mazzetto di corrispondenza che ho in mano e solo a quel punto sembra riscuotersi.

«Ehi, quello è "British Vogue"?»

«Mmm... sì» rispondo, posandolo dove lui non può arrivare a prenderlo. «Allora, come va il vestito?»

«Alla grande. È tutto sotto controllo.»

«Posso provarlo?»

Attimo di silenzio. Danny fissa il mucchio di seta dorata davanti a sé come se la vedesse per la prima volta.

«No. Non ancora» risponde, alla fine.

«Ma sarà pronto in tempo?»

«Certo. Naturale.» Appoggia il piede sul pedale e la macchina per cucire comincia a ronzare. «Sai» mi dice, sopra il rumore, «avrei bisogno di un bel bicchiere d'acqua.»

«Subito!»

Corro in cucina, apro il rubinetto e aspetto che arrivi l'acqua fredda. Le tubature di questa casa sono un po' vecchie e non facciamo altro che chiedere alla signora Watts, la proprietaria, di farle riparare. Ma lei vive in Florida e non sembra molto interessata a noi. A parte questo, il posto è meraviglioso. Il nostro appartamento è smisurato per gli standard di New York, ha pavimenti di legno, un caminetto ed enormi vetrate che arrivano fino al soffitto.

(Ovviamente, la prima volta che sono venuti a trovarmi, mamma e papà non sono rimasti affatto colpiti. Tanto per cominciare non riuscivano a capire perché non vivessimo in una casa indipendente e perché mai la cucina fosse così piccola. Poi hanno cominciato a dire che era un vero peccato che non avessimo un giardino, e che Tom, il figlio dei nostri vicini, si era appena trasferito in una casa con mille metri di terreno.

Francamente, se qualcuno avesse mille metri di terreno qui a New York, ci costruirebbe dieci isolati di uffici.)

«Ecco! Allora, come sta anda...» Entro in soggiorno e mi interrompo. La macchina per cucire tace e Danny sta leggendo "Vogue".

«Danny!» esclamo con un gemito. «E il mio vestito?»

«Hai visto qui?» dice lui, battendo un dito sulla pagina. «"La collezione di Hamish Fargle conferma il suo solito stile e genio creativo"» legge a voce alta. «Ma per favore! Quello ha talento zero. Zero! Lo sai che era a scuola con me? Una volta mi ha rubato un'idea...» Alza la testa e mi guarda, strizzando gli occhi. «Ce l'avete, da Barneys?»

«Mmm... non lo so» rispondo, mentendo.

Danny è ossessionato dall'idea di essere in vendita da Barneys. È l'unica cosa che desidera al mondo. E, solo perché io lavoro lì come personal shopper, cioè come consulente personale di shopping, si è convinto che potrei riuscire a fargli ottenere un incontro con il capo dell'ufficio acquisti.

In realtà, io di incontri con il capo dell'ufficio acquisti gliene ho procurato più di uno. La prima volta si è presentato all'appuntamento con una settimana di ritardo e lei era partita per Milano. La seconda volta le ha portato da vedere una giacca e, mentre lei la provava, sono partiti tutti i bottoni.

Dio, ma cosa m'è venuto in mente di chiedergli di farmi il vestito?

«Danny, dimmi soltanto una cosa. Il mio vestito sarà pronto o no?»

Segue una pausa interminabile.

«Dev'essere pronto proprio per oggi?» ribatte lui, alla fine. «Letteralmente oggi?»

«Ho l'aereo fra sei ore!» La mia voce si fa stridula. «Ho un matrimonio tra meno di...» Mi interrompo, scuotendo la testa. «Senti, lascia perdere. Metterò qualcos'altro.»

«Qualcos'altro?» Danny posa "Vogue" e mi rivolge uno sguardo vuoto. «Cosa vuol dire, qualcos'altro?»

«Be'...»

«Per caso mi stai licenziando?» Mi guarda come se gli avessi detto che è finita dopo dieci anni di matrimonio. «Solo perché sono un tantino in ritardo?»

«Non ti sto licenziando. Ma non posso fare la damigella senza il vestito, no?»
«No, ma cos'altro potresti mettere?»
«Be'...» Mi tormento le dita, imbarazzata. «Ho un vestitino di riserva nel guardaroba...»
Non posso dirgli che ne ho tre. E due in sospeso da Barneys.
«Di chi è?»
«Mmm... Donna Karan» rispondo, con aria colpevole.
«Donna Karan?!» La voce gli si incrina per l'indignazione. «Preferisci Donna Karan a me?»
«Certo che no! Ma se non altro quello è nell'armadio, pronto, tutto cucito e...»
«Devi mettere il mio abito.»
«Danny...»
«Indossa il mio abito! Ti prego!» Si getta a terra e viene verso di me camminando sulle ginocchia. «Sarà pronto. Lavorerò tutto il giorno e tutta la notte.»
«Non abbiamo tutto il giorno e tutta la notte! Abbiamo sì e no tre ore!»
«Allora lavorerò tre ore. Ce la farò!»
«Riesci a fare un corsetto ricamato con le stecche di balena in tre ore?» dico, incredula.
Danny sembra sconcertato.
«Be', sarà necessario rivedere un po' il modello...»
«In che senso?»
Tamburella con le dita per qualche istante, poi alza lo sguardo. «Hai una T-shirt bianca?»
«Una T-shirt?» Non riesco proprio a nascondere il mio sgomento.
«Sarà fantastico. Te lo assicuro!» Si sente il rumore di un furgone che si ferma in strada e lui lancia un'occhiata dalla finestra. «Ehi, hai comprato altra roba dall'antiquario?»

Un'ora dopo mi sto guardando allo specchio. Indosso una gonna lunga e gonfia di seta dorata e la mia T-shirt bianca, che a questo punto è totalmente irriconoscibile. Danny ha tolto le maniche, l'ha ricamata di paillette, ha arricciato un po' l'orlo, ha creato delle pieghe dal nulla e l'ha trasformata nel top più fantastico che io abbia mai visto.

«Mi piace moltissimo» dico, raggiante. «È splendido. Sarò la damigella più bella del mondo!»

«Sì, è piuttosto carino» conviene Danny con un'alzata di spalle, ma si capisce che è soddisfatto della sua opera.

Bevo un ultimo sorso di cocktail e svuoto il bicchiere. «Delizioso. Ce ne facciamo un altro?»

«Cosa c'era, in questo?»

«Mmm...» Osservo le bottiglie allineate sul mobile bar. «Non me lo ricordo più.»

C'è voluto del bello e del buono a trascinare il mobile sulle scale e dentro l'appartamento. A essere sinceri, è più grosso di quanto pensassi e non sono certa che stia nella piccola nicchia dietro il sofà dove avevo pensato di inserirlo. Comunque, è un pezzo fantastico. Fa bella mostra di sé in mezzo alla stanza, e l'abbiamo già inaugurato. Appena l'ho sistemato in casa, Danny è corso a saccheggiare la riserva di liquori di suo fratello Randall, e io ho racimolato tutto l'alcol che c'era in cucina. Ci siamo fatti un Margarita e un Gimlet, e poi un cocktail di mia invenzione che si chiama Bloomwood, a base di vodka, succo d'arancia e M&M, da pescare uno per volta con il cucchiaino.

«Passami il top. Voglio tirare un po' su quella spallina.»

Me lo tolgo e glielo porgo, poi prendo la maglia, senza preoccuparmi di coprirmi. Voglio dire, si tratta di Danny. Intanto lui infila un ago e con mano esperta comincia a lavorare sulla T-shirt. «Allora, raccontami un po' di questi tuoi strani amici cugini che si sposano.»

«Non sono strani!» Ho un attimo di esitazione. «Be', d'accordo, Tarquin un pochino strano lo è, ma Suze è normalissima. È la mia migliore amica!» Vedo che Danny inarca un sopracciglio.

«E proprio non sono riusciti a trovare nessun altro con cui sposarsi se non uno della famiglia? Tipo... dunque, la mamma è già occupata, mia sorella è troppo grassa, il cane... no, non mi piace il colore del pelo...»

«Smettila!» Non posso fare a meno di ridere. «Ad un certo punto hanno capito di essere fatti l'uno per l'altra.»

«Già. Tipo *Harry ti presento Sally*.» Imita una voce impastata. «Erano amici. Venivano dallo stesso ceppo genetico.»

«Danny...»

«Okay.» Si placa e taglia il filo. «E tu e Luke?»

«Io e Luke cosa?»

«Pensi che vi sposerete?»

«Non ne ho idea!» rispondo, arrossendo leggermente. «Non posso dire che mi sia mai passato per la mente.»

Il che è la pura verità.

Okay. D'accordo, non è del tutto vero. Forse mi è passato per la mente qualche volta. Forse di quando in quando mi sono divertita a scribacchiare "Becky Brandon" sul mio taccuino per vedere l'effetto che faceva. E un paio di volte posso anche aver sfogliato "Martha Stewart Weddings", così, per pura curiosità. E forse ho anche pensato che Suze si sposa con Tarquin, e stanno insieme da meno tempo di me e Luke.

Ma, insomma, non è questa gran cosa. Io non mi sento tanto portata per il matrimonio. Anzi, se Luke mi chiedesse di sposarlo, probabilmente direi di no.

Okay... d'accordo. Probabilmente direi di sì.

Ma il punto è che non succederà. Luke non ha intenzione di sposarsi "per molto tempo, se non addirittura mai". Lo ha affermato lui stesso tre anni fa in quell'intervista rilasciata al "Telegraph", che ho ritrovato tra i suoi ritagli. (Non stavo curiosando, stavo solo cercando un elastico.) Il pezzo parlava principalmente della sua società di PR, ma gli avevano fatto anche domande di carattere personale e poi, sotto una sua foto, avevano messo la didascalia "Brandon: Il matrimonio? L'ultimo dei miei progetti".

Cosa che per me va benissimo. Poiché è anche l'ultimo dei *miei* progetti.

Mentre Danny dà i tocchi finali al vestito, io mi dedico alle faccende domestiche, vale a dire infilo i piatti della colazione nel lavello perché lo sporco si ammorbidisca, pulisco una macchia sul piano di lavoro e perdo un po' di tempo a riordinare i vasetti delle spezie secondo il colore. È un lavoro così appagante! Un po' come rimettere a posto i pennarelli.

«Per voi è difficile la convivenza?» chiede Danny, avvicinandosi alla soglia.

«No.» Lo guardo, sorpresa. «Perché?»

«La mia amica Kirsty ha tentato di andare a vivere con il suo ragazzo. Un disastro. Non facevano altro che litigare. Ha detto che davvero non sa come facciano gli altri.»

Sposto il vasetto del cumino accanto a quello del fieno greco (cos'avrà poi di speciale il fieno greco?), sentendomi parecchio soddisfatta. Ora che ci penso, Luke e io non abbiamo avuto alcun problema da quando abbiamo deciso di vivere assieme. (Tranne, forse, quella volta in cui ho ridipinto il bagno e i pantaloni del suo completo nuovo si sono sporcati di vernice dorata. Ma quello non conta, perché in seguito Luke ha ammesso di aver reagito in maniera esagerata, e qualunque persona dotata di buon senso avrebbe visto che la pittura era fresca.)

Riflettendoci meglio, forse abbiamo avuto una piccolissima discussione sul numero di vestiti che compero. Qualche volta Luke deve aver aperto l'anta del guardaroba, dicendo: «Pensi che indosserai mai uno di questi?».

Forse abbiamo avuto anche un franco e onesto confronto dialettico a proposito delle ore che Luke dedica al lavoro. Lui dirige la Brandon Communications, la società di relazioni pubbliche di sua proprietà, che ha una sede a Londra e una a New York ed è in continua espansione. Luke adora il suo lavoro, e forse una o due volte posso averlo accusato di amare il suo lavoro più di me.

Ma il punto è che siamo una coppia matura e flessibile, in grado di risolvere i problemi con una franca discussione. Non molto tempo fa siamo andati al ristorante e abbiamo parlato a lungo: io ho solennemente promesso che avrei cercato di fare meno acquisti e Luke ha promesso che avrebbe cercato di lavorare meno. Dopodiché lui è tornato in ufficio e io sono andata da Dean and Deluca a far compere per la cena. (E ho trovato un incredibile olio extravergine di oliva aromatizzato con succo di arance biologiche, per il quale prima o poi devo assolutamente trovare una ricetta.)

«Occorre impegnarsi molto per una buona convivenza» osservo con saggezza. «Bisogna essere flessibili. Bisogna dare, oltre che prendere.»

«Davvero?»

«Oh, sì. Luke e io condividiamo ogni cosa. Le finanze, i lavori di casa... è come se fossimo una squadra. Il punto è che non si può pensare che tutto resti come prima. Occorre essere concilianti.»

«Davvero?» ripete Danny. «E secondo te, chi è più conciliante? Tu o Luke?»

Rifletto un secondo.

«È difficile dirlo» rispondo, alla fine. «Suppongo che siamo pari.»

«Allora, tutta questa roba...» Danny fa un gesto a indicare l'appartamento «è più tua o sua?»

«Mmm...» Mi guardo attorno: candele da aromaterapia, cuscini di pizzo antico, pile di riviste. Per un attimo la mia mente vola all'appartamento londinese di Luke, immacolato e minimalista.

«Be'... diciamo un po' di tutti e due.»

Il che in un certo senso è vero. Voglio dire, Luke tiene il portatile in camera da letto.

«Il punto è che fra noi non ci sono attriti» proseguo. «Pensiamo come una persona. Siamo come una cosa sola.»

«È fantastico» dice Danny, prendendo una mela dalla fruttiera. «Siete fortunati.»

«Ne siamo consapevoli» dico, con aria complice. «Sai, Luke e io siamo così in sintonia che certe volte è come se fra di noi ci fosse una comunicazione a livello superiore.»

«Davvero?» Danny mi fissa. «Dici sul serio?»

«Oh, sì. Io so cosa sta per dire, sento quando lui è nelle vicinanze...»

«Come la "Forza"?»

«Suppongo di sì.» Sollevo appena le spalle. «È una specie di dono. Non mi faccio troppe domande...»

«Salve, Obi-Wan Kenobi» dice una voce profonda alle nostre spalle. Danny e io trasaliamo, spaventati. Mi volto di scatto... ed ecco Luke, fermo sulla soglia, con un sorriso divertito sul viso. Ha le guance arrossate per il freddo e fiocchi di neve sparsi sui capelli scuri. È così alto che la stanza sembra farsi di colpo più piccola.

«Luke!» esclamo. «Ci hai spaventato!»

«Scusa. Credevo che avresti avvertito la mia presenza.»

«Sì. In effetti, mi era parso di aver sentito qualcosa...» ribatto convinta.

«Ma certo.» Mi dà un bacio. «Ciao, Danny.»

«Ciao» risponde Danny, e resta a guardarlo mentre si toglie il cappotto di cashmere blu scuro, si sbottona i polsini e contemporaneamente si allenta la cravatta con i gesti abili e sicuri di sempre.

Una volta che eravamo tutti e due completamente sbronzi, Danny mi ha chiesto: «Luke fa l'amore come apre le bottiglie di champagne?». E, per quanto io abbia urlato e lo abbia tempestato di pugni dicendogli che non erano affari suoi, ho capito cosa voleva dire. Luke non ha mai un attimo di esitazione, non sembra mai confuso né incerto. Dà sempre l'impressione di sapere ciò che vuole, e quasi sempre ci riesce, si tratti di aprire una bottiglia di champagne o di conquistare un nuovo cliente, oppure a letto, quando noi...

Be', insomma... diciamo che, da quando viviamo insieme, i miei orizzonti si sono decisamente ampliati.

Luke prende la posta e comincia a esaminarla. «Come ti va, Danny?»

«Bene, grazie» risponde lui, dando un morso alla mela. «Come va il mondo dell'alta finanza? Hai visto mio fratello, oggi?» Randall, il fratello di Danny, lavora in una finanziaria e Luke ha pranzato con lui un paio di volte.

«No, oggi no.»

«Okay. Quando lo vedi chiedigli se per caso non è un tantino ingrassato. Con disinvoltura, tipo "Sai, Randall, mi sembri bello in carne". E poi, magari, fa' un commento sul piatto che ha scelto. È così paranoico all'idea di ingrassare da risultare ridicolo.»

«Ah, l'amore fraterno!» commenta Luke. Arriva in fondo alla pila di lettere e mi guarda aggrottando la fronte.

«Becky, è arrivato l'estratto conto?»

«Mmm... no. Non ancora» rispondo con un sorriso rassicurante. «Arriverà domani.»

Non è del tutto vero. In realtà è arrivato ieri, ma io l'ho infilato subito nel cassetto della mia biancheria. Sono un po' preoccupata per certe voci, quindi voglio prima verificare se posso fare qualcosa per risolvere la situazione. La verità è che, nonostante quello che ho detto a Danny, trovo un po' difficile da gestire questa faccenda del conto cointestato.

Non fraintendetemi: io sono assolutamente favorevole alla condivisione del patrimonio. Anzi, posso dire con la massima sincerità che adoro condividere il patrimonio di Luke. Mi dà una tale euforia! L'unico momento in cui mi piace poco è quando lui chiede all'improvviso "Cos'è questo addebito di settanta dollari da Bloomingdale?" e io non riesco a ricordarlo. Così ho elaborato una strategia tutta nuova, semplice e geniale.

Rovescerò qualcosa sull'estratto conto in modo che lui non possa leggerlo.

«Vado a farmi una doccia» annuncia Luke, raccogliendo la corrispondenza. Ma, arrivato sulla soglia, si blocca di colpo. Si volta lentamente e fissa il mobile bar.

«E quello cos'è?» chiede.

«È un mobile bar!» rispondo io, con grande naturalezza.

«Da dove esce?»

«Veramente... l'ho comprato oggi.»

«Becky...» Luke chiude gli occhi. «Credevo avessimo detto basta cianfrusaglie.»

«Ma non si tratta di cianfrusaglie! È un pezzo autentico degli anni Trenta! Potremo fare degli incredibili cocktail ogni sera!» Nel vedere la sua espressione vengo assalita dal nervosismo e comincio a balbettare. «Senti, lo so che abbiamo detto basta mobili, ma questo è diverso. Voglio dire, quando ci si imbatte in un pezzo unico come questo, non si può lasciarlo scappare!»

Mi zittisco, mordendomi il labbro. In silenzio, Luke va verso il mobile. Fa scorrere una mano sul ripiano, poi, serio, prende uno shaker.

«Luke, pensavo che fosse divertente! Pensavo che ti sarebbe piaciuto. Il tizio del negozio dice che ho davvero occhio...»

«Hai occhio» ripete Luke, con un'aria incredula.

Trasalisco e lancio un urlo, mentre lui getta lo shaker per aria, e mi preparo a vederlo a terra in mille pezzi. Invece Luke lo afferra al volo. Danny e io lo guardiamo a bocca aperta mentre lo lancia di nuovo in aria, lo fa ruotare su se stesso e poi rotolare lungo il braccio.

Non ci posso credere. Vivo con Tom Cruise.
«Un'estate ho lavorato come barman» spiega Luke, e il suo volto si apre in un sorriso.
«Insegnami come si fa!» esclamo, eccitata. «Voglio imparare anch'io!»
«Anch'io!» mi fa eco Danny. Poi afferra l'altro shaker, lo fa ruotare con un gesto maldestro, e poi me lo lancia. Io faccio per prenderlo, ma lo shaker atterra sul divano.
«Mani di pasta frolla!» dice Danny, prendendomi in giro. «Su, Becky. Devi allenarti, se vuoi prendere il bouquet della sposa al matrimonio.»
«No, non voglio.»
«Sei sicura? Non vuoi essere la prossima?»
«Danny...» Accenno una risatina.
«Voi due dovreste proprio sposarvi» prosegue Danny, ignorando le mie occhiate minacciose. Prende lo shaker e comincia a palleggiarlo da una mano all'altra. «È perfetto. Guardatevi. Vivete insieme, non volete uccidervi a vicenda, non siete parenti... potrei farti un vestito fa-vo-lo-so...» Posa lo shaker e d'un tratto mi guarda tutto serio. «Senti, Rebecca. Promettimi che se ti sposi ti farai fare il vestito da me.»
È agghiacciante. Se andiamo avanti così, Luke penserà che gli stia facendo delle pressioni. Potrebbe persino pensare che abbia chiesto a Danny di tirare in ballo l'argomento apposta.
Devo assolutamente rimediare. Subito.
«A dire il vero, io non voglio sposarmi» mi scopro a dire. «Per lo meno non prima di dieci anni.»
Danny sembra colto alla sprovvista. «Davvero?»
«Dici sul serio?» Luke mi guarda con un'espressione indecifrabile. «Non lo sapevo.»
«Ah, no?» rispondo, cercando di apparire naturale. «Be', ora lo sai!»
«Perché non vuoi sposarti per altri dieci anni?» chiede Danny.
«Ecco... ehm...» Mi schiarisco la gola. «Si dà il caso che ci siano un sacco di cose che voglio fare, prima. Voglio concentrarmi sulla mia carriera... esplorare le mie potenzialità e... arrivare a conoscere la vera me stessa e... e... diventare una persona consapevole.»

Mi interrompo e sostengo lo sguardo di Luke con una leggera aria di sfida.

«Capisco» dice lui, annuendo. «Be', mi sembra sensato.» Guarda lo shaker che ha in mano, poi lo posa. «Sarà meglio che vada a fare le valigie.»

Ehi, un momento! Non avrebbe dovuto essere d'accordo con me.

2

Arriviamo a Heathrow alle sette del mattino seguente, e ritiriamo l'auto a noleggio. Durante il tragitto verso la casa dei genitori di Suze, nello Hampshire, osservo con occhi assonnati la campagna coperta di neve, le siepi, i campi e i minuscoli paesi, ed è come se li vedessi per la prima volta. Dopo Manhattan, tutto sembra così piccolo, così... lezioso. Ora capisco perché gli americani che visitano l'Inghilterra trovano tutto così "caratteristico".

«Ora da che parte?» chiede Luke, arrivando all'ennesimo incrocio.

«Mmm, qui sicuramente a sinistra. No, volevo dire a destra. Anzi, no, a sinistra.»

Mentre Luke sterza di qua e di là, cerco l'invito nella borsa, per verificare l'indirizzo esatto.

Sir Gilbert e Lady Cleath-Stuart
richiedono il piacere della sua presenza...

Affascinata, fisso a lungo l'elegante carattere di stampa. Dio, non riesco ancora a credere che Suze e Tarquin si sposino.

Voglio dire, ovvio che ci credo. In fondo, escono insieme da più di un anno, e Tarquin si è praticamente trasferito nell'appartamento che dividevo con Suze... anche se pare che passino sempre più tempo in Scozia. Sono due persone davvero care e tranquille, e a detta di tutti formano una splendida coppia.

Ma ogni tanto, se mi distraggo, mi capita di pensare: «Cosa?! Suze e Tarquin?».

Voglio dire, Tarquin era il cugino un po' strambo e sfigato di Suze. Per anni è stato semplicemente il tizio che se ne stava in disparte con la sua giacchettina fuori moda e una certa tendenza a canticchiare Wagner nei luoghi pubblici. Era uno che raramente abbandonava il rifugio sicuro del suo castello scozzese e una delle rare volte in cui l'ha fatto è stato per portarmi fuori a cena. È stato il peggior appuntamento della mia vita (ma di questo io e lui non parliamo mai).

Ma ora è... be', è il ragazzo di Suze. Certo, non ha perso la sua goffaggine, né la predilezione per i maglioni sferruzzati dalla sua vecchia bambinaia, tantomeno quella sua aria vagamente trasandata. Ma Suze lo ama, e questa è l'unica cosa che conta.

Proprio come il suo gatto di pezza.

Oh, Dio, non posso mettermi a piangere già adesso. Devo darmi una calmata.

«Harborough Hall» annuncia Luke, fermandosi davanti a due pilastri di pietra quasi in rovina. «È qui?»

«Ehm...» Tiro su col naso, cercando di darmi un contegno. «Sì, è qui. Va' pure avanti.»

Sono stata a casa di Suze un sacco di volte, ma mi stupisco sempre di quanto sia maestosa. Imbocchiamo un grande viale fiancheggiato da alberi secolari che porta a un ampio spiazzo di ghiaia. La casa è grigia, antica e imponente, ornata da colonne ricoperte d'edera.

«Bella casa» osserva Luke mentre ci dirigiamo verso il grande portone d'ingresso. «Quanto è antica?»

«Non lo so» rispondo vaga. «Appartiene alla loro famiglia da anni.» Do uno strattone al cordone del campanello, nella remota possibilità che qualcuno l'abbia riparato, ma ovviamente non è così. Busso un paio di volte con il pesante batacchio e, visto che nessuno viene a rispondere, entro nell'enorme atrio dal pavimento di pietra, dove un labrador sta dormendo beato davanti al fuoco scoppiettante del camino.

«Ehi, c'è nessuno? Suze?»

Di colpo mi accorgo che, addormentato davanti al caminetto, sprofondato in una grande poltrona con lo schienale alto, c'è anche il padre di Suze. A dire il vero, quest'uomo mi incute un certo timore. Non voglio assolutamente svegliarlo.

«Suze?» ripeto, a voce più bassa.
«Bex! Mi sembrava di aver sentito un rumore!»
Alzo lo sguardo ed eccola, in cima alla scalinata, avvolta in una vestaglia scozzese, i capelli biondi sciolti sulle spalle e un sorriso entusiasta stampato sul volto.
«Suze!»
Salgo i gradini a due per volta e corro ad abbracciarla. Quando ci stacchiamo, abbiamo tutte e due gli occhi rossi. Faccio una risata incerta. Dio, come mi è mancata Suze! Molto più di quanto credessi.
«Vieni in camera mia!» dice lei, tirandomi per la mano. «Vieni a vedere il vestito!»
«È davvero così bello come sembra in fotografia?» dico, tutta gasata.
«È perfetto! E devi assolutamente vedere il corsetto che ho preso da Rigby and Peller... insieme a un paio di fantastiche mutandine...»
Luke si schiarisce la gola. Suze e io ci voltiamo.
«Oh!» esclama Suze. «Scusami, Luke. In cucina trovi caffè, giornali e altre cose. Da quella parte.» Indica un corridoio. «Se vuoi, puoi farti fare le uova al bacon dalla signora Gearing.»
«Ho idea che la signora Gearing sia proprio la donna che fa per me» dice Luke con un sorriso. «Ci vediamo dopo.»

La stanza di Suze, vivace e luminosa, si affaccia sul giardino. Dico "giardino", ma si tratta di quasi cinquemila ettari di prato che dal retro della casa digrada dolcemente fino a un boschetto di cedri e a un laghetto, nel quale Suze ha rischiato di annegare quando aveva tre anni. Sulla sinistra c'è anche un roseto recintato, e un intreccio di aiuole e sentieri di ghiaia, ed è lì che Tarquin ha chiesto a Suze di sposarlo. (A quanto pare si è messo in ginocchio, e quando si è rialzato aveva la ghiaia attaccata ai calzoni. Tipico di Tarquin.) Sulla destra c'è un vecchio campo da tennis e poi un tratto coperto d'erba alta che si estende fino a una siepe che divide la proprietà dal cimitero accanto alla chiesa del paese. Guardo fuori dalla finestra e vedo sul retro della casa un enorme gazebo da cui parte un passaggio coperto che lambisce il campo da tennis e attraversa il tratto erboso fino al cancello del cimitero.

«Non avrai intenzione di andare in chiesa a piedi?» chiedo, improvvisamente preoccupata per le scarpe di Emma Hope che Suze indosserà.

«Ma no, sciocca! Io vado in carrozza. Ma gli ospiti potranno rientrare a casa a piedi, e troveranno qualcuno che offrirà loro del whisky caldo.»

«Dio, sarà uno spettacolo!» esclamo, osservando un operaio in jeans che conficca un paletto nel terreno. Non posso fare a meno di provare una punta d'invidia. Ho sempre sognato di avere un matrimonio fantastico, con cavalli, carrozza e un sacco di ospiti.

«Già. Sarà grandioso» conviene Suze, raggiante. «Ora scusami ma devo andare un attimo a lavarmi i denti...»

Mentre Suze scompare in bagno, mi avvicino al tavolino da toeletta, dove, infilato nella cornice dello specchio, fa bella mostra di sé l'annuncio del fidanzamento. La Hon Susan Cleath-Stuart e l'Hon Tarquin Cleath-Stuart. Accidenti! Dimentico sempre che Suze viene da una famiglia così prestigiosa.

«Voglio un titolo anch'io» le dico, quando torna nella stanza, spazzolandosi i capelli. «Mi sento esclusa. Come si fa a ottenerne uno?»

«Oh, non dire così» risponde Suze arricciando il naso. «Sono tutte stronzate. La gente ti scrive chiamandoti "Cara signorina Hon".»

«Eppure dev'essere una figata. Cosa potrei essere?»

«Vediamo...» Suze cerca di eliminare un nodo dai capelli. «Donna Becky Bloomwood.»

«Sembra che abbia novantatré anni» ribatto dubbiosa. «Cosa ne dici di... Becky Bloomwood Cavaliere dell'Impero Britannico? È un titolo facile da ottenere, no?»

«Facilissimo» conviene Suze, sicura. «Potresti chiederlo per i servigi resi all'industria del paese o qualcosa del genere. Se vuoi, posso proporti. Adesso, però, mostrami il tuo vestito!»

«Okay.» Sollevo la valigia sul letto, la apro e, con la massima attenzione, tiro fuori la creazione di Danny. «Cosa ne dici?» Compiaciuta, me lo appoggio sul petto, facendo frusciare la seta dorata. «Non è fantastico?»

«È favoloso!» esclama Suze, stupefatta. «Non ho mai visto

niente di simile!» Sfiora con le dita le paillette sulla spalla. «Dove l'hai preso? È quello di Barneys?»

«No, è quello di Danny. Ricordi che ti ho detto che mi stava facendo un vestito?»

«È vero...» Suze fa una smorfia. «Ma chi sarebbe questo Danny?»

«Il mio vicino del piano di sopra. Lo stilista. Quello che abbiamo incontrato sulle scale l'ultima volta, ricordi?»

«Ah, sì» fa lei, annuendo, «me lo ricordo.»

Ma dal modo in cui lo dice capisco che non ha la minima idea di chi sia.

Posso capirla: ha incontrato Danny sì e no per due minuti. Quella volta, lui stava andando a trovare i suoi genitori nel Connecticut e lei era ancora in pieno jet lag e hanno scambiato solo qualche parola. Eppure mi suona strano pensare che Suze non conosca Danny, e che lui non conosca lei, visto che tutti e due sono così importanti per me. È come se avessi due vite completamente separate e, più resto a New York, più si allontanano l'una dall'altra.

«Okay. Ora ti mostro il mio» dice Suze eccitata.

Spalanca l'anta del guardaroba, apre una custodia a fiorellini per abiti... e dentro c'è un vestito stupefacente, una cascata di seta e velluto bianco, con le maniche lunghe e il tradizionale strascico.

«Oh, Dio, Suze!» esclamo con voce strozzata. «Sarai bellissima. Non riesco ancora a credere che tu stia per sposarti! La signora Cleath-Stuart!»

«Oh, non chiamarmi così!» dice lei, facendo una smorfia. «Mi sembra di essere mia madre. A dire il vero, però, è comodo sposare qualcuno della famiglia» aggiunge, richiudendo il guardaroba, «perché posso mantenere il mio nome e allo stesso tempo prendere il suo. Così posso continuare a chiamarmi S C-S per le mie cornici.» Rovista in una scatola di cartone e ne tira fuori una bellissima di vetro, tutta volute e spirali. «Guarda, questa è la nuova serie...»

Suze come lavoro crea cornici per fotografie. Sono distribuite in tutto il paese, e l'anno scorso ha ampliato la sua produzione aggiungendo album per foto, carta decorata e scatole da regalo.

«Il tema dominante è quello delle conchiglie» mi spiega, tutta orgogliosa. «Ti piace?»

«È bellissima!» rispondo, accarezzando con un dito le volute di vetro. «Come ti è venuta in mente?»

«A dire il vero il merito è di Tarquin. Un giorno, mentre passeggiavamo, mi ha raccontato che da bambino collezionava conchiglie e abbiamo cominciato a parlare delle diverse forme che si trovano in natura... e mi è venuta questa idea!»

Osservo il suo viso felice e mi viene in mente l'immagine di lei e Tarquin che camminano mano nella mano per la brughiera spazzata dal vento, con i loro maglioni bianchi irlandesi comprati da Scotch House.

«Suze, sono sicura che con Tarquin sarai molto felice» le dico, sincera.

«Lo pensi davvero?» chiede, arrossendo per la gioia.

«Assolutamente. Basta guardarti! Sei semplicemente radiosa!»

Il che è proprio vero. Non l'avevo notato prima, ma ha un'aria totalmente diversa dalla Suze di un tempo. Ha sempre il suo nasino delicato e gli zigomi alti, ma il viso si è fatto più morbido, come... più dolce. È sempre snella, ma c'è una specie di nuova pienezza, quasi come se...

Il mio sguardo scende sul corpo di Suze e si ferma.

Un momento.

No. Non può essere.

No.

«Suze?»

«Sì?»

«Suze, tu non...» Mi interrompo, deglutendo. «Tu non sei per caso... incinta?»

«No!» risponde lei, indignata. «Certo che no! Cosa ti viene in mente?» Incrocia il mio sguardo, si interrompe di colpo e poi scrolla le spalle. «E va bene. Sì. Sono incinta. Come hai fatto a capirlo?»

«Come ho fatto a capirlo? Dal tuo... voglio dire, perché hai l'aria di una che è incinta, no?»

«No, non è vero. Non se n'è accorto nessuno!»

«Ma non è possibile. È così evidente!»

«E invece no.» Suze tira indietro la pancia e si guarda allo specchio. «Visto? E una volta che avrò indosso il mio corsetto...»

Non riesco a capacitarmi. Suze è incinta!

«Allora è un segreto? I tuoi non lo sanno?»

«Oh, no! Non lo sa nessuno. Neppure Tarkie.» Suze fa una smorfia. «È così di cattivo gusto essere incinta il giorno del matrimonio, non ti pare? Farò finta che sia stato concepito in luna di miele.»

«Ma devi essere almeno di tre mesi!»

«Quattro. Nascerà ai primi di giugno.»

La guardo allibita.

«E come diavolo pensi di poter fingere che sia stato concepito in luna di miele?»

«Be'...» Ci pensa su qualche istante. «Potrebbe essere prematuro.»

«Di quattro mesi?»

«Non se ne accorgerà nessuno! Sai quanto sono distratti i miei.»

È vero. Una volta sono andati a prendere Suze in collegio alla fine dell'anno scolastico, il che va benissimo, solo che lei non studiava più lì da due anni.

«E Tarquin?»

«Oh, probabilmente non sa neppure quanto tempo ci voglia» risponde lei con disinvoltura. «Lui è abituato alle pecore, che ci mettono cinque mesi. Gli dirò che per gli umani è lo stesso.» Si interrompe e prende una spazzola. «Sai, una volta gli ho detto che le ragazze devono mangiare cioccolata due volte al giorno altrimenti svengono, e lui ci ha creduto.»

Almeno su un punto, Suze ha ragione. Una volta strizzata nel corsetto non si vede niente. Anzi, la mattina del suo matrimonio, mentre ridiamo tutte eccitate davanti alla toeletta della sua camera, Suze sembra persino più magra di me. Non vale!

Abbiamo passato due giornate fantastiche a rilassarci, guardando vecchi film e mangiando Kitkat uno dietro l'altro. (Suze deve mangiare per due e io ho bisogno di rimettermi in forze dopo il volo intercontinentale.) Luke ha portato con sé delle carte da studiare e si è chiuso in biblioteca ma, per una volta, la cosa non mi dispiace: è stato così bello poter passare un po' di tempo con Suze! Mi ha raccontato tutto dell'appartamento che lei e Tarquin stanno acquistando a Londra, mi ha mostrato le foto del magnifico hotel di Antigua dove andranno in luna di miele, e mi ha fatto provare quasi tutti i suoi vestiti nuovi.

In casa c'è una gran confusione: fiorai, addetti al rinfresco, parenti che arrivano per il matrimonio. La cosa strana, però, è che nessun membro della famiglia sembra farci troppo caso. Da quando sono qui, la madre di Suze è uscita a caccia tutti i giorni, mentre il padre si è rintanato in biblioteca. È la signora Gearing, la governante, a occuparsi di rinfresco, fiori e tutto il resto, e anche lei sembra perfettamente tranquilla. Quando ho chiesto spiegazioni a Suze, lei si è limitata a dare un'alzata di spalle: «Forse perché siamo abituati a organizzare tanti ricevimenti».

Ieri sera c'è stato un dopocena in onore della valanga di parenti di Suze e Tarquin arrivati dalla Scozia, e mi aspettavo che, almeno in quell'occasione, tutti parlassero del matrimonio. Invece, ogni volta che provavo a dire quanto fossero belli i fiori o come fosse tutto così romantico, ho ricevuto in risposta solo sguardi assenti. Si sono animati solo quando Suze ha detto che Tarquin le aveva promesso un cavallo come dono di nozze, e hanno cominciato a parlare delle razze che conoscevano, dei cavalli che avevano acquistato, e di un certo loro amico che aveva una bellissima cavalla saura che a Suze avrebbe potuto interessare.

Insomma! Non mi hanno neppure chiesto come sarà il mio vestito.

E comunque non me ne importa nulla, perché tanto so che è bellissimo. Tutt'e due siamo bellissime. Ci ha truccate un fantastico visagista, ed entrambe abbiamo i capelli raccolti in un elegante chignon. Il fotografo ha scattato delle foto cosiddette "spontanee" di me che abbottono il vestito a Suze (ci ha costretto a farlo tre volte, tanto che alla fine mi facevano male le braccia). E ora Suze sta lanciando gridolini di meraviglia davanti ad almeno sei diademi di famiglia, mentre io, per mantenermi calma, continuo a sorseggiare champagne.

«E sua madre?» chiede la parrucchiera a Suze, sistemandole qualche ciocca di capelli biondi intorno al viso. «Pensa che vorrà una messa in piega?»

«Ne dubito» risponde Suze con una smorfia. «Lei non è per questo genere di cose.»

«Cosa si mette?» chiedo.

«E chi lo sa?» risponde Suze. «Probabilmente la prima cosa che le capita per le mani.» Mi guarda e io le rivolgo un sorriso affettuoso. Ieri sera la madre di Suze è scesa a brindare con gli ospiti con una gonna plissé e un maglione di lana fantasia, ma con una grossa spilla di brillanti appuntata sul davanti. Intendiamoci, la madre di Tarquin era conciata anche peggio. Davvero non capisco Suze da chi abbia preso tutto il suo buon gusto.

«Bex, potresti andare da lei e assicurarti che non indossi una vecchia tenuta da giardinaggio?» mi chiede Suze. «A te darà ascolto, lo so.»

«D'accordo...» rispondo, perplessa. «Ci proverò.»

Uscendo dalla stanza, vedo Luke in tight venire verso di me.

«Sei bellissima» mi dice, con un sorriso.

«Davvero?» Faccio un giro su me stessa. «È un vestito delizioso, vero? E poi cade alla perfezione...»

«Non mi riferivo al vestito» ribatte Luke. Mi guarda negli occhi con un luccichio malizioso e io provo un fremito di piacere. «Suze è presentabile?» aggiunge. «Volevo farle gli auguri.»

«Oh, sì. Entra pure. Ehi, Luke, indovina?»

Sono due giorni che muoio dalla voglia di dirgli del bambino e le parole mi sfuggono di bocca prima che io possa trattenerle.

«Cosa?»

«Suze...» Oh, Dio, non posso dirglielo. Non posso. Suze mi ucciderebbe. «Suze... ha un vestito bellissimo» concludo.

«Bene!» ribatte lui, guardandomi con aria strana. «Questa sì che è una sorpresa. Bene. Faccio un salto veloce da lei. Ci vediamo dopo.»

Mi avvicino con circospezione alla camera della mamma di Suze e busso con delicatezza.

«Chi è?» tuona una voce all'interno e un attimo dopo la porta si spalanca. Caroline, la madre di Suze, è alta più di un metro e ottanta, ha le gambe lunghe e snelle, i capelli grigi raccolti in una crocchia e il viso molto segnato. Quando mi vede, sorride.

«Rebecca!» esclama con voce profonda. «Non è ancora il momento, vero?»

«No, non ancora!» Sorrido imbarazzata e osservo la sua mise: felpa blu scuro che definire vecchia sarebbe un eufemismo, calzoni e stivali da equitazione. Ha un fisico incredibile per una donna della sua età. Non c'è da meravigliarsi che Suze sia così magra. Perlustro la stanza con lo sguardo ma non vedo né cappelliera né portabiti.

«Allora, Caroline... ero curiosa di sapere cosa indosserà oggi... la madre della sposa...»

«Madre della sposa?» Mi guarda, sorpresa. «Oh, buon Dio, suppongo sia così. Non ci avevo pensato in questi termini.»

«Già. Quindi... quindi non ha preparato un abito per l'occasione?»

«Non è un po' presto per mettersi in ghingheri?» ribatte lei. «Ah, quando sarà l'ora troverò qualcosa.»

«Perché non lascia che l'aiuti a scegliere?» dico con decisione, andando verso il guardaroba. Spalanco le ante, preparandomi a uno shock... e invece resto a bocca aperta.

Non posso crederci. È la collezione di abiti più straordinaria che io abbia mai visto. Abiti da equitazione, vestiti lunghi, tailleur degli anni Trenta dividono lo spazio con sari indiani e poncho messicani, per non parlare del magnifico assortimento di gioielli etnici.

«Che vestiti!» esclamo, senza fiato.

«Lo so» dice Caroline degnandoli di un'occhiata distratta, «una montagna di vecchi stracci.»

«Vecchi stracci? Gesù, se si trovasse uno solo di questi in un negozio vintage a New York...» Così dicendo, tiro fuori una giacca in satin azzurro bordata di passamaneria. «Questa è fantastica.»

«Ti piace?» chiede Caroline sorpresa. «Prendila.»

«Oh, non potrei mai!»

«Ma cara la mia ragazza, io non la voglio.»

«Avrà un valore sentimentale... voglio dire, sarà un ricordo...»

«I miei ricordi sono qui» dice lei, battendosi un dito sulla testa, «non lì dentro.» Studia il disordine dell'armadio e poi prende un piccolo pezzo d'osso appeso a un laccetto di cuoio. «A questo, invece, sono molto affezionata.»

«Quello?» dico, cercando di fare appello a un minimo di entusiasmo. «Be', è...»

«Me l'ha regalato un capo Masai, molti anni fa. Era l'alba e stavamo viaggiando alla ricerca di un branco di elefanti, quando venimmo fermati da un capotribù. Una donna aveva la febbre altissima, dopo aver partorito. Col nostro aiuto la febbre scese e la tribù ci coprì di doni. Sei mai stata nella riserva di Masai Mara, Rebecca?»

«Mmm, no. Veramente no.»

«E questo gioiellino...» prosegue, prendendo una borsetta ricamata. «Questa l'ho comprata in un mercatino di Konya. Anzi, l'ho barattata con l'ultimo pacchetto di sigarette che mi era rimasto prima di iniziare la salita al Nemrut Dagi. Sei mai stata in Turchia?»

«No, neanche là» rispondo, sentendomi sempre più inadeguata. Dio, ho viaggiato pochissimo. Scavo nella memoria alla ricerca di un luogo dove sono stata e che possa fare colpo su di lei ma, ora che ci penso, è un elenco davvero desolante. Francia – qualche volta – Spagna, Creta... fine del discorso. Perché non sono mai stata in un luogo esotico? Perché non ho mai fatto trekking in Mongolia?

Una volta stavo per partire per la Thailandia. Ma poi ho deciso di andare in Francia e con i soldi che ho risparmiato mi sono comprata una borsa di Lulu Guinness.

«Non ho viaggiato molto» ammetto, con una certa riluttanza.

«Ma devi farlo, mia cara ragazza!» tuona Caroline. «Devi ampliare i tuoi orizzonti. Imparare le cose della vita dalla gente vera. Una delle amiche più care che ho al mondo è una contadina boliviana. Abbiamo macinato il mais insieme nelle praterie di Los Llanos.»

«Accidenti!»

Un piccolo orologio posato sulla mensola del camino batte la mezz'ora e, di colpo, mi rendo conto che non abbiamo fatto alcun progresso.

«Bene. Allora, dicevamo... ha qualche idea su cosa indossare per il matrimonio?»

«Qualcosa di caldo e colorato» risponde Caroline, allungando la mano verso un poncho rosso e giallo.

«Ecco... non sono così sicura che sia adatto...» Lo spingo dentro tra giacche e vestiti e, all'improvviso, intravedo della seta color albicocca. «Ooh! Questo è bello!» Lo tiro fuori e... non posso crederci! È un Balenciaga.

«È l'abito che ho indossato alla partenza per il viaggio di nozze» dice Caroline, abbandonandosi ai ricordi. «Abbiamo preso l'Orient Express fino a Venezia, e poi visitato le grotte di Postumia. Conosci quella zona?»

«Deve assolutamente mettere questo!» dico, la voce stridula per l'entusiasmo. «Sarà elegantissima. E sarà così romantico indossare l'abito con cui è partita in viaggio di nozze!»

«Sì, potrebbe essere divertente.» E lo accosta al petto, tenendolo con quelle sue mani rosse e screpolate, che mi fanno trasalire ogni volta che le guardo. «Dovrebbe andarmi ancora bene, no? Dunque, da qualche parte dovrebbe esserci anche un cappello...» Posa il vestito e comincia a frugare su una mensola.

«Deve essere molto felice per Suze» dico, prendendo uno specchio col dorso di smalto.

«Tarquin è un caro ragazzo.» Poi si volta, si dà un colpetto sul naso aquilino e aggiunge con tono confidenziale: «Ed è anche molto dotato».

Questo è vero. Tarquin è il quindicesimo uomo più ricco del paese, o qualcosa del genere. Ma mi sorprende che la madre di Suze me ne parli.

«Be', certo...» dico, «anche se non credo che Suze abbia alcun bisogno del suo denaro...»

«Oh, ma non mi riferivo al denaro!» Mi rivolge un sorriso complice e di colpo capisco cosa intende dire.

«Oh!» Mi sento arrossire fino alla radice dei capelli. «Ah! Capisco!»

«Tutti gli uomini Cleath-Stuart sono così. Sono famosi per questo. In famiglia non c'è mai stato un divorzio» aggiunge, calcandosi in testa un cappello di feltro verde.

Perbacco. D'ora in avanti guarderò Tarquin con occhio diverso.

Mi ci vuole un po' a convincere Caroline a indossare un'elegante cloche nera e non il feltro verde. Mentre torno verso la camera di Suze, dal piano di sotto mi giungono delle voci familiari.

«Lo sanno tutti. L'afta epizootica fu causata dai piccioni viaggiatori.»

«Piccioni? Mi stai dicendo che la gigantesca epidemia che decimò le mandrie di mezza Europa fu causata da una manciata di innocui piccioni?»

«Innocui? Graham, sono animali infestati di parassiti!»

Mamma e papà! Corro alla ringhiera... ed eccoli, vicini al caminetto. Papà in tight e con il cilindro sotto il braccio, mamma in giacca blu scura, gonna a fiori e scarpe rosse che non si intonano affatto col rosso del cappello.

«Mamma?»

«Becky!»

«Mamma! Papà!» Corro giù per le scale e li abbraccio forte, inspirando il familiare aroma del talco Yardley e di Tweed.

Questo viaggio si fa più emotivo di minuto in minuto. Non vedo i miei da quando sono venuti a trovarmi a New York, quattro mesi fa. E anche allora, si sono fermati solo tre giorni, perché volevano andare in Florida a visitare le Everglades.

«Mamma, stai benissimo! Hai fatto qualcosa ai capelli?»

«Maureen mi ha fatto qualche colpo di sole» risponde, compiaciuta. «E questa mattina sono passata da Janice per farmi truccare. Sai, ha frequentato un corso per truccatrice professionale. È diventata bravissima!»

«Mmm... si vede» rispondo debolmente, osservando le sgargianti strisce di fard sulle sue guance. Chissà, forse con un po' di impegno riuscirò a cancellarle accidentalmente.

«Allora, Luke è qui?» chiede la mamma guardandosi attorno con occhi vivaci, come uno scoiattolo alla ricerca di una noce.

«È qui, da qualche parte» rispondo. Mamma e papà si scambiano un'occhiata.

«Però è qui?» La mamma si lascia sfuggire una risatina nervosa. «Siete venuti con lo stesso aereo, vero?»

«Mamma, non ti preoccupare. È qui. Te lo giuro.»

Tant'è, la mamma non mi sembra del tutto convinta e, sinceramente, non posso biasimarla. Il fatto è che c'è stato un piccolo incidente all'ultimo matrimonio cui abbiamo partecipato. Luke non è arrivato, io ero disperata e così... così sono ricorsa a...

D'accordo. Si è trattato solo di una piccola, innocente bugia. Voglio dire, avrebbe anche potuto essere là, confuso tra gli altri ospiti, e se non avessero deciso di fare quella stupida fotografia di gruppo nessuno se ne sarebbe accorto.

«Signora Bloomwood!»

È Luke. Sta entrando a grandi passi nell'atrio. Grazie al cielo.

«Luke!» La mamma scoppia in una risata garrula. «Sei qui! Graham, è qui!»

«Ma certo che è qui!» ribatte mio padre, alzando gli occhi al cielo. «Dove credevi che fosse? Sulla Luna?»

«Come sta, signora Bloomwood?» dice Luke con un sorriso, baciandola sulle guance.

«Luke, devi chiamarmi Jane. Te l'ho già detto.»

La mamma è rossa in viso per la felicità, e stringe il braccio di Luke quasi temesse di vederlo svanire in una nuvola di fumo. Lui mi rivolge un accenno di sorriso, che io ricambio, felice. Ho aspettato tanto questo giorno, e adesso è arrivato. È persino meglio del Natale. Attraverso la porta d'ingresso vedo gli ospiti sfilare in tight e cilindro lungo il vialetto. In lontananza si sentono suonare le campane della chiesa e si respira un'atmosfera densa di aspettativa.

«E dov'è la sposa?» chiede papà.

«Sono qui» risponde la voce di Suze. Alziamo tutti lo sguardo... ed eccola lì, che scende le scale come in un sogno, con uno straordinario bouquet di rose ed edera in mano.

«Oh, Suzie!» esclama la mamma, portandosi una mano alla bocca. «Oh, che vestito! Oh, Becky! Sarai...» Si volta verso di me, commossa, e per la prima volta sembra rendersi conto del mio abito. «Becky... tu vieni così? Morirai di freddo.»

«No. La chiesa è riscaldata.»

«È bellissimo, vero?» dice Suze. «Così originale.»

«Ma è solo una T-shirt!» esclama la mamma, niente affatto convinta, tirandomi la manica. «E quest'orlo sfilacciato? Non è neppure rifinito a dovere!»

«È fatto così apposta» le spiego. «È un pezzo unico.»

«Unico? Ma non dovresti essere vestita come le altre damigelle?»

«Non ci sono altre damigelle» spiega Suze. «L'unica altra persona che avrei voluto è Fenny, la sorella di Tarquin, ma lei ha detto che se avesse fatto ancora una volta la damigella si sarebbe giocata ogni possibilità di sposarsi. Sa come dicono: "Tre volte damigella, per sempre zitella". Be', lei deve averlo fatto circa novantasei volte! Ha messo gli occhi su un tizio che lavora nella City e non vuole correre rischi.»

Segue un attimo di silenzio. Capisco cosa sta rimuginando il cervello della mamma. Oh, Dio, ti prego, no.

«Becky, tesoro... quante volte hai fatto la damigella?» mi chiede, in tono troppo indifferente. «C'è stato il matrimonio dello zio Malcolm e della zia Sylvia... ma credo che quello sia l'unico, no?»

«E quello di Ruthie e Paul» le ricordo.

«No, a quello non eri damigella d'onore» ribatte lei, pronta. «Eri damina dei fiori. Quindi fanno in tutto due volte, compreso oggi. Sì, due volte.»

«Hai capito Luke?» dice papà, ridendo. «Due volte.»

Ma insomma, cos'hanno nella testa i miei?

«Be', comunque sia...» dico, cercando di trovare un altro argomento. «Allora...»

«In ogni caso, Becky ha dieci anni di tempo prima di doversi preoccupare di queste cose» osserva Luke con noncuranza.

«Come?» fa la mamma, irrigidendosi. Il suo sguardo schizza da me a Luke, poi torna a posarsi su di me. «Cos'hai detto?»

«Becky vuole aspettare almeno dieci anni prima di sposarsi» spiega Luke. «Non è vero, Becky?»

Cala un silenzio di sbalordimento. Io mi sento avvampare.

«Mmm...» Mi schiarisco la gola e cerco di sorridere, disinvolta. «Già.»

«Davvero?!» esclama Suze, fissandomi incredula. «Non lo sapevo! E perché?»

«Per... valutare appieno le mie potenzialità» mormoro, senza trovare il coraggio di guardare la mamma. «E... per conoscermi a fondo.»

«Conoscerti a fondo?» ripete la mamma con voce leggermente stridula. «E ti ci vogliono dieci anni? A me basterebbero dieci minuti per dirti chi sei.»

«Ma, Bex, non sarai un po' vecchia da qui a dieci anni?» obietta Suze, aggrottando la fronte.

«Non è detto che debbano essere necessariamente dieci anni» ribatto, un po' confusa. «Potrebbero bastare anche otto.»
«Otto?» La mamma sembra sul punto di scoppiare in lacrime.
«Luke, tu lo sapevi?» chiede Suze, decisamente allarmata.
«Ne abbiamo parlato l'altro giorno» risponde Luke, con un sorriso sereno.
«Ma non capisco» insiste lei.
«Credo proprio che sia ora di andare» la interrompe abilmente Luke. «Mancano cinque minuti alle due.»
«Cinque minuti alle due?» Suze resta pietrificata. «Davvero? Ma io non sono pronta! Bex, dove sono i tuoi fiori?»
«Mmm... nella tua camera, credo. Devo averli posati da qualche parte...»
«Be', valli a prendere! E papà dov'è finito? Oh, merda, ho voglia di una sigaretta...»
«Suze, non puoi fumare!» esclamo, inorridita. «È dannoso per il...» Mi fermo appena in tempo.
«Per il vestito?» suggerisce Luke.
«Certo. Potrebbe... bruciarlo.»

Quando finalmente ritrovo i fiori nel bagno di Suze, mi ritocco il rossetto e scendo nuovamente di sotto, ma nell'atrio è rimasto solo Luke.
«I tuoi si sono già avviati» mi dice. «Suze dice che dovremmo andare anche noi. Lei arriverà in carrozza con suo padre. Ti ho trovato questo» aggiunge, porgendomi una giacca di montone. «Tua madre ha ragione, non puoi uscire così.»
«D'accordo» dico, riluttante. «Ma in chiesa me la tolgo.»
«A proposito, lo sapevi che il vestito si sta scucendo sulla schiena?» dice, aiutandomi a infilare il montone.
«Davvero?» Lo guardo preoccupata. «È tanto orribile?»
«Al contrario.» La sua bocca si apre in un sorriso. «Ma dopo la funzione sarà meglio che ti cerchi una spilla di sicurezza.»
«Quell'accidente di Danny!» esclamo, scuotendo la testa. «Lo sapevo che avrei fatto meglio a scegliere Donna Karan.»
Quando imbocchiamo il sentiero di ghiaia coperto, l'aria è immobile e sta spuntando un timido sole. Il suono festoso delle campane si è ridotto a uno scampanio solitario, e in giro

non si vede nessuno, tranne un cameriere che si allontana di corsa. Devono essere già tutti in chiesa.

«Scusami se ho tirato in ballo un argomento delicato, prima» dice Luke mentre ci avviamo verso la chiesa.

«Delicato?» ripeto, inarcando le sopracciglia. «Ah, quello. Non è affatto un argomento delicato!»

«Tua madre sembrava un po' turbata.»

«La mamma? No, e in ogni caso a lei va bene tutto. Anzi, stava scherzando.»

«Scherzando?»

«Sì» ribatto con aria di sfida. «Stava scherzando.»

«Capisco.» Luke mi prende sottobraccio mentre incespico appena sulla passatoia di cocco. «Quindi sei sempre decisa ad aspettare otto anni prima di sposarti.»

«Assolutamente. Almeno otto anni.»

Proseguiamo per un po' in silenzio. Sento un rumore di zoccoli in lontananza. Dev'essere la carrozza di Suze che sta partendo.

«O magari sei» aggiungo disinvolta. «O cinque. Dipende.»

Segue un altro lungo silenzio, rotto solo dal rumore regolare e attutito dei nostri passi sul sentiero. L'atmosfera tra noi si sta facendo molto strana e io non oso guardare Luke. Mi schiarisco la gola, mi sfrego il naso, cerco di fare qualche commento sul tempo.

Arriviamo al cancello della chiesa e Luke si volta verso di me. Il suo viso ha perso di colpo la solita espressione beffarda.

«Seriamente, Becky, vuoi davvero aspettare cinque anni?»

«Io... io non lo so» rispondo, confusa. «E tu?»

C'è un attimo di silenzio e il mio cuore prende a battere forte.

Oh, mio Dio. Oh, mio Dio. Non starà per... non starà per...

«Ah, la damigella d'onore!» Il parroco sbuca all'improvviso da sotto il porticato, facendoci sussultare. «Pronta ad andare all'altare?»

«Mmm... credo di sì» rispondo, sentendomi addosso lo sguardo di Luke. «Sì.»

«Bene! Allora sarà meglio che entriate!» aggiunge il parroco, rivolto a Luke. «Non vorrete perdervi l'ingresso.»

«No» risponde Luke dopo un attimo di incertezza. «Certo che no.»

Mi dà un bacio sulla spalla ed entra senza dire altro. Resto a guardarlo, confusa.

Un attimo fa Luke stava davvero per...?

Il rumore degli zoccoli mi strappa al mio sogno a occhi aperti. Mi volto e vedo la carrozza di Suze avanzare lungo la strada come in una fiaba. Il velo si agita nel vento, e lei sorride radiosa ad alcune persone che si sono fermate a guardarla. Non l'ho mai vista così bella.

Sinceramente, non avevo in programma di piangere. Anzi, avevo già pronto un modo per evitarlo, e cioè recitare l'alfabeto all'indietro con accento francese. Ma, già mentre aiuto Suze a sistemarsi lo strascico, mi sento gli occhi umidi, e quando la musica dell'organo si fa più forte e cominciamo ad avanzare lentamente lungo la navata gremita di gente, sono costretta a tirar su col naso ogni due battute, a tempo con l'organo. Suze stringe il braccio del padre e lo strascico scivola sull'antico pavimento di pietra. Io cammino dietro di loro, cercando di non far rumore coi tacchi sul pavimento, e sperando che nessuno si accorga che il mio abito si sta scucendo.

Arriviamo davanti all'altare, dove Tarquin sta aspettando insieme al testimone. È alto e ossuto come non mai, e la sua faccia mi ricorda un ermellino, ma devo ammettere che con il kilt e la borsetta di pelliccia fa la sua figura. E adesso che guarda Suze con evidente amore e adorazione, sento che ricomincia a formicolarmi il naso. Tarquin si volta per un attimo, incrocia il mio sguardo e mi rivolge un sorriso nervoso. Contraccambio con un sorriso imbarazzato. A essere sinceri, non credo che potrò mai più guardarlo senza pensare a ciò che ha detto Caroline di lui.

Il parroco inizia il suo discorso, e finalmente comincio a rilassarmi. So che mi godrò una per una le parole ormai familiari della formula. È come guardare l'inizio del proprio film preferito, con i due migliori amici nel ruolo di attori principali.

«Susan, vuoi tu prendere quest'uomo come tuo sposo?» Il parroco ha spesse sopracciglia a cespuglio, che inarca a ogni domanda, quasi tema che la risposta possa essere "no".

«Vuoi amarlo, onorarlo e rispettarlo, in salute e malattia, essere per lui e in ogni cosa moglie fedele finché morte non vi separi?»

Dopo un attimo di pausa, Suze risponde «Lo voglio» con voce forte e chiara.

Mi piacerebbe che le damigelle potessero dire qualcosa, anche breve, anche un semplice "sì".

Quando arriviamo al momento in cui Suze e Tarquin devono prendersi per mano, Suze mi porge il suo bouquet e io approfitto dell'occasione per voltarmi a dare un'occhiata veloce alla chiesa. È strapiena, e qualcuno è stato costretto a restare in piedi. Ci sono moltissimi omaccioni in kilt, e donne in abito di velluto, c'è Fenny con un nutrito gruppo di amiche londinesi, tutte con cappelli di Philip Treacy, a quanto pare. E c'è la mamma, accanto a papà e Luke, che si asciuga gli occhi con un fazzoletto di carta. Alza lo sguardo, mi vede e io le sorrido, ma lei si lascia sfuggire un altro singhiozzo.

Torno a voltarmi verso l'altare. Suze e Tarquin si stanno inginocchiando e il parroco intona con voce severa: «Ciò che Dio ha unito, l'uomo non separi».

Osservo Suze che sorride raggiante a Tarquin. È completamente persa in lui. Ora appartiene a lui. E, all'improvviso, con mia grande sorpresa provo una leggera sensazione di vuoto. Suze è sposata. Tutto è cambiato.

È passato un anno da quando sono andata a vivere a New York e mi sono goduta ogni singolo istante. Ovviamente. Ma mi rendo conto che, nel subconscio, ho sempre pensato che, se qualcosa fosse andato storto, avrei potuto tornare a vivere a Fulham insieme a Suze. E ora... non è più possibile.

Suze non ha più bisogno di me. Ha qualcun altro che verrà sempre prima di me, nella sua vita. Osservo il parroco posare le mani sul capo di Suze e Tarquin per impartire loro la benedizione, e mi viene un nodo in gola ripensando alla nostra vita insieme. A quella volta che ho preparato un curry orribile per risparmiare e lei continuava a dire quanto fosse buono, anche se aveva la bocca in fiamme. E a quella volta che invece ha tentato di sedurre un funzionario della mia banca perché lui mi aumentasse il limite dello scoperto. Ogni volta che mi sono cacciata nei guai, lei era lì, pronta ad aiutarmi.

E adesso è tutto finito.

D'un tratto sento il bisogno di essere rassicurata. Mi volto e cerco tra le file di invitati il volto di Luke. Per qualche istante non riesco a trovarlo e, pur continuando a sorridere fiduciosa, sento crescere dentro un panico assurdo, come una bimba che si accorge di essere stata dimenticata a scuola, ultima tra i suoi compagni, perché nessuno è andato a prenderla.

Poi lo vedo. È in piedi, dietro una colonna in fondo alla chiesa, alto, scuro e forte, lo sguardo fisso su di me. Guarda me e nessun altro. E, incrociando il suo sguardo, mi sento subito meglio. È tutto a posto. Qualcuno è venuto a prendere anche me.

Usciamo dalla chiesa accompagnati dal suono delle campane, e la folla radunata all'esterno esplode.

«Congratulazioni!» grido, stringendo Suze in un abbraccio. «E anche a te, Tarquin!»

Sono sempre stata un po' a disagio in presenza di Tarquin, ma ora che lo vedo con Suze – sposato con Suze – l'imbarazzo sembra svanire.

«So che sarete molto felici» dico, dandogli un bacio sulla guancia, e scoppiamo a ridere, mentre qualcuno ci lancia addosso dei coriandoli. Gli ospiti stanno sciamando dalla chiesa, parlando, ridendo, chiamandosi a vicenda a voce alta. Si accalcano attorno a Suze e Tarquin, baciandoli, abbracciandoli, stringendo loro la mano, e io mi allontano alla ricerca di Luke.

Il sagrato è pieno di gente, e non posso fare a meno di osservare alcuni dei parenti di Suze. Sua nonna sta uscendo dalla chiesa con passo lento e regale, stringendo un bastone da passeggio, seguita da un giovane in tight dall'aria premurosa. C'è una ragazza magra e pallida, con occhi enormi e un ampio cappello nero, che fuma una sigaretta dietro l'altra tenendo un carlino in braccio. Vicino al cancello c'è un esercito di ragazzi tutti uguali, tutti col kilt, e mi viene in mente che Suze mi aveva parlato di una zia che aveva avuto sei maschi e poi, finalmente, due gemelle.

«Tieni. Mettiti questo.» La voce di Luke mi giunge all'improvviso. Mi volto e vedo che mi sta porgendo la giacca di montone. «Devi essere congelata.»

«Non ti preoccupare. Sto bene!»

«Becky, c'è un sacco di neve» dice Luke deciso, mettendomi la giacca sulle spalle. «Bellissimo matrimonio» aggiunge poi.

«Sì.» Lo guardo, chiedendomi se per caso non ci sia modo di riportare la conversazione al punto in cui l'avevamo lasciata prima della funzione. Ma Luke sta guardando gli sposi, che posano per una foto sotto una quercia. Suze è assolutamente raggiante, Tarquin sembra davanti al plotone d'esecuzione.

«È un tizio simpatico» dice Luke, facendo un cenno col capo in direzione di Tarquin. «Un po' strambo, ma simpatico.»

«Sì, è vero. Luke...»

«Gradite un bicchiere di whisky caldo?» mi interrompe un cameriere, avvicinandosi con un vassoio. «Oppure champagne?»

«Whisky caldo, grazie» rispondo. Ne bevo qualche sorso e chiudo gli occhi mentre il calore si diffonde nel corpo. Ah, se solo riuscissi a farlo arrivare fino ai piedi! Mi si stanno congelando.

«Damigella d'onore!» esclama Suze. «Dov'è Bex? Abbiamo bisogno di te per una foto!»

Riapro gli occhi.

«Eccomi» grido, togliendomi la giacca di montone. «Luke, puoi tenermi un attimo il bicchiere...»

Corro verso la bolgia e raggiungo Suze e Tarquin. È strano ma, ora che tutta questa gente mi sta guardando, non sento più freddo. Sorrido felice, tengo i miei fiori bene in vista, prendo Suze a braccetto quando me lo ordina il fotografo e, tra una foto e l'altra, saluto con la mano mamma e papà che si sono fatti largo e spuntano tra la folla.

«Tra poco rientriamo» dice la signora Gearing, avvicinandosi per baciare Susan. «La gente comincia ad avere freddo. Finirete di scattare le foto in casa.»

«D'accordo» dice Suze, «me ne lasci solo fare qualcuna con Bex.»

«Ottima idea!» esclama Tarquin e subito si allontana, chiaramente sollevato, per andare a parlare con il padre, che è la fotocopia di Tarquin ma con quarant'anni di più. Il fotografo ci scatta qualche foto, poi si interrompe per ricaricare la macchina. Suze accetta il bicchiere di whisky offertole da un cameriere e io allungo una mano dietro la schiena per verificare quanto si sia scucito il vestito.

«Bex, ascoltami» mi dice una voce all'orecchio. Mi volto e scopro Suze che mi osserva con aria molto seria. È così vicina che riesco a distinguere la grana dell'ombretto. «Devo chiederti una cosa. Tu non vuoi aspettare dieci anni prima di sposarti, vero?»

«Be', no» ammetto. «Veramente no.»

«E tu credi che Luke sia l'uomo giusto? Sinceramente. Tra me e te.»

C'è una lunga pausa. Alle mie spalle sento una voce che dice: «Certo, la nostra casa è piuttosto recente. Credo sia stata costruita nel 1853...»

«Sì» rispondo alla fine, sentendo un rossore salirmi alle guance. «Sì, credo di sì.»

Suze mi osserva ancora per qualche istante, poi all'improvviso sembra prendere una decisione. «Bene» dice, posando il bicchiere di whisky. «Ora lancio il bouquet.»

«Cosa?» la guardo, stupita. «Suze, non essere sciocca. Non puoi ancora lanciare il bouquet.»

«Sì che posso. Posso farlo quando mi pare.»

«Ma lo si dovrebbe lanciare quando si parte per la luna di miele!»

«Non mi interessa» insiste Suze, determinata. «Non posso più aspettare. Io lo lancio adesso.»

«Ma dovresti farlo alla fine!»

«Chi è la sposa? Tu o io? Se aspetto fino alla fine non sarà divertente! Su, va' a metterti là.» Mi indica una collinetta coperta di neve. «E metti giù quei fiori. Non lo prenderai mai se tieni qualcosa in mano! Tarkie?» dice, alzando la voce. «Ora lancio il bouquet. Okay?»

«Oh, bene» risponde Tarquin, tutto allegro. «Ottima idea.»

«Su, Bex!»

«Smettila, non ho nessuna voglia di prenderlo» ribatto, imbronciata.

Ma, siccome sono l'unica damigella d'onore, poso i miei fiori sull'erba e vado a mettermi sulla collinetta come mi è stato detto di fare.

«Voglio una foto di questo» sta dicendo Suze al fotografo. «Dov'è Luke?»

La cosa strana è che nessun altro viene con me. Sono tutti svaniti nel nulla. D'un tratto mi rendo conto che Tarquin e il suo testimone gironzolano tra la folla, bisbigliando qualcosa all'orecchio delle persone, e gradualmente tutti gli invitati si stanno voltando verso di me con espressione di attesa.

«Pronta Bex?» grida Suze.

«Aspetta!» esclamo. «Non c'è abbastanza gente! Dovremmo essere in molti, tutti assieme...»

Mi sento così stupida a stare qui in piedi tutta sola. Insomma, Suze sta sbagliando tutto. Ma non è mai stata a un matrimonio?

«Aspetta, Suze!» grido di nuovo. Ma è troppo tardi.

«Prendilo, Bex!» mi grida. «Prendilo!»

Il bouquet disegna un ampio arco nell'aria e per afferrarlo sono costretta a fare un saltello. È più grosso e più pesante di quanto pensassi e per un attimo resto a guardarlo quasi stordita, felice da impazzire ma al tempo stesso furiosa con Suze.

Poi guardo meglio e la vedo. Una piccola busta. *Per Becky.*

Una busta indirizzata a me nel bouquet di Suze?

Alzo lo sguardo verso di lei, perplessa, e lei fa un cenno col capo in direzione della busta, incoraggiandomi, sorridente.

La apro con dita tremanti. Dentro c'è qualcosa di voluminoso. È...

È un anello, avvolto nell'ovatta. C'è anche un messaggio, la scrittura è quella di Luke. Dice...

Dice: "*Vuoi...*".

Lo fisso, incredula, cercando di controllarmi, ma adesso il mondo è tutto uno scintillio e il sangue mi pulsa nelle orecchie.

Alzo lo sguardo, confusa, e vedo Luke che avanza serio tra la gente con un'espressione seria e una luce calda negli occhi.

«Becky...» dice, e intorno a noi si fa silenzio, «vuoi...»

«Sì! Sììì!» Sento quel suono gioioso spandersi per il sagrato prima ancora di accorgermi di aver aperto bocca. Dio, sono così emozionata che la voce non sembra neppure la mia. A dire il vero, sembra quasi...

La mamma.

Non ci posso credere.

Mi volto di scatto e vedo che si porta una mano alla bocca, inorridita. «Scusa!» sussurra, mentre una risata percorre la folla.

«Signora Bloomwood, ne sarei onorato» dice Luke, con una luce divertita negli occhi, «ma credo che lei sia già occupata.»

Poi torna a guardare me.

«Becky, se anche dovessi aspettare cinque anni lo farei. E anche otto... o dieci.» Fa una pausa, e intorno a noi il silenzio è assoluto, tranne che per una folata di vento che fa volare coriandoli ovunque. «Ma spero che un giorno, meglio prima che dopo, mi farai l'onore di sposarmi.»

Un nodo alla gola mi impedisce di parlare. Annuisco, e Luke mi prende la mano. Poi distende le dita e prende l'anello. Il cuore mi batte all'impazzata. Luke vuole sposarmi. Deve aver progettato tutto già da tempo. Senza dire una parola.

Guardo l'anello, e mi si appanna la vista. È un brillante, incastonato in una montatura d'oro antico, con minuscole graffe ricurve. Non ho mai visto niente di simile. È perfetto.

«Posso?»

«Sì» sussurro e osservo mentre lo fa scivolare sul dito. Mi guarda, questa volta con una tenerezza che non avevo mai visto nei suoi occhi, e mi bacia. Ed è qui che scoppiano gli applausi.

Non ci posso credere. Sono fidanzata.

3

D'accordo. Anche se ora sono fidanzata non ho intenzione di lasciarmi prendere la mano.

Nossignore.

So che certe ragazze perdono la testa e si mettono a progettare il matrimonio del secolo, e non pensano a nient'altro... ma io no. Io non permetterò che questa cosa mi stravolga la vita. Voglio dire, è una questione di priorità. La cosa più importante non sono il vestito, le scarpe, o i fiori, no? La cosa più importante è promettersi di amarsi per tutta la vita. È impegnarsi l'uno con l'altro.

Mi sto mettendo la crema idratante sul viso davanti allo specchio della mia camera, quando mi blocco e osservo la mia immagine. «Io, Rebecca, prendo te, Luke...»

Questa antica formula ha sempre il suo fascino, no?

«... come mio sposo. Nella buona e nella migliore sorte...»

Mi interrompo, perplessa. Non mi pare sia così. Be', avrò tempo di impararla prima che venga il momento. Il punto è che quel che conta è la promessa, nient'altro. Non serve esagerare. È sufficiente una cerimonia semplice ed elegante. Niente eccessi, né stravaganze. In fondo, Romeo e Giulietta non hanno avuto bisogno di un matrimonio sfarzoso con caviale e vol-au-vent, no?

Anzi, forse dovremmo sposarci in segreto, come hanno fatto loro. All'improvviso vedo me e Luke inginocchiati davanti a un prete italiano nel cuore della notte, in una piccola cappella di pietra. Dio, come sarebbe romantico! E poi, per qualche motivo, Luke penserebbe che sono morta e si suiciderebbe, e io pure, e sarebbe una storia incredibilmente tragica, e tutti direbbero che l'abbiamo fatto per amore e che il mondo intero dovrebbe prendere esempio da noi...

«Karaoke?» La voce di Luke fuori dalla mia camera mi riporta alla realtà. «Be', si può vedere...»

La porta si apre e lui entra, porgendomi una tazza di caffè. Dopo il matrimonio di Suze, ci siamo trasferiti a casa dei miei genitori e poco fa mi sono alzata da tavola dopo colazione, lasciandolo a fare da arbitro tra i miei che stavano discutendo se gli sbarchi sulla Luna siano effettivamente avvenuti o no.

«Tua madre ha già trovato una possibile data per il matrimonio» mi annuncia. «Cosa ne dici del...»

«Luke!» Alzo una mano per interromperlo. «Luke, un passo alla volta, d'accordo?» Gli sorrido. «Voglio dire, ci siamo appena fidanzati. Cerchiamo di abituarci all'idea, prima. Non c'è nessuna fretta di fissare delle date.»

Lancio una veloce occhiata allo specchio e mi sento così matura... Sono fiera di me: una volta tanto non sto precipitando le cose, non mi sto facendo prendere dall'entusiasmo.

«Hai ragione» conviene Luke dopo un attimo. «No, hai ragione. E poi la data proposta da tua madre ci avrebbe costretto a fare tutto di corsa.»

«Davvero?» Bevo un sorso di caffè. «E, così tanto per sapere, che data era?»

«Il 22 giugno. Di quest'anno.» Scuote la testa. «No, è pazzesco. Mancano solo pochi mesi.»

«Pura follia!» esclamo, alzando gli occhi al cielo. «Non c'è nessuna fretta, no?»

Il 22 giugno. Ma insomma! Dove ha la testa la mamma?

Anche se immagino che un matrimonio estivo sarebbe bello...

In fondo non c'è nulla che ci impedisca di sposarci quest'anno.

E se decidessimo per giugno, potrei cominciare subito a cercare un abito da sposa, a provare dei diademi, a leggere "Sposa bella". Sì!

«D'altro canto» aggiungo, con noncuranza, «non c'è neppure un vero motivo per rimandare, no? Voglio dire, ora che ci siamo decisi, in un certo senso tanto vale andare fino in fondo. Perché temporeggiare?»

«Sei sicura, Becky? Non vorrei che pensassi che ti stiamo facendo pressioni...»

«No, no. Sono sicura. Sposiamoci a giugno!»

Ci sposiamo! Ci sposiamo presto! Urrà! Mi guardo di nuovo allo specchio, e vedo sul mio viso un sorriso euforico.

«Allora dico a mia madre che è per il 22.» Luke interrompe i miei pensieri. «So che sarà felicissima.» Dà un'occhiata all'orologio. «Anzi, ora devo andare.»

«Certo» dico, cercando di mostrarmi almeno un po' entusiasta. «Non vorrai arrivare in ritardo, no?»

Luke passerà la giornata con la madre, Elinor, che è di passaggio a Londra, diretta in Svizzera. La versione ufficiale è che sta andando a trovare dei vecchi amici per "godersi un po' d'aria buona", ma tutti sanno che sta andando a farsi tirare la faccia per l'ennesima volta.

E questo pomeriggio, mamma, papà e io andremo a prendere un tè al Claridges con loro. Tutti non fanno che rallegrarsi per la fortunata coincidenza che permetterà alle due famiglie di conoscersi, ma, ogni volta che ci penso, mi si stringe lo stomaco. Se si trattasse dei veri genitori di Luke – suo padre e la sua matrigna, che vivono nel Devon e sono due persone deliziose – non mi dispiacerebbe. Ma sono appena partiti per l'Australia, dove si è trasferita la sorella di Luke, e probabilmente torneranno solo poco prima del matrimonio. E così l'unica rimasta a rappresentare Luke è Elinor.

Elinor Sherman, la mia futura suocera.

Okay, non pensiamoci. Cerchiamo solo di arrivare in fondo a questa giornata.

«Luke...» Faccio una pausa, cercando le parole adatte. «Come andrà, secondo te? I nostri che si incontrano per la prima volta? Sai... tua madre e mia madre... non sono esattamente due tipi simili, no?»

«Sono sicuro che andranno perfettamente d'accordo.»

Luke non ha la minima idea di ciò che voglio dire.

So che è una bella cosa che Luke adori sua madre. So che i figli dovrebbero voler bene alle loro madri. E so che quando era piccolo non la vedeva quasi mai e ora sta cercando di recuperare il tempo perduto... ma tant'è. Come si fa a voler bene a Elinor?

Quando arrivo in cucina, la mamma sta lavando i piatti della colazione con una mano, e tiene il cordless con l'altra.

«Sì» sta dicendo, «esatto. Bloomwood. B-l-o-o-m-w-o-o-d. Oxshott, Surrey. E lo mandate per fax? Grazie.»

«Bene.» Posa il telefono e mi guarda raggiante. «È l'annuncio del "Surrey Post".»

«Un altro annuncio? Mamma, quanti ne hai messi?»

«Il minimo indispensabile!» risponde lei, subito sulla difensiva. «Il "Times", il "Telegraph", l'"Oxshott Herald" e la "Esher Gazette".»

«E il "Surrey Post".»

«Sì. In tutto sono solo cinque.»

«Cinque!»

«Becky, ci si sposa una volta sola!»

«Lo so, ma francamente...»

«Ascoltami bene» dice la mamma un po' rossa in viso. «Tu sei la nostra unica figlia, Becky, e non abbiamo intenzione di badare a spese. Vogliamo che tu abbia il matrimonio dei tuoi sogni. Annunci, fiori, una carrozza come Suze... vogliamo che tu possa avere tutto.»

«Proprio di questo volevo parlarti, mamma» dico, un po' a disagio. «Luke e io vorremmo contribuire alle spese...»

«Sciocchezze!» ribatte pronta la mamma. «Non se ne parla neanche.»

«Ma...»

«Abbiamo sempre sperato di poter spendere per il tuo matrimonio, un giorno. E sono anni che risparmiamo apposta per questo.»

«Davvero?» La guardo, colta da un'emozione improvvisa. Mamma e papà hanno messo da parte i soldi per tutto questo tempo senza dire una parola. «Io... io non potevo immaginarlo.»

«Be', non potevamo certo dirtelo, no? Ora, dunque...» La mamma torna a occuparsi di cose concrete. «Luke ti ha detto che abbiamo trovato una data? Non è stato facile, sai? È tutto prenotato. Ma ho parlato con Peter, alla chiesa, e siccome c'è stata una disdetta, potrebbe infilarci alle tre di quel sabato. Altrimenti bisognerà aspettare fino a novembre.»

«Novembre?» dico, facendo una smorfia. «Non è un mese da matrimoni.»

«Esattamente. E così gli ho detto di segnarci per giugno. L'ho già scritto sul calendario, guarda.»

Lancio un'occhiata al calendario appeso al frigorifero, che ha una ricetta a base di Nescafè diversa per ogni mese. Ed ecco lì, scritto col pennarello grosso: MATRIMONIO DI BECKY.

Mi fa uno strano effetto vederlo scritto. Sta succedendo davvero. Sto davvero per sposarmi. Non è un sogno.

«E ho già qualche idea per il gazebo» prosegue la mamma. «Ne ho visto uno a righe bellissimo su una rivista e ho pensato: "Questo devo proprio farlo vedere a Becky".»

Così dicendo, tira fuori una pila di riviste patinate. "Sposa moderna", "Case e matrimoni", "Sposa bella". Lucide, succose e invitanti, come un piatto di ciambelle glassate.

«Accidenti!» esclamo, trattenendomi dall'allungare la mano. «Non ne ho mai letta una. Non so neppure come siano fatte!»

«Neanch'io» risponde pronta la mamma, sfogliando una copia di "Case e matrimoni" con mani esperte. «Non bene, per lo meno. Ho giusto dato un'occhiata per farmi un'idea. Sai, sono quasi tutte pubblicità...»

Ho un attimo di esitazione mentre le mie dita scorrono sulla copertina di "Tu e il tuo matrimonio". Non riesco a credere di poterle realmente leggere. Apertamente, intendo dire. Non devo più avvicinarmi furtiva allo scaffale per lanciare qualche occhiata clandestina, come quando ci si infila un biscotto in bocca di nascosto, per paura che qualcuno ti veda.

È un'abitudine così radicata che quasi non riesco a liberarmene. Anche se ho un anello di fidanzamento al dito, mi scopro a fingere di non essere interessata.

«Suppongo valga la pena di dare almeno un'occhiata» osservo, con nonchalance. «Sai, per prendere qualche idea... per vedere cosa c'è di disponibile sul mercato...»

Oh, al diavolo! La mamma non mi sta neppure ascoltando, quindi tanto vale che smetta di fingere e me le legga tutte da cima a fondo, assaporando ogni pagina. Mi metto comoda e prendo la copia di "Sposa bella", e per dieci minuti restiamo tutte e due in silenzio a ubriacarci di fotografie.

«Eccolo!» esclama la mamma all'improvviso. Gira la rivista perché anch'io possa vedere la foto di un grande gazebo a strisce bianche e argento. «Non è bello?»

«Davvero carino.» Il mio sguardo si sposta sui vestiti delle damigelle, il bouquet della sposa... e finisce per posarsi sulla data.

«Mamma!» esclamo. «Ma è dell'anno scorso! Come mai guardavi queste riviste già un anno fa?»

«Non lo so» risponde lei, vaga. «Devo averla presa nella sala d'attesa del dottore o qualcosa del genere. E comunque... ti sei fatta qualche idea?»

«Be'... non saprei. Probabilmente qualcosa di semplice.»

L'immagine di me in abito bianco e diadema scintillante mi attraversa la mente... il principe azzurro che attende il mio arrivo... e la folla che ci acclama...

Basta. Non ho intenzione di strafare. Questo l'ho già deciso.

«Concordo pienamente» dice la mamma. «Vuoi qualcosa di sobrio ed elegante. Oh, guarda, l'uva avvolta in foglia d'oro. Potremmo metterla anche noi!» Mia madre volta la pagina. «Guarda, damigelle gemelle! Non sono graziose? Conosci qualche gemella, tesoro?»

«No» rispondo a malincuore. «Non mi pare. Oh, guarda, vendono un orologio speciale con il conto alla rovescia! E un organizer per il matrimonio con il diario per i ricordi coordinato. Pensi che dovrei prenderne uno?»

«Assolutamente. Se non lo facessi te ne pentiresti.» Posa la rivista. «Sai, Becky, ti raccomando solo di non fare le cose a metà. Ricordati, ci si sposa una volta sola...»

«C'è nessuno?» Alziamo gli occhi, sentendo bussare alla porta sul retro. «Sono io!» È Janice, che sorride e saluta con la mano. Janice è la nostra vicina di casa e ci conosciamo da una vita. Indossa uno chemisier a fiori in una chiassosissima tonalità di turchese con ombretto in tinta, e ha una cartella sotto il braccio.

«Janice!» esclama la mamma. «Vieni a prendere un caffè!»

«Grazie» dice Janice. «Mi sono portata il dolcificante.» Poi viene ad abbracciarmi. «Ecco la nostra futura sposina! Becky, tesoro, congratulazioni!»

«Grazie» rispondo, con un sorriso timido.

«Guarda che anello!»

«Due carati» si affretta a precisare la mamma. «È antico. Un gioiello di famiglia.»

«Un gioiello di famiglia!» ripete Janice, estasiata. «Oh, Becky!» Prende una copia di "Sposa moderna", sospirando. «Ma come farai a organizzare il matrimonio, se sei a New York?»

«Becky non dovrà preoccuparsi di nulla» risponde la mamma decisa. «Penserò a tutto io. E comunque sarà una cerimonia tradizionale.»

«Be', se hai bisogno d'aiuto sai dove trovarmi» dice Janice. «Avete già fissato la data?»

«Il 22 giugno» dice la mamma alzando la voce per farsi sentire nonostante il rumore del macinacaffè. «Alle tre del pomeriggio. A St Mary.»

«Alle tre!» ripete Janice. «Fantastico.» Posa la rivista e mi guarda, improvvisamente seria. «Ora, Becky, c'è una cosa che voglio dirti. A tutte e due.»

«Sì?» dico, con una leggera apprensione. Mamma posa la caffettiera. Janice fa un respiro profondo.

«Mi farebbe un grande piacere truccarvi tutte. Voi e le damigelle.»

«Oh, Janice!» esclama la mamma, felice. «Che pensiero gentile! Pensa, Becky. Una truccatrice professionista!»

«Mmm... fantastico!»

«Ho imparato moltissime cose al corso, tutti i trucchi del mestiere. Ho un album pieno di foto che puoi sfogliare per scegliere lo stile che ti piace di più. Guarda, l'ho portato con me!» Janice apre il raccoglitore e comincia a girare le pagine di cartoncino con le fotografie. Tutte le modelle sembrano uscite da un film degli anni Settanta. «Questo look si chiama "Reginetta del Ballo", per i volti più giovani» dice, senza fiato, «e questo è "Sposa radiosa", con doppia applicazione di mascara resistente all'acqua... o magari il "Cleopatra", se volessi qualcosa di più forte...»

«Fantastico» dico, con un filo di voce. «Magari darò un'occhiata quando si avvicina il momento.»

Non lascerò avvicinare Janice alla mia faccia, dovesse essere l'ultima truccatrice al mondo.

«La torta la fate fare da Wendy, vero?» chiede Janice mentre la mamma le porge una tazza di caffè.

«Oh, su questo non c'è dubbio» ribatte la mamma, e poi aggiunge, rivolta a me: «Sai Wendy Prince, quella che vive in Maybury Avenue? Te la ricordi? Ha fatto la torta per la festa del pensionamento di papà, la torta con sopra il tosaerba. Ah, cosa non è capace di fare quella donna con una siringa per dolci!»

Me la ricordo, quella torta. Aveva una glassa di un improbabile verde acido e sopra un tosaerba fatto con una scatola di fiammiferi dipinta. Sotto si intravedeva ancora la marca.

«Sai, qui ho visto delle torte fantastiche!» ribatto, porgendo una copia di "Sposa bella". «Le fa un pasticciere di Londra. Potremmo andare a vederle.»

«Ma tesoro! Dobbiamo assolutamente farla fare a Wendy!» esclama la mamma sorpresa. «Ci resterebbe malissimo se non ci rivolgessimo a lei. Sai che suo marito ha appena avuto un infarto? Quei dolci sono la sua unica fonte di reddito, ormai.»

«In questo caso...» dico, posando la rivista con aria colpevole. «Non lo sapevo. D'accordo. Sono certa che sarà bellissima.»

«Noi siamo rimasti molto soddisfatti della torta nuziale di Tom e Lucy» aggiunge Janice con un sospiro. «Abbiamo tenuto lo strato più alto per il primo battesimo. Sai, sono ospiti da noi adesso. Sono certa che verranno a congratularsi con te. Lo diresti che sono sposati già da un anno e mezzo?»

«Davvero?» La mamma beve un sorso di caffè e fa un sorriso tirato.

Il matrimonio di Tom e Lucy per la nostra famiglia è ancora un punto dolente. Intendiamoci, noi vogliamo molto bene a Janice e Martin, quindi non ne parliamo mai, ma a essere sinceri nessuno di noi nutre molta simpatia per Lucy.

«C'è qualche possibilità che...» la mamma fa un vago cenno con la mano, «che stiano mettendo su famiglia?» conclude a bassa voce.

«No. Non ancora.» Janice accenna un sorriso. «Martin e io pensiamo che prima vogliano godersi un po' la vita a due. Sono così giovani! E si adorano... e poi, ovviamente, Lucy deve pensare alla sua carriera.»

«Già» dice la mamma, perplessa. «Anche se non conviene aspettare troppo...»

«Eh sì, hai ragione» concorda Janice. Si voltano entrambe verso di me e di colpo capisco dove vogliono arrivare.

Per amor del cielo! Sono fidanzata solo da un giorno! Lasciatemi vivere!

Fuggo in giardino e gironzolo un po', sorseggiando il caffè. La neve sta cominciando a sciogliersi, scoprendo chiazze d'erba e qualche pianta di rose. Passeggiando lungo il vialetto, mi scopro a pensare quanto sia gradevole trovarsi nuovamente in un giardino inglese, anche se fa un po' freddo. A Manhattan non ci sono giardini così. Certo, c'è Central Park e qua e là una piazza con dei fiori, ma non ci sono i veri giardini all'inglese, con prati, alberi e aiuole fiorite.

Arrivata al pergolato di rose, mi volto verso la casa cercando di immaginare l'effetto che potrebbe fare un gazebo lì sul nostro prato, quando dal giardino accanto mi giunge il mormorio di una conversazione. Sto per allungare la testa oltre la recinzione per salutare, pensando che sia Martin, quando sento chiaramente una giovane voce di donna dire: «Frigida! Se vuoi il mio parere...».

Oh, mio Dio, è Lucy. E sembra molto arrabbiata. Si sente un mormorio di risposta. Può essere solo Tom.

«Tu invece sei un esperto, vero?»

Altro mormorio incomprensibile.

«Oh, fammi il piacere!»

Mi avvicino alla staccionata senza far rumore, sperando di poter sentire entrambe le voci.

«Già. Forse se avessimo uno straccio di vita, se tu organizzassi qualcosa una volta ogni morte di papa, forse non ci troveremmo impantanati in questa maledetta routine...»

Dio, il tono di Lucy è proprio insolente, e ora Tom sta alzando la voce per difendersi.

«Siamo andati a... e non hai fatto altro che lamentarti... fatto un piccolo sforzo...»

Crac!

Merda. Ho calpestato un ramoscello.

Per un attimo valuto la possibilità di scappare, ma è troppo tardi: le loro teste stanno già spuntando oltre il recinto. Tom è tutto rosso, turbato, Lucy è livida di rabbia.

«Oh, salve!» dico, cercando di apparire perfettamente naturale. «Come va? Stavo... stavo facendo una passeggiatina e mi è caduto... mi è caduto il fazzoletto.»

«Il fazzoletto?» Lucy perlustra il terreno con lo sguardo, sospettosa. «Io non vedo nessun fazzoletto.»

«Allora, come va la vita matrimoniale?»

«Bene» risponde secca Lucy. «A proposito, congratulazioni.»

«Grazie.»

Segue un silenzio imbarazzato, durante il quale esamino l'abbigliamento di Lucy: polo nera (probabilmente Marks & Spencer), calzoni (Earl jeans, a dire il vero piuttosto belli), stivaletti stringati col tacco alto (Russel & Bromley).

È un'abitudine che ho sempre avuto, quella di osservare i vestiti delle persone e poi elencarne nella mente genere e marca, come se si trattasse di una pagina di moda. Credevo fosse una mia caratteristica, ma quando mi sono trasferita a New York ho scoperto che lì lo fanno tutti. Sul serio, lo fanno tutti. La prima volta che incontri una persona, che si tratti di una signora dell'alta società o di un portinaio, questa ti squadra dalla testa ai piedi con un'occhiata. E capisci che sta calcolando al centesimo il costo complessivo di ciò che indossi prima ancora di salutarti. Io la chiamo la "radiografia newyorchese".

«Allora, com'è New York?»

«Fantastica! Davvero esaltante. Adoro il mio lavoro, ed è un posto meraviglioso per viverci!»

«Non ci sono mai stato» osserva Tom, con una vaga aria di rimpianto. «Volevo andarci in luna di miele.»

«Tom, non ricominciare, d'accordo?» sbotta Lucy, brusca.

«Magari potrei venire a trovarti, per il weekend» prosegue Tom.

«Mmm... ma certo! Potreste venire tutti e due...» Lascio cadere la frase, mentre Lucy alza gli occhi al cielo e si allontana a grandi passi verso la casa. «È stato un piacere vedervi, e sono felice che la vostra vita matrimoniale vada... mmm, vada.»

Torno di corsa in cucina, impaziente di raccontare alla mamma ciò che ho appena sentito, ma non c'è nessuno.

«Ehi, mamma, ho appena visto Tom e Lucy!»

Corro di sopra e trovo la mamma a metà della scaletta che

porta nel sottotetto, occupata a tirar giù un grosso fagotto bianco avvolto nella plastica trasparente.

«Cos'è?» chiedo, aiutandola.

«Non dire nulla» dice lei, sforzandosi di nascondere l'emozione mentre con mani tremanti apre la cerniera della custodia. «Guarda!»

«È il tuo abito da sposa!» esclamo sorpresa, vedendo lo spumeggiante abito di pizzo bianco. «Non sapevo che l'avessi tenuto!»

«Ma certo che l'ho tenuto!» ribatte lei, scostando alcuni fogli di carta velina. «Ha trent'anni ma è come nuovo. Sai, Becky, è solo un'idea...»

«Che idea?» dico, aiutandola a scuotere lo strascico.

«È anche possibile che non ti vada bene...»

Lentamente alzo lo sguardo su di lei. Oh, mio Dio, sta parlando sul serio.

«Penso proprio di no» dico, cercando di apparire disinvolta. «Sono sicura che eri molto più magra di me. E più bassa.»

«Ma se siamo alte uguali!» ribatte la mamma, perplessa. «Su, avanti, Becky! Provalo.»

Cinque minuti dopo mi sto guardando allo specchio in camera di mia madre. Sembro una salsiccia infagottata nel pizzo. Il corpino aderentissimo ha le maniche e la scollatura tutte piene di volant e scende attillato fino ai fianchi, da dove comincia una serie di balze che scendono fino a terra a formare lo strascico.

In vita mia non ho mai indossato nulla che mi stesse così male.

«Oh, Becky!» Guardo la mamma e, con orrore, mi accorgo che sta per piangere. «Che sciocca che sono!» dice, ridendo e asciugandosi gli occhi. «È solo che... vedere la mia bambina con l'abito che indossavo...»

«Oh, mamma...» dico, abbracciandola. «È davvero un bel vestito...»

Come faccio ad aggiungere "ma non ho nessuna intenzione di indossarlo"?

«E ti sta alla perfezione» aggiunge la mamma trattenendo il magone e cercando un fazzoletto di carta. «Ma la decisione spetta a te» prosegue, soffiandosi il naso. «Se pensi che non ti stia bene... basta che tu lo dica. Io capirò.»

«Be'... io...»

Oh, Dio.

«Ci penserò» riesco a dire alla fine, con un sorriso poco convinto.

Rimettiamo l'abito da sposa nella sua custodia, ci prepariamo qualche sandwich per pranzo e guardiamo un vecchio episodio di *Changing Rooms* sulla nuova tivù via cavo che mamma e papà hanno appena fatto installare. Poi, anche se è un po' presto, salgo in camera mia e comincio a prepararmi per l'incontro con Elinor. La madre di Luke è una di quelle donne di Manhattan sempre perfette in ogni occasione, e oggi più che mai voglio essere alla sua altezza.

Indosso il tailleur di Donna Karan che mi sono regalata per Natale, collant nuovi e scarpe di Prada comprate a una svendita di campionario. Quindi mi osservo con attenzione, alla ricerca di eventuali imperfezioni. Questa volta non voglio farmi cogliere in fallo. Non offrirò al suo sguardo impietoso neanche un minuscolo filo, nemmeno la minima grinza.

Ho appena deciso che il mio aspetto è impeccabile quando la mamma irrompe in camera mia. È tutta elegante con il suo tailleur viola di Windsmoor e ha il viso acceso di aspettativa.

«Allora, come sto?» dice, con una risatina. «Sono abbastanza elegante per andare al Claridges?»

«Stai benissimo. Quel colore ti dona molto. Lascia solo...»

Prendo una velina, la inumidisco sotto il rubinetto e gliela passo sulle guance, dove ha riprodotto fedelmente l'approccio "semaforo" al fard di Janice.

«Ecco fatto. Ora sei perfetta.»

«Grazie, tesoro.» La mamma si guarda nello specchio del guardaroba. «Ah, che bello! Finalmente conoscerò la madre di Luke.»

«Mmm» commento io, senza sbilanciarmi.

«So che diventeremo ottime amiche! Sai, dovendo occuparci insieme dei preparativi del matrimonio... Margot è diventata così amica della consuocera che ora vanno in vacanza assieme. Lei dice sempre che non solo non ha perso una figlia, ma ha anche trovato un'amica!»

Dio! La mamma è così impaziente... come posso prepararla alla verità?

«Elinor dev'essere una così brava persona da come Luke la descrive... sembra esserle molto affezionato.»

«Sì» ammetto a malincuore. «Moltissimo.»

«Questa mattina ci raccontava del suo magnifico impegno nelle varie opere di beneficenza. Deve avere un cuore d'oro!»

Mentre la mamma continua a parlare a vanvera, io stacco l'audio e ripenso alla conversazione avuta con Annabel, la matrigna di Luke, quando lei e il padre di Luke sono venuti a trovarci.

Adoro Annabel. È una donna completamente diversa da Elinor, molto più calma e gentile, con un sorriso dolce che le illumina il viso. Lei e il padre di Luke vivono in una sonnacchiosa zona del Devon, sulla costa, e mi piacerebbe passare più tempo con loro. Ma Luke se n'è andato da casa a diciott'anni e raramente ci ritorna. In realtà, ho l'impressione che lui sia convinto che il padre abbia sprecato la sua vita decidendo di fare l'avvocato di provincia invece di partire alla conquista del mondo.

Quando sono venuti a New York, Annabel e io abbiamo passato un pomeriggio da sole, a passeggiare a Central Park, e abbiamo parlato di molte cose, liberamente, come se nessun argomento fosse da evitare. E così, alla fine, mi sono fatta coraggio e le ho chiesto ciò che ho sempre desiderato sapere, e cioè come fa a sopportare che Luke sia così conquistato da Elinor. Voglio dire, Elinor è la madre biologica, ma è stata Annabel a crescerlo. È lei che lo ha curato quando stava male, lo ha aiutato a fare i compiti e gli ha preparato la cena ogni sera. E ora lui la mette da parte.

Per un attimo mi è parso di cogliere una certa sofferenza sul viso di Annabel, ma poi lei ha sorriso e mi ha detto che lo capiva. Fin da piccolo Luke ha sempre desiderato conoscere la sua vera madre, e adesso che ha finalmente l'occasione di passare un po' di tempo con lei, è naturale che ne approfitti.

«Immagina se vedessi arrivare la fatina buona. Tu non ne saresti affascinata? Non dimenticheresti chiunque altro? Luke ha bisogno di passare un po' di tempo con lei.»

«Ma lei non è la fatina buona!» ho obiettato io. «È la strega cattiva!»

«Becky, è la madre naturale» mi ha fatto notare Annabel con tono di leggero rimprovero, e poi si è affrettata a cambiare argomento. Non è il tipo di persona che parla male di qualcuno, neanche di Elinor.

Annabel è una santa.

«È un vero peccato che non si siano potuti frequentare quando Luke era ragazzo!» sta dicendo la mamma. «Che storia tragica» prosegue, abbassando la voce, benché Luke non sia in casa. «Ancora questa mattina Luke mi diceva che sua madre avrebbe desiderato tantissimo portarlo con sé in America, ma che il nuovo marito non ne aveva voluto sapere! Povera donna. Dev'essere stato un dolore enorme per lei, abbandonare il suo unico figlio!»

«Sì, forse» dico, provando un sottile desiderio di ribellione. «Ma nessuno l'ha costretta ad abbandonarlo, no? Se per lei era un dolore così grande, perché non ha detto al nuovo marito di andare in quel posto?»

La mamma mi guarda sorpresa.

«Non sei un po' troppo dura, Becky?»

«Sì, forse sì.» Do un'alzata di spalle e prendo la matita per le labbra.

Non voglio creare problemi prima ancora di cominciare. Quindi non dirò ciò che penso realmente, e cioè che Elinor ha cominciato a mostrare interesse per Luke solo da quando la sua società di pubbliche relazioni ha iniziato ad avere un gran successo a New York. Luke ha sempre desiderato far colpo su di lei, ed è questa la vera ragione per cui ha deciso di aprire una sede a Manhattan, anche se non lo ammetterà mai. Ma lei, stronza com'è, lo ha ignorato finché lui non si è aggiudicato i primi contratti importanti ed è finito sui giornali, e allora si è resa conto che lui poteva esserle utile. Poco prima di Natale, infatti, ha fondato il suo istituto di beneficenza – la Fondazione Elinor Sherman – e ha nominato Luke direttore. Poi ha organizzato un grande ricevimento con concerto per lanciarla e indovinate un po' chi ha passato venticinque ore al giorno ad aiutarla, fino ad essere così esausto che il giorno di Natale non stava neppure in piedi?

Ma con lui non posso parlarne. Una volta che ho tirato in ballo l'argomento, Luke è scattato subito sulla difensiva, dicendo che io ho sempre avuto dei problemi con sua madre (il che è vero) e che lei stava sacrificando un sacco del suo tempo per aiutare le persone bisognose e che cosa volevo ancora, il sangue?

A questo non ho saputo trovare una risposta.

«Probabilmente è una donna molto sola» sta riflettendo la mamma a voce alta. «Vivere tutta sola nel suo appartamentino. Non ha almeno un gatto che le tenga compagnia?»

«Mamma...» la interrompo, portandomi una mano alla testa. «Elinor non vive in un appartamentino. Ha un attico su due piani in Park Avenue.»

«Un attico? Un po' come dire una specie di soffitta?» La mamma assume un'aria contrita. «Ah, comunque sia, non è la stessa cosa che avere una bella casa, no?»

Oh, ci rinuncio, tanto è inutile.

Quando entriamo al Claridges, lo troviamo pieno di gente elegante venuta a prendere il tè. Camerieri in giacca grigia corrono di qua e di là portando teiere a righe bianche e verdi, e tutti chiacchierano animatamente. Non riesco a vedere né Luke né Elinor. Mentre li cerco con lo sguardo, coltivo un'assurda speranza. Che non ci siano. Forse Elinor non ce l'ha fatta! E noi possiamo andare a prenderci una bella tazza di tè da soli...

«Becky?»

Mi volto di scatto e mi sento mancare il cuore. Eccoli lì, sul divanetto d'angolo. Luke sfoggia la solita espressione raggiante di quando è in compagnia della madre. Elinor se ne sta seduta impettita sul bordo del sedile con un tailleur *pied-de-poule* bordato di pelliccia. I capelli sono così impastati di lacca che ricordano un casco, e le gambe, avvolte in calze chiarissime, sembrano ancora più magre del solito. Elinor alza lo sguardo, in apparenza indifferente, ma dall'impercettibile battito delle ciglia capisco che sta facendo a mamma e papà una radiografia newyorchese particolarmente accurata.

«È lei?» sussurra mia madre meravigliata, mentre consegniamo i cappotti. «Bontà divina! Ma è... giovanissima!»

«No, mamma» mormoro. «Diciamo che si è aiutata un po'.» La mamma mi guarda per un attimo senza capire, ma poi afferra il concetto.

«Intendi dire che si è fatta il lifting?»

«Non solo uno. Quindi evita l'argomento, d'accordo?»

Aspettiamo che anche papà consegni il cappotto, e mi accorgo che la mente della mamma sta digerendo la nuova informazione per poi darle una collocazione.

«Povera donna» dice, all'improvviso. «Dev'essere terribile sentirsi così insicura. Sono certa che è colpa della vita che conduce in America.»

Mentre ci avviciniamo al divanetto, Elinor alza lo sguardo e la sua bocca si increspa di circa tre millimetri, per lei l'equivalente di un sorriso.

«Buongiorno, Rebecca. Felicitazioni per il tuo fidanzamento. Del tutto inaspettato.»

Cosa vorrebbe dire?

«Grazie!» Mi costringo a sorridere. «Elinor, le presento i miei genitori, Jane e Graham Bloomwood.»

«Lieto di fare la sua conoscenza» dice papà, porgendole la mano con un sorriso cordiale.

«Graham, non fare tante cerimonie!» esclama la mamma. «Presto diventeremo una sola famiglia!» E prima che possa fermarla, sta già avvolgendo Elinor in un abbraccio. «Siamo così felici di conoscerti, Elinor! Luke ci ha raccontato tutto di te.» Quando si raddrizza vedo che ha arruffato il collo di pelliccia di Elinor e non riesco a trattenere una risatina.

«Non è un posto fantastico?» prosegue la mamma, sedendosi. «Davvero elegante!» Si guarda attorno con gli occhi che le brillano. «Allora, cosa prendiamo? Una bella tazza di tè, o qualcosa di più forte, per festeggiare?»

«Direi un tè» risponde Elinor. «Luke...»

«Vado subito» dice Luke, scattando in piedi.

Dio, odio quando si comporta così con sua madre. Solitamente è deciso e sicuro di sé, ma quando è con Elinor sembra che lei sia l'amministratore delegato di qualche multinazionale e lui il suo tirapiedi. Non mi ha neppure detto ciao.

«Allora, Elinor» dice la mamma. «Ho portato una cosetta per te. L'ho vista ieri e non ho saputo resistere!»

Quindi tira fuori dalla borsa un pacchetto avvolto nella carta dorata e lo porge a Elinor la quale, con gesto distaccato, lo scarta scoprendo un libriccino azzurro con la copertina imbottita e le parole LA MAMMA DI LUI scritte in argento a caratteri svolazzanti. Lo fissa come se la mamma le avesse regalato un topo morto.

«Ne ho uno uguale anch'io!» annuncia la mamma, trionfante, e tira fuori il suo, con la scritta ovviamente rosa LA MAMMA DI LEI. «Si chiamano "I diari delle mamme". C'è posto per scrivere i menu, gli elenchi degli invitati, gli accostamenti dei colori... e c'è anche una taschina di plastica per i campioni di tessuto, così siamo sicure di fare tutto coordinato! E questa è la pagina delle idee... io ho già buttato giù qualcosina, quindi se vuoi contribuire... o se c'è qualche piatto che ti piace particolarmente... lo scopo è quello di farti sentire il più possibile coinvolta.» E qui mia madre dà un colpetto sulla mano di Elinor. «Anzi, ci farebbe piacere se venissi a stare da noi per qualche tempo, in modo da conoscerci meglio...»

«Purtroppo sono molto impegnata» ribatte Elinor con un sorriso glaciale, mentre Luke torna al tavolo col cellulare in mano.

«Il tè sta arrivando. E ho appena ricevuto una piacevole telefonata.» Si guarda attorno trattenendo a stento un sorriso. «Abbiamo appena ottenuto un contratto con la NorthWest Bank. Cureremo il lancio del nuovo settore che si occupa di vendite al dettaglio. Sarà una cosa enorme.»

«Luke!» esclamo. «Ma è meraviglioso!»

Sono secoli che Luke insegue la NorthWest e la scorsa settimana aveva detto che temeva avessero scelto un'altra agenzia. Quindi è davvero una notizia fantastica.

«Bravo, Luke» dice papà.

«Bravissimo» fa eco la mamma.

L'unica che non ha detto una parola è Elinor. Non sta neppure ascoltando, intenta com'è a guardare dentro la sua borsa di Hermès.

«Cosa ne dice, Elinor?» dico, di proposito. «Una bella notizia, vero?»

«Spero che non interferirà con il tuo lavoro per la fondazione, Luke» dice lei, richiudendo la borsetta con un colpo secco.

«Non dovrebbe» risponde Luke calmo.

«Certo, il lavoro per la fondazione è volontario» osservo io, amabile, «mentre in questo caso si tratta di affari.»

«Certo.» Elinor mi rivolge uno sguardo gelido. «Be', Luke, se non hai tempo...»

«Ma certo che ho tempo» ribatte Luke, lanciandomi un'occhiataccia. «Non è un problema.»

Fantastico. Ora sono tutti e due incavolati con me.

La mamma ha seguito lo scambio di battute con un'espressione leggermente disorientata e, quando arriva il tè, il suo sollievo è evidente.

«Proprio quello che ci voleva!» esclama, mentre il cameriere posa sul tavolo una teiera e un vassoio d'argento colmo di pasticcini. «Elinor, posso servirti?»

«Prenda uno *scone*» dice papà, cordiale. «Un po' di crema?»

«Non per me.» Elinor si ritrae leggermente, come se le particelle di crema potessero fluttuare nell'aria e invadere il suo corpo. Prende un sorso di tè, e subito guarda l'orologio. «Purtroppo ora devo andare.»

«Come? Di già?» esclama la mamma, sorpresa.

«Luke, potresti andare a prendere la macchina?»

«Certo» risponde lui, vuotando in fretta la tazza.

«Cosa?» Questa volta tocca a me essere sorpresa. «Luke, cosa sta succedendo?»

«Accompagno mia madre all'aeroporto.»

«Perché? Non può prendere un taxi?»

Appena finisco di pronunciare la frase, mi rendo conto di essere stata un po' scortese. Ma insomma! Doveva essere una gradevole riunione familiare. Siamo qui soltanto da tre secondi!

«Ci sono alcune cose che devo discutere con Luke» spiega Elinor, prendendo la borsetta. «Potremo farlo lungo il tragitto.» Si alza e si toglie un'immaginaria briciola dalla gonna. «È stato un piacere conoscerla» dice alla mamma.

«Anche per me!» esclama lei, balzando in piedi in un ultimo, disperato tentativo di fraternizzare. «Sono felice di averti conosciuto, Elinor! Mi farò dare il tuo numero da Becky, così possiamo scambiare quattro chiacchiere su quello che indosseremo. Non vorremo mica metterci dei colori che fanno a pugni, vero?»

«Certamente» ribatte Elinor, lanciando un'occhiata alle scarpe della mamma. «Addio, Rebecca.» E poi, rivolgendo un cenno del capo a papà: «Graham».

«Addio, Elinor» risponde lui con tono estremamente educato. Ma, guardandolo, capisco che non è per niente impressionato. «Ci vediamo, Luke.» Quando scompaiono oltre la porta, guarda l'orologio e osserva: «Dodici minuti».

«Cosa vuoi dire?» chiede la mamma.

«È il tempo che ci ha dedicato.»

«Graham! Sono sicura che non intendeva...» Poi la mamma si interrompe di colpo: ha notato il libriccino azzurro sul tavolo, tra la carta da regalo. «Elinor ha lasciato qui la sua agenda!» esclama, afferrandola. «Becky, fa' una corsa a portargliela.»

«Mamma...» Faccio un respiro profondo. «Sinceramente... non mi preoccuperei. Non sono così sicura che gliene importi qualcosa.»

«Io non conterei sul suo aiuto» aggiunge papà. Poi prende la crema e ne spalma in abbondanza sul suo *scone*.

«Oh.» La mamma guarda me e poi papà, quindi torna lentamente a sedersi, stringendo l'agenda. «Capisco.»

Beve un sorso di tè e mi accorgo che sta cercando qualcosa di carino da dire.

«Be'... probabilmente non vuole interferire» osserva, alla fine. «È comprensibile.»

Ma non sembra convinta neppure lei. Dio, come odio Elinor.

«Mamma, finiamo di bere il tè» suggerisco. «Questo posto è un po' opprimente. Perché non andiamo a fare un giro per saldi?»

«Sì» risponde la mamma dopo un attimo di esitazione. «Sì! Ora che mi ci fai pensare, avrei proprio bisogno di un paio di guanti nuovi.» Beve un altro sorso di tè e sembra già più allegra. «E magari anche di una bella borsa.»

«Vedrai, ci divertiremo» dico, stringendole il braccio.

Studio legale
Franton, Binton & Ogleby

739 Third Avenue
Suite 503
New York, NY 10017

Rebecca Bloomwood
Appartamento B
251 W 11th Street
New York
NY 10014

11 febbraio 2002

Gentile signorina Bloomwood,

abbiamo letto sul "New York Times" l'annuncio del suo fidanzamento con il signor Luke Brandon e desideriamo essere fra i primi a congratularci. Questo deve essere un periodo molto felice per lei, e le porgiamo i nostri più sentiti auguri.

Siamo certi che negli ultimi giorni sarà stata inondata di offerte tanto indesiderate quanto prive di gusto, ma desideriamo comunque richiamare la sua attenzione su una serie di servizi impareggiabili ed esclusivi offerti dal nostro studio.

In qualità di avvocati divorzisti con trent'anni di esperienza nel settore, sappiamo bene che cosa significhi l'appoggio di un buon legale. Speriamo di tutto cuore che lei e il signor Brandon non dobbiate mai trovarvi in simili dolorose contingenze, ma se questo dovesse sfortunatamente accadere, noi siamo specializzati nelle seguenti azioni:

- contestazione di contratti prematrimoniali
- negoziazione di alimenti
- ottenimento di ingiunzioni di tribunale
- raccolta di informazioni (con l'aiuto del nostro investigatore privato).

Non le chiediamo di contattarci ora, ma di conservare questa lettera insieme agli altri ricordi del suo matrimonio. Dovesse presentarsi la necessità, saprà dove trovarci.

Ancora congratulazioni!

Ernest P. Franton
socio aggiunto

Cimitero Angeli della Pace Eterna

Westchester Hills
Westchester County
New York

Rebecca Bloomwood
Appartamento B
251 W 11th Street
New York
NY 10014

13 febbraio 2002

Gentile signorina Bloomwood,

abbiamo letto sul "New York Times" l'annuncio del suo fidanzamento con il signor Luke Brandon e desideriamo essere fra i primi a congratularci. Questo deve essere un periodo molto felice per lei, e le porgiamo i nostri più sentiti auguri.

Siamo certi che negli ultimi giorni sarà stata inondata di offerte tanto indesiderate quanto prive di gusto, ma desideriamo comunque richiamare la sua attenzione su una serie di servizi impareggiabili ed esclusivi offerti dalla nostra società.

UN DONO DI NOZZE VERAMENTE UNICO

Quale miglior modo per i vostri invitati di dimostrare quanto apprezzino l'amore che dimostrate l'uno per l'altra che regalarvi due lotti cimiteriali vicini? Nella pace e nella tranquillità dei nostri giardini meticolosamente curati, lei e suo marito potrete riposare insieme così come avete vissuto, per l'eternità.*

Attualmente è disponibile una coppia di lotti nel prestigioso Giardino della Redenzione al prezzo speciale di 6500 dollari. Perché non aggiungerla alla vostra lista di nozze, e dare ai vostri cari la gioia di farvi un dono che duri davvero per sempre?**

Ancora congratulazioni e auguri di una lunga e felice vita insieme.

Hank Hamburg
responsabile delle vendite

* In caso di divorzio, i lotti possono essere spostati su due lati opposti del cimitero.
** La Hamburg Family Mortuaries Inc. si riserva il diritto di trasferire l'area di sepoltura, previo preavviso di trenta giorni, in caso di nuovo sviluppo della zona (vedi termini e condizioni allegati).

4

E comunque, chi se ne frega di Elinor?

Organizzeremo uno splendido matrimonio, con o senza il suo aiuto. Come ha detto la mamma, quella che ci perde è lei e quel giorno, quando non si sentirà coinvolta nei festeggiamenti, si pentirà di aver agito così. In realtà, usciti dal Claridges, abbiamo subito ritrovato il buonumore. Siamo andati da Selfridges per i saldi, dove la mamma ha trovato una bella borsa e io un mascara volumizzante, mentre papà è andato a bersi una pinta di birra come fa sempre. Poi abbiamo cenato fuori e, quando siamo rientrati a casa, eravamo così allegri da trovare persino divertente l'incontro con Elinor.

Il giorno dopo, quando Janice ha fatto un salto da noi per il caffè, le abbiamo raccontato tutto e lei si è indignata moltissimo, e ha detto che se Elinor crede di farsi truccare gratis da lei, si sbaglia di grosso! Poi è arrivato papà e si è messo a fare l'imitazione di Elinor che guardava la crema come se stesse per aggredirla e abbiamo cominciato tutti a ridere come matti, finché Luke non è sceso a chiedere cosa ci fosse di così divertente e allora abbiamo dovuto fingere che si trattasse di una battuta sentita alla radio.

Davvero non so come comportarmi quando si tratta di Luke e di sua madre. Una parte di me pensa che dovrei essere sincera e raccontargli quanto ci abbia lasciato sconcertati il comportamento di Elinor e quanto si sia sentita ferita la mamma. Ma il problema è che ogni volta che in passato ho cercato di essere sincera a proposito di Elinor è finita sempre con grosse discussioni. E io non ho voglia di discussioni, proprio adesso che ci siamo appena fidanzati, e dovremmo vivere un momento di grande gioia e felicità.

Elinor a parte, sta andando tutto alla perfezione. A riprova di questo, sull'aereo che ci riportava a New York abbiamo fatto un test trovato su "Case e matrimoni" intitolato "Siete pronti per il matrimonio?" E abbiamo totalizzato il punteggio più alto! Diceva: "Congratulazioni! Siete una coppia molto unita e capace di risolvere i problemi. Sapete comunicare alla perfezione e la pensate allo stesso modo su molte questioni".

D'accordo, forse ho barato un pochino. Per esempio, alla domanda "Quale aspetto del vostro matrimonio attendete con maggior impazienza?" stavo per rispondere (a) "scegliere le scarpe", ma poi ho visto che (c) "impegnarsi per tutta la vita" valeva dieci punti mentre (a) ne valeva solo due.

Ma sono sicura che tutti diano una sbirciatina alle risposte. Probabilmente chi fa i test ne tiene conto.

E poi, se non altro, non ho scelto (d) "il dolce". (Zero punti.)

«Becky?»

«Sì?»

Siamo arrivati a casa un'ora fa e Luke sta controllando la posta. «Non hai visto per caso quell'estratto conto? Dovrò chiamare la banca.»

«Oh, scusami. Ho dimenticato di dirtelo. È arrivato.»

Mi precipito in camera da letto e prendo l'estratto conto dal suo nascondiglio, provando una leggera fitta di apprensione.

Ora che ci penso, in quel test c'era una domanda sulle questioni economiche. Credo di aver risposto (b) "abbiamo abitudini di spesa simili e il denaro non è un problema tra noi".

«Eccolo» dico, porgendogli il foglio.

«Non riesco a capire come mai continuiamo ad andare in rosso su questo conto» sta dicendo. «Non è possibile che le spese per la casa aumentino ogni mese...» Guarda con attenzione la pagina, coperta di spesse chiazze bianche. «Becky... come mai questo estratto conto è tutto sporco di correttore?»

«Scusami tanto» dico, «è colpa mia. C'era il flacone aperto, ho spostato dei libri e si è rovesciato.»

«Ma è quasi illeggibile!»

«Davvero?» dico con aria innocente. «Che peccato! Ma sai,

sono cose che succedono...» Sto per prenderglielo di mano quando vedo che Luke stringe gli occhi.

«Possibile? Sbaglio o qui dice...» Si mette a grattare il foglio con l'unghia, staccando un piccolo grumo di correttore.

Accidenti. Avrei dovuto usare il ketchup, come il mese scorso.

«Miu Miu. Mi pareva... Becky, cosa ci fa Miu Miu, qui?» Continua a grattare e dal foglio scende una nevicata di frammenti bianchi.

Oh, Dio. Ti prego, fa' che non veda...

«Sephora... Joseph... ora capisco perché siamo in rosso!» Mi rivolge uno sguardo esasperato. «Becky, questo conto è per le spese di gestione della casa, non per le gonne di Miu Miu!»

Okay. Uccidere o morire.

Incrocio le braccia con aria di sfida e sollevo il mento.

«Dunque... una gonna non è una spesa di gestione della casa? È questo che stai dicendo?»

Luke mi guarda allibito.

«Ovvio che sto dicendo questo!»

«Be', sai una cosa? Forse è proprio questo il problema, forse noi due dovremmo chiarire meglio le nostre definizioni.»

«Capisco» dice lui, dopo un attimo. Vedo che contrae appena la bocca. «Quindi mi stai dicendo che tu classificheresti una gonna di Miu Miu come una spesa di gestione della casa.»

«Io... sì, esatto. Potrei definirla così. È nella casa, no?»

Ma forse mi sono spinta su un terreno insidioso.

«E comunque» mi affretto ad aggiungere, «alla fine della giornata che importanza ha? Cosa importa? Abbiamo la salute, abbiamo noi due, abbiamo... il dono della vita. Sono queste le cose che contano. Non il denaro. Non i conti correnti. Non questi dettagli gretti e materiali.» Faccio un ampio gesto con la mano, sentendomi come una star che pronuncia un discorso da premio Oscar. «Siamo su questa Terra per un tempo troppo breve, Luke. Troppo breve. E quando arriveremo alla fine, cosa conterà di più? Un numero su un pezzo di carta... o l'amore fra due persone? Sapere che alcuni conti senza significato tornano... o sapere che sei stato la persona che desideravi essere?»

Avvicinandomi alla conclusione, mi sento la voce strozzata per l'enfasi; alzo lo sguardo, stordita, e quasi mi aspetto di vedere Luke prossimo alle lacrime che mi sussurra: «Mi hai convinto, tesoro».

«Molto commovente» osserva lui, secco. «Comunque sia, voglio che tu sappia che per me "spese di gestione della casa" significa spese relative alla conduzione di questo appartamento e della nostra vita in comune. Cibo, riscaldamento, prodotti per la pulizia eccetera.»

«Bene!» esclamo, stringendomi nelle spalle. «Se questa è la definizione limitata e francamente riduttiva che vuoi usare... allora va bene.»

Suonano alla porta. Vado ad aprire e vedo Danny, sulle scale.

«Danny, una gonna di Miu Miu è una spesa di gestione della casa?» gli chiedo.

«Assolutamente» risponde lui, entrando in soggiorno.

«Vedi?» dico, inarcando le sopracciglia. «Ma comunque non c'è problema, terremo per buona la tua definizione.»

«Avete sentito?» dice Danny, scuro in volto.

«Sentito cosa?»

«La signora Watts ha deciso di vendere.»

«Cosa?!» Lo guardo allibita. «Stai dicendo sul serio?»

«Appena scade il contratto d'affitto, ci caccia fuori.»

«Ma non può farlo!»

«È la proprietaria. Può fare quel che vuole.»

«Ma...» Osservo Danny, sgomenta, poi mi volto verso Luke, che sta infilando dei documenti nella valigetta. «Luke, hai sentito? La signora Watts ha intenzione di vendere!»

«Lo so.»

«Lo sapevi? E perché non me l'hai detto?»

«Scusami. Avevo intenzione di farlo.» Luke sembra del tutto indifferente al problema.

«Cosa faremo?»

«Traslocheremo.»

«Ma io non voglio traslocare. A me piace stare qui!»

Mi guardo attorno con una fitta. Questo è il posto in cui Luke e io abbiamo vissuto felici quest'ultimo anno. Non voglio essere sradicata da qui.

«Allora, vuoi sapere cosa mi aspetta?» prosegue Danny.

«Randall ha intenzione di prendersi un appartamento con la sua ragazza.»

Lo guardo, allarmata. «Ti sta cacciando fuori di casa?»

«Praticamente. Dice che devo cominciare a contribuire alle spese, oppure cercarmi un altro posto. E come potrei farlo?» Danny allarga le braccia. «Finché non ho pronta la nuova collezione non sarà possibile. Tanto vale che... mi cerchi già un cartone dove dormire.»

«E... come sta venendo la nuova collezione?» chiedo, cauta.

«Sai, fare lo stilista non è facile come sembra» risponde Danny subito sulla difensiva. «Non si può creare a comando. Ci vuole l'ispirazione.»

«Potresti trovarti un lavoro» suggerisce Luke, prendendo il cappotto.

«Un lavoro?»

«Devono pur aver bisogno di stilisti da... che so, Gap?»

«Gap?» Danny lo fissa allibito. «Tu pensi che dovrei passare la mia vita a disegnare polo? Del tipo... due maniche qui, tre bottoni sull'apertura, rifiniture a costine... Davvero esaltante.»

«Cosa facciamo?» chiedo a Luke con tono lamentoso.

«Per Danny?»

«Per il nostro appartamento!»

«Troveremo un altro posto» risponde Luke rassicurante. «A proposito, questo mi fa venire in mente che mia madre oggi vuole pranzare con te.»

«È tornata?» chiedo, sbigottita. «Voglio dire, è tornata!»

«Hanno dovuto rimandare l'operazione» dice Luke con una smorfia. «Le autorità sanitarie elvetiche hanno messo la clinica sotto indagine mentre lei si trovava là, e tutti gli interventi sono stati sospesi. Allora... all'una a La Goulue?»

«Bene.» Faccio spallucce senza entusiasmo.

Quando la porta d'ingresso si richiude alle spalle di Luke, mi sento un po' in colpa. Forse Elinor ha cambiato idea. Forse vuole sotterrare l'ascia di guerra e partecipare ai preparativi per il matrimonio. Non si può mai sapere.

Avevo deciso di restare calma e tranquilla e di raccontare del mio fidanzamento solo se qualcuno mi avesse chiesto: "Com'è andato il viaggio?".

E, invece, mi ritrovo a correre per il reparto di Barneys dove lavoro con la mano tesa e gridando: «Guardate!».

Erin, la ragazza che lavora con me, alza lo sguardo e trasalisce, poi guarda meglio l'anello e si porta le mani alla bocca.

«Oh, mio Dio! Oh, mio Dio!»

«Lo so.»

«Ti sei fidanzata? Con Luke?»

«Sì, certo, con Luke. Ci sposeremo a giugno!»

«Hai già deciso cosa mettere?» farfuglia. «Sono così invidiosa! Fammi vedere l'anello! Dove l'hai preso? Quando mi fidanzo io, vado dritta da Harry Winstons. E non parlo di lasciarci un mese di stipendio, ma almeno tre anni...» Lascia la frase in sospeso, intenta a esaminare il brillante. «Accidenti!»

«È un gioiello di famiglia» spiego. «Era della nonna di Luke.»

«Ah... allora non è nuovo?» dice lei, leggermente delusa. «Be'...»

«È un gioiello d'epoca» rispondo io, e il suo viso torna a illuminarsi.

«D'epoca? Un anello d'epoca! Che idea fantastica!»

«Congratulazioni, Becky» dice Christina, il mio capo, con un sorriso cordiale. «So che tu e Luke sarete molto felici insieme.»

«Posso provarlo?» dice Erin. «No, scusami. Come non l'avessi detto... un anello d'epoca!»

Lo sta ancora rimirando quando arriva la mia prima cliente, Laurel Johnson. Laurel è presidente di una società che noleggia jet privati, ed è una delle mie clienti preferite, anche se continua a dirmi che i nostri articoli sono troppo cari e che se non fosse per il suo lavoro lei comprerebbe tutto in un K-Mart qualsiasi.

«Cos'è questo che vedo?» dice, togliendosi il cappotto e scuotendo i suoi riccioli bruni.

«Mi sono fidanzata!» dico, raggiante.

«Fidanzata!» Laurel si avvicina ed esamina l'anello con gli occhi scuri e intelligenti. «Be', spero proprio che tu sia felice. Anzi, ne sono certa. Sono sicura che tuo marito avrà tanto buon senso da tenere l'uccello a debita distanza dalla stagista bionda di turno che gli dice di non aver mai incontrato un uomo che la mettesse tanto in soggezione. *Soggezione.* Ma dico io, si sono mai sentite simili cazza...» Si interrompe di colpo, portandosi una mano sulla bocca. «Accidenti.»

«Non importa» dico, comprensiva. «Sei stata provocata.»

Il primo dell'anno, Laurel si era ripromessa di non parlare più del suo ex marito né della sua amante perché Hans, il suo psicoterapeuta, le aveva detto che non le fa bene. Purtroppo ha qualche difficoltà a mantenere la promessa. Non che io la biasimi: a sentire lei, il marito dev'essere un vero porco.

«Sai cosa mi ha detto Hans la settimana scorsa?» dice, mentre apro la porta del mio salottino di prova. «Mi ha detto di scrivere un elenco di tutto quel che penso di quella donna e poi di strapparlo. Mi ha detto che sarebbe stato un gesto liberatorio.»

«Ah» faccio io, incuriosita. «E com'è andata?»

«Ho fatto una bella lista e poi gliel'ho spedita per posta.»

«Laurel!» esclamo, sforzandomi di non ridere.

«Lo so, lo so. Hans non era affatto contento. Ma se sapesse quanto è troia quella donna...»

«Su, su, entra» le dico, prima che arrivi a raccontarmi di quella volta che ha trovato marito e stagista in cucina che mangiavano fragole l'uno sul corpo dell'altro. «Sono un po' in ritardo, questa mattina.»

Mentre riflettevo su ciò che serviva a Laurel, cercando qualche capo adatto a lei, ci siamo lasciate alle spalle l'incidente delle fragole e siamo arrivate alla prima zuffa in Madison Avenue.

«Non ho mai provato tanta soddisfazione in vita mia!» dice, infilando un braccio nella manica di una camicetta di seta. «Dovevi vedere la sorpresa stampata su quella facciotta tonda quando l'ho colpita! Non avevo mai picchiato una donna, prima! È stato il massimo!» Infila l'altro braccio e si sente un inquietante rumorino.

«Non ti preoccupare, se è strappata la pago» dice, senza battere ciglio. «Cos'altro hai per me?»

A volte penso che Laurel venga a provarsi i vestiti solo per azzuffarsi con loro.

«A proposito, ti ho già detto come lo chiama?» aggiunge.

«William. Quella è convinta che suoni meglio di Bill. Ma il suo fottutissimo nome è Bill, perdio!»

«Allora, questa è la giacca» dico, cercando di distrarla. «Cosa ne dici?»

Laurel la indossa e si osserva nello specchio.

«Visto?» dice, alla fine. «È perfetta. Non capisco perché vado da altre parti. La prendo. E un'altra di quelle camicie. Senza lo strappo.» Fa un sospiro soddisfatto. «Non so perché, Becky, ma ogni volta che vengo da te, poi mi sento meglio.»

«È un mistero» dico, sorridendo, e prendo qualche appunto sul mio taccuino.

Uno degli aspetti più belli del mio lavoro di personal shopper è il rapporto di fiducia che nasce tra me e le clienti. Alcune diventano quasi delle amiche. La prima volta che ho incontrato Laurel si era appena divisa dal marito. Era furiosa con lui e con se stessa, e aveva perso tutta l'autostima. Ora, non che voglia vantarmi, ma quando le ho trovato l'abito giusto di Armani da indossare al galà cui avrebbe partecipato anche il marito, quando l'ho vista guardarsi allo specchio, sollevare il mento e sorridere come se si sentisse di nuovo affascinante, be', lì ho capito di aver contribuito a dare una svolta alla sua vita.

Mentre Laurel si riveste, esco dal camerino con le braccia cariche di abiti.

«Non posso indossare una cosa del genere» sento dire da una voce smorzata proveniente dal camerino di Erin.

«Ma la provi almeno...» dice Erin.

«Sa bene che io non porto mai questo colore!» La voce si fa più alta e io mi blocco.

È un accento inglese.

«Non ho intenzione di perdere altro tempo! Se mi porta gli articoli che voglio, bene, altrimenti...»

Ho i brividi alla schiena. Non ci posso credere. Non può essere...

«Ma è stata lei a chiedermi un nuovo look!» esclama Erin disperata.

«Mi chiami quando avrà quello che le ho chiesto.»

Prima che possa allontanarmi, eccola lì che esce dal camerino di Erin, alta, bionda e perfetta come non mai, le labbra già increspate in un sorriso sprezzante. I capelli sono liscissimi, gli occhi azzurri scintillanti di una che si sente la padrona del mondo.

Alicia Billington.

Alicia la Stronza dalle Gambe Lunghe.

Incrocio il suo sguardo ed è come se il mio corpo fosse percorso da una scarica elettrica. Sotto i miei eleganti calzoni grigi le gambe si mettono a tremare. Non vedo Alicia Billington da più di un anno. Ormai dovrei essere in grado di affrontarla, ma è come se il tempo non fosse mai passato. I ricordi di tutti i nostri incontri sono vivi e dolorosi come non mai. Quello che mi ha fatto. Quello che ha tentato di fare a Luke.

Mi guarda con la stessa aria di superiorità di quando lei era un'addetta alle relazioni pubbliche e io una giornalista inesperta. E per quanto mi dica che adesso sono una donna più matura, una donna forte con una carriera di successo che non deve dimostrare niente a nessuno... dentro di me mi sento piccola piccola, e torno la ragazza sempre un po' inadeguata, che non sapeva mai cosa dire.

«Rebecca!» esclama Alicia, lanciandomi un'occhiata divertita. «Guarda guarda!»

«Ciao, Alicia» dico, sforzandomi di sorridere educatamente. «Come stai?»

«Mi avevano detto che lavoravi in un negozio, ma credevo fosse uno scherzo.» Fa una risatina. «E invece eccoti qui... be', tutto sommato ha un senso.»

Io non "lavoro" in un negozio, vorrei urlare. Io sono una personal shopper! È una professione vera! Io aiuto le persone!

«E stai sempre con Luke, vero?» E poi, con un'aria fintamente preoccupata: «La sua società si è ripresa? So che ha passato un momentaccio».

Non posso crederci. Ma se è stata lei a cercare di sabotare l'agenzia di Luke. E a fondare una società concorrente che poi è fallita. È stata lei che ha perso tutto il denaro del fidanzato e, a quanto si dice, ne è venuta fuori solo grazie ai soldi del padre.

E ora si sta comportando come se ne fosse uscita vincente.

Deglutisco più volte cercando di trovare la risposta giusta.

So di valere molto più di Alicia. Dovrei trovare una battuta perfetta, educata ma pungente. Ma, chissà come mai, non mi viene in mente nulla.

«Anch'io vivo a New York» dice, spensierata. «Quindi suppongo che ci incontreremo ancora. Magari mi venderai un paio di scarpe.» Mi rivolge un ultimo sorriso condiscendente, si mette la Chanel a tracolla e si allontana.

Quando scompare, intorno a me è sceso il silenzio.

«Chi era quella?» dice Laurel, che senza che me ne accorgessi è uscita dal camerino mezzo svestita.

«Quella era... Alicia la Stronza dalle Gambe Lunghe» rispondo, ancora intontita.

«Alicia la Stronza dal Culo Grosso direi» osserva Laurel. «Ah, come dico sempre io, non esiste stronza più stronza di una stronza inglese.» E poi mi abbraccia. «Non farci caso. Chiunque sia, è solo gelosa.»

«Grazie» dico, stropicciandomi il viso nel tentativo di schiarirmi le idee. Ma, a essere sincera, sono ancora un po' frastornata. Non avrei mai pensato di rivederla.

«Becky! Mi dispiace!» dice Erin, mentre Laurel rientra nel camerino. «Non avevo idea che tu e Alicia vi conosceste!»

«E io non avevo idea che fosse tua cliente.»

«Non viene spesso» dice Erin con una smorfia. «Non ho mai conosciuto una persona così esigente. Allora, cos'è successo tra voi?»

"Oh, niente!" vorrei rispondere. "Mi ha solo sbattuto su tutti i giornali scandalistici e ha quasi rovinato la carriera di Luke, oltre a fare la stronza con me fin dal nostro primissimo incontro. Niente di particolare."

«Diciamo che è una storia lunga» dico, alla fine.

«Lo sai che è fidanzata anche lei? Con Peter Blake. Famiglia molto ricca.»

«Non capisco. Credevo si fosse sposata l'anno scorso. Con un inglese. Un certo Ed...»

«Infatti. Ma allora non sai niente?» Un paio di clienti attraversano il reparto ed Erin abbassa la voce. «Erano al rinfresco dopo la cerimonia, quando entra Peter Blake con un'invitata. Alicia non sapeva che sarebbe venuto ma, a quanto pare, un attimo dopo aver saputo chi era, si è letteralmente gettata su di lui. Hanno cominciato a chiacchierare e si sono intesi alla perfezione, davvero alla perfezione... ma ormai cosa poteva fare Alicia? Si era appena sposata!» Gli occhi di Erin scintillano per l'eccitazione. «E così è corsa dal prete e gli ha detto che voleva l'annullamento.»

«Cos'ha fatto?»

«Ha chiesto l'annullamento! Al rinfresco del suo matrimonio! Ha detto che non avevano ancora consumato e quindi si poteva annullare.» Erin fa una risata soddisfatta. «Ci crederesti?»

Non posso evitare di ridere anch'io, sia pur con una certa amarezza.

«Quando si tratta di Alicia non mi stupisco di nulla.»

«Ha detto che lei ottiene sempre ciò che vuole. A quanto pare sarà un matrimonio da favola. È scatenata. Pare che abbia costretto uno dei cerimonieri a rifarsi il naso, e ha litigato con tutti i fiorai di New York. La wedding planner, la consulente di nozze, sta impazzendo. A proposito, a te chi l'organizza?»

«Mia madre» rispondo, e vedo che Erin spalanca gli occhi.

«Tua madre fa la wedding planner? Non lo sapevo!»

«Ma no, sciocchina!» esclamo, ridendo. «Organizzerà semplicemente il mio. Ha già tutto sotto controllo.»

«Ah, capisco» dice Erin, annuendo. «Be', probabilmente questo rende le cose più facili. Così puoi mantenere la giusta distanza.»

«Già. Dovrebbe essere una cosa semplice. Incrociamo le dita!» aggiungo, e scoppiamo tutt'e due a ridere.

Arrivo a La Goulue all'una in punto, ma Elinor non c'è ancora. Mi accompagnano a un tavolo, dove sorseggio una minerale in attesa che lei arrivi. Come sempre a quest'ora il locale è affollato. Si tratta per lo più di donne vestite con eleganza che esibiscono dentature scintillanti e gioielli da favola. Intorno a me è tutto un brusio di chiacchiere, e io ne approfitto per origliare spudoratamente. Al tavolo vicino al mio una donna che sfoggia un trucco pesante e una enorme spilla sta dicendo con enfasi: «Oggigiorno non si può arredare un appartamento con meno di centomila dollari».

«E allora ho detto a Edgar: "Sono solo umana"» dice una rossa seduta all'altro lato. L'amica la fissa con uno sguardo avido e penetrante, mordicchiando un gambo di sedano.

«E lui cos'ha risposto?»

«Stiamo parlando di trentamila dollari per una stanza.»

«"Hilary..." mi ha detto.»

«Rebecca?»

Alzo lo sguardo, un po' seccata di perdermi la risposta di Edgar, e vedo Elinor avvicinarsi al tavolo. Indossa una giacca color crema con grandi bottoni neri e borsetta in tinta. Con mia grande sorpresa, vedo che non è sola: la accompagna una donna castana con i capelli a caschetto, tailleur blu e una grossa borsa di Coach.

«Rebecca, ti presento Robyn de Bendern» dice Elinor, «una delle migliori wedding planner di New York.»

«Oh, salve!» faccio io, colta in contropiede.

«Rebecca» dice Robyn, afferrandomi entrambe le mani e guardandomi negli occhi. «Finalmente ci incontriamo. Sono così felice di conoscerti! Così felice!»

«Anch'io» dico, cercando di ricambiare tanta cordialità, e nel frattempo comincio ad arrovellarmi. Elinor mi aveva parlato di una wedding planner? Dovrei essere al corrente di questa cosa?

«Ah, che bel visino!» prosegue Robyn, senza mollarmi le mani. Sta passando in rassegna ogni centimetro della mia persona e io mi sorprendo a fare altrettanto. Sembra oltre la quarantina, occhi castani, trucco impeccabile, zigomi alti, un gran sorriso che mette in mostra i denti perfetti. Il suo entusiasmo è contagioso, ma il suo sguardo, quando fa un passo indietro per osservarmi meglio, è implacabile.

«Che viso giovane e fresco. Mia cara, sarai una sposa magnifica. Sai già cosa indosserai?»

«Mmm... un abito da sposa?» ribatto, stupidamente, e Robyn scoppia in una sonora risata.

«Ah, che humour! Voi inglesi siete speciali! Aveva proprio ragione» aggiunge, rivolta a Elinor, la quale si limita ad annuire garbata.

Elinor aveva ragione? A proposito di che?

Hanno parlato di me?

«Grazie» dico, cercando di indietreggiare senza farmene accorgere. «Vogliamo...» Faccio un cenno con la testa in direzione del tavolo.

«Certamente» dice Robyn, come se avessi fatto la proposta più intelligente che lei abbia mai sentito. «Ma certo.» Quando si siede, noto che indossa una spilla formata da due fedi intrecciate incrostate di brillanti.

«Ti piace?» chiede Robyn. «Me l'hanno regalata i Gilbrook, dopo che ho organizzato il matrimonio della loro figlia. Ah, quello sì che è stato un dramma! La povera Betty Gilbrook si è rotta un'unghia all'ultimissimo momento e abbiamo dovuto far arrivare la sua manicure con l'elicottero...» Si interrompe, persa nei ricordi, poi torna bruscamente alla realtà. «Allora sei tu la fortunata!» Mi rivolge un sorriso radioso, che non posso fare a meno di ricambiare. «Davvero fortunata. E, dimmi, ti stai godendo ogni momento?»

«Be'...»

«Io lo dico sempre, la prima settimana di fidanzamento è il momento più bello. Bisogna saperlo gustare fino in fondo.»

«Veramente, sono passate già due settimane...»

«Fino in fondo» ripete lei, alzando un dito. «Crogiolarsi nell'idea. Quel che dico sempre è: nessun altro potrà conservare questi ricordi al posto tuo.»

«D'accordo» dico con un sorriso. «Mi ci crogiolerò.»

«Prima di cominciare» dice Elinor, «devo darti uno di questi. Fruga nella borsa e posa un invito sul tavolo.»

Che roba è?

La signora Elinor Sherman
richiede il piacere della sua compagnia...

Uau! Elinor ha intenzione di dare una festa di fidanzamento! Per noi due!

«Diamine!» esclamo, alzando lo sguardo. «Grazie... non sapevo che fosse prevista una festa di fidanzamento!»

«Ne ho discusso con Luke.»

«Davvero? Non me ne ha parlato.»

«Dev'essergli sfuggito di mente.» Elinor mi rivolge un sorriso indulgente e freddo. «Ne farò recapitare un certo numero a casa vostra, così potrai invitare anche i tuoi amici. Diciamo... una decina.»

«Be'... grazie.»

«Allora, beviamo un bicchiere di champagne, per festeggiare?»

«Magnifica idea!» esclama Robyn. «Lo dico sempre, se non si festeggia un matrimonio, cos'altro si può festeggiare?» Mi rivolge uno dei suoi sorrisi radiosi, che io prontamente ricambio. Questa donna comincia a piacermi, anche se non ho ancora capito perché sia qui.

«Mi stavo chiedendo, Robyn» dico, con una certa esitazione, «lei è qui... in veste professionale?»

«Oh, no. No, no, nooo.» Robyn scuote la testa. «La mia non è una professione. È una missione. Le ore... la passione che dedico al mio lavoro...»

«Certo, certo.» Lancio un'occhiata incerta in direzione di Elinor. «Be', il fatto è che non sono sicura di aver bisogno d'aiuto. Anche se è molto gentile da parte sua...»

«Non hai bisogno d'aiuto?» Robyn rovescia la testa all'indietro e si lascia andare a un'altra sonora risata. «Non hai bisogno d'aiuto?! Ma andiamo! Hai idea di quale organizzazione richieda un matrimonio?»

«Be'...»

«L'hai mai fatto prima?»

«No, ma...»

«Un sacco di ragazze la pensano come te» prosegue Robyn annuendo. «E sai chi sono?»

«Ehm...»

«Sono le ragazze che scoppiano in lacrime al momento di tagliare la torta, perché sono troppo stressate per godersi la festa! Vuoi essere una di loro?»

«No!» rispondo, allarmata.

«Ovvio che no!» Robyn si appoggia allo schienale con l'espressione soddisfatta della maestra che finalmente è riuscita a insegnare alla sua classe quanto fa due più due. «Rebecca, io ti solleverò da ogni preoccupazione. Mi farò carico di tutte le seccature, di tutte le fatiche, dello stress... ah, ecco lo champagne!»

Forse non ha tutti i torti, penso, mentre un cameriere versa lo champagne in tre flûte. Potrebbe essere una buona idea farsi dare una mano da qualcuno, anche se davvero non saprei come potrebbe coordinarsi con la mamma...

«Diventerò la tua miglior amica, Becky» sta dicendo Robyn, sorridendomi. «Quando arriverà il giorno del tuo matrimonio, ti conoscerò meglio della tua amica del cuore. Alcuni ritengono che i miei metodi siano poco ortodossi, ma poi, quando vedono i risultati...»

«In questa città Robyn non ha uguali» conferma Elinor, sorseggiando il suo champagne, e Robyn sorride con modestia.

«Allora... cominciamo dalle informazioni essenziali» dice Robyn aprendo una grossa agenda rilegata in pelle. «Il matrimonio è fissato per il 22 di giugno...»

«Sì.»

«Rebecca e Luke...»

«Sì.»

«Al Plaza...»

«Cosa?» dico, sorpresa. «No. Non è...»

«A me risulta che sia la cerimonia sia il rinfresco avranno luogo al Plaza» ribatte, guardando Elinor.

«Direi di sì» dice Elinor annuendo. «Direi che così è molto meno complicato.»

«Scusate...»

«Allora... la cerimonia alla Terrace Room, vero?» prosegue, scrivendo veloce. «E il rinfresco nella Ballroom. Fantastico. Quante persone?»

«Un momento!» dico, mettendo una mano sull'agenda. «Di cosa state parlando?»

«Del tuo matrimonio con mio figlio» risponde Elinor.

«Al Plaza» aggiunge Robyn, raggiante più che mai. «Non c'è bisogno che ti dica quanto sei fortunata ad avere la data che desideravi! Una mia cliente ha dovuto disdire e sono riuscita a infilarvi proprio in quel giorno...»

«Io non mi sposo al Plaza!»

Robyn si volta a guardare Elinor con aria preoccupata.

«Credevo avesse già parlato con John Ferguson...»

«Infatti è così» risponde secca Elinor. «Gli ho parlato ieri.»

«Bene! Perché, come certamente lei sa, siamo molto stretti

con i tempi. Un matrimonio al Plaza in meno di cinque mesi? Alcuni wedding planner direbbero che è impossibile! Ma non io. Una volta ho organizzato un matrimonio in tre giorni. Tre giorni! Certo, si trattava di un matrimonio in spiaggia, quindi le cose erano un po' diverse...»

«Sta dicendo che il Plaza è già stato prenotato?» Mi volto verso Elinor. «Elinor, noi ci sposiamo a Oxshott, e lei lo sa bene.»

«Oxshott?» Robyn corruga la fronte. «Non lo conosco. Dov'è, su al Nord?»

«Si trattava solo di un accordo preliminare che può essere facilmente modificato» ribatte Elinor senza neppure considerarmi.

«Non era affatto un accordo preliminare!» esclamo, furiosa. «E non si modifica proprio un bel niente!»

«Avverto una certa tensione» osserva Robyn. «Vado a fare qualche telefonata...» E si allontana verso il fondo della sala con il cellulare. Elinor e io restiamo lì a guardarci in cagnesco. Respiro a fondo, cercando di restare calma.

«Elinor, io non ho intenzione di sposarmi a New York. Io voglio sposarmi a casa mia. La mamma ha già iniziato i preparativi. E lei lo sapeva!»

«Non potete sposarvi nello sperduto cortile di una oscura località inglese» ribatte Elinor decisa. «Ma tu lo sai chi è Luke? Hai idea di chi sono io?»

«E questo cosa c'entra?»

«Per essere una ragazza dotata di un minimo di intelligenza ti stai dimostrando molto ingenua.» Elinor beve un sorso di champagne. «Questo è l'evento sociale più importante della nostra vita e deve essere affrontato in maniera adeguata. Col dovuto fasto. Il Plaza è quanto di meglio possa esserci per i matrimoni. Credevo lo sapessi.»

«Ma la mamma ha già cominciato i preparativi!»

«Vorrà dire che li interromperà. Rebecca, tua madre dovrebbe esserci grata di essere sollevata dal peso di questo matrimonio. Va da sé che mi farò carico di ogni spesa. E lei potrà partecipare come ospite.»

«Mia madre non vuole partecipare come ospite! È il matrimonio della sua unica figlia! Lei vuole fare gli onori di casa! Vuole organizzarlo!»

«Allora?» ci interrompe una voce garrula. «Abbiamo risolto?» Robyn si siede al tavolo e ripone il cellulare.

«Ho preso un appuntamento per andare a visitare la Terrace Room dopo pranzo» annuncia gelida Elinor. «Sarei felice se volessi essere così gentile da venire a vederla con noi.»

La guardo con aria ribelle, tentata di sbattere il tovagliolo sul tavolo e rispondere che non se ne parla nemmeno. Non riesco a credere che Luke sia al corrente di tutto questo. Anzi, mi verrebbe voglia di chiamarlo e di dirgli esattamente quello che penso.

Ma poi mi viene in mente che ha un pranzo di lavoro con un intero consiglio di amministrazione... e che mi ha chiesto di dare una possibilità a sua madre. Bene, le darò una possibilità. Andrò a vedere questo salone, mi guarderò attorno e me ne starò educatamente zitta. E poi, altrettanto educatamente, le dirò che ho sempre intenzione di sposarmi a Oxshott.

«D'accordo» dico, alla fine.

«Bene.» La bocca di Elinor si muove di qualche millimetro. «Vogliamo ordinare?»

Per tutto il pasto Elinor e Robyn non fanno che parlare dei vari matrimoni newyorchesi cui hanno partecipato, e io mangio in silenzio, resistendo a ogni loro tentativo di coinvolgermi nella conversazione. Esteriormente sono calma, ma dentro mi sento ribollire di rabbia. Come osa Elinor intromettersi nel mio matrimonio? Come osa ingaggiare una wedding planner senza neppure consultarmi? Come osa chiamare il giardino della mamma uno "sperduto cortile"?

È solo una stronza impicciona e se pensa che io intenda sposarmi in un enorme, anonimo albergo di New York anziché a casa mia, con tutti i miei amici e familiari, si sbaglia di grosso.

Finiamo di mangiare, saltiamo il caffè, e usciamo. È una giornata frizzante e ventosa, con le nuvole che corrono veloci nel cielo azzurro. Mentre camminiamo verso il Plaza, Robyn mi dice, sorridendo: «Capisco che tu sia un po' tesa. Pianificare un matrimonio a New York può essere davvero stressante. Io ho delle clienti che diventano molto... agitate, per così dire».

"Io non sto pianificando un matrimonio a New York!" vorrei urlare. Io sto pianificando un matrimonio a Oxshott. Ma invece mi limito a sorridere.

«Già.»

«In particolare ho una cliente che è davvero molto esigente...» Robyn tira un grosso sospiro. «Ma, come dico sempre io, il nostro è un compito molto molto stressante... Ah, eccoci qui! Non è grandioso?»

Alzo lo sguardo sulla sontuosa facciata del Plaza, e mio malgrado devo ammettere che è davvero bella. L'edificio svetta sulla piazza come una torta nuziale, con le bandiere che sventolano sull'imponente porticato d'ingresso.

«Sei mai stata a un matrimonio qui?» mi chiede Robyn.

«No. Non ci sono mai neppure entrata.»

«Ah, be'... su, andiamo» dice, salendo per prima sulla gradinata, e ci guida oltre i portieri in uniforme e la porta girevole fino al grandioso atrio dal soffitto altissimo e decorato, il pavimento di marmo e grandi colonne dorate. Proprio davanti a noi c'è una zona molto allegra e luminosa, delimitata da palme e leggere grate di legno, dove gli ospiti sorseggiano caffè al suono dell'arpa, e i camerieri in uniforme grigia corrono qua e là portando caffettiere d'argento.

Be', se devo proprio essere sincera, anche questo è di grande effetto.

«Da questa parte» dice Robyn, prendendomi sottobraccio e accompagnandomi fino a una scalinata chiusa da un pesante cordone che lei sgancia per farci passare. In cima alle scale si apre un altro vasto salone dal pavimento di marmo. Ovunque guardo, ci sono stucchi elaborati, mobili antichi, arazzi, e i più grandi lampadari che abbia mai visto.

«Questo è il signor Ferguson, il direttore del servizio ricevimenti.»

Dal nulla è comparso un tizio tutto azzimato che mi stringe la mano e mi rivolge un sorriso cordiale.

«Benvenuta al Plaza, Rebecca! E, se mi permette, vorrei congratularmi con lei per la scelta. Al mondo non c'è niente come un matrimonio al Plaza.»

«Già» faccio io, educata. «Be', mi sembra un albergo molto bello...»

«Qualunque sia il suo sogno, la sua fantasia più segreta, noi faremo tutto il possibile per realizzarla. Non è vero, Robyn?»

«Proprio così!» dice lei, convinta. «Non potresti essere in mani migliori, cara.»

«Andiamo prima a vedere la Terrace Room?» propone il signor Ferguson, con gli occhi che brillano. «È la sala in cui avrà luogo la cerimonia. Credo che le piacerà.»

Riattraversiamo il grande salone e superiamo un paio di porte a doppio battente, quindi entriamo in un salone ancora più grande, interamente circondato da una galleria protetta da una balaustra bianca. A un'estremità spicca una fontana di marmo, all'altra una scalinata che conduce a una zona rialzata. Ovunque ci sono persone che corrono a sistemare fiori, drappeggiare teli di chiffon, disporre con precisione millimetrica le sedie dorate sulla moquette dal disegno elaborato.

Uau!

Effettivamente è... piuttosto carino.

Oh, al diavolo! È un vero splendore.

«Lei è molto fortunata» osserva il signor Ferguson con un sorriso. «Abbiamo un matrimonio domenica, quindi lei può vedere il salone... come dire... in uso.»

«Bei fiori» osserva Robyn, cortese e poi, chinandosi verso di me, sussurra: «Noi sceglieremo qualcosa di molto più speciale».

Più speciale di questo? Sono le composizioni più grandi e più spettacolari che io abbia mai visto! Cascate di rose, tulipani, lilium... e quelle... sono davvero orchidee?

«Dunque, tu entrerai da quella grande porta a due battenti» dice Robyn, accompagnandomi lungo la galleria, «e in quel momento attaccheranno a suonare i corni... o le trombe... o quello che preferisci. Ti fermerai davanti alla grotta artificiale, ti sistemerai lo strascico, e scatteremo qualche foto. A quel punto inizierà a suonare l'orchestra d'archi...»

«L'orchestra d'archi?» ripeto, sbalordita.

«Ho contattato la New York Philarmonic» aggiunge, rivolta a Elinor. «Stanno controllando il programma delle tournée, quindi teniamo le dita incrociate...»

La New York Philarmonic?

«La sposa di domenica avrà sette arpe e un soprano solista del Metropolitan» dice il signor Ferguson.

Robyn ed Elinor si scambiano un'occhiata.

«Questa è una bella idea» dice Robyn, prendendo l'agenda. «Mi metto subito in contatto.»

«Andiamo a dare un'occhiata alla Baroque Room?» suggerisce il signor Ferguson, facendo strada verso un grande ascensore d'epoca.

«Probabilmente la sera prima del matrimonio gradirà prendere una suite qui da noi per godere del nostro centro benessere» dice amabile, durante la salita. «Ovviamente il giorno del matrimonio potrà far venire le coiffeuse e manicure personali. Ma immagino che a questo avrà già pensato» aggiunge con un sorriso.

«Mmm... io...» La mia mente torna di colpo a Janice e alla sua "Sposa radiosa di primavera". «Be', sì.»

«Mentre gli ospiti avanzano lungo il corridoio verranno serviti dei cocktail» spiega Robyn, appena usciti dall'ascensore. «E questa è la Baroque Room, dove serviremo gli *hors d'œuvre*, prima di passare alla Grand Ballroom. Immagino che tu non abbia ancora pensato agli *hors d'œuvre*, vero?»

«Be'... mmm... veramente...» Sto per dire che è risaputo che tutti vanno matti per i cubetti di mortadella.

«Tanto per fare un esempio» prosegue lei, «si potrebbe pensare a un tavolo per il caviale, uno per le ostriche, uno di specialità mediterranee, magari uno di sushi...»

«Già» dico, deglutendo. «Buona idea.»

«E, ovviamente, la sala può essere addobbata secondo il tema che preferisci» continua comprendendo tutto il salone con un ampio gesto. «Possiamo trasformarla in un carnevale veneziano, un giardino giapponese, una sala banchetti medievale... ovunque ti porti la fantasia.»

«E poi tutti nella Grand Ballroom per il ricevimento vero e proprio!» prosegue il signor Ferguson, eccitato. Spalanca un altro paio di doppie porte e... oh, mio Dio! Questa sala è la più spettacolare di tutte: bianca e oro con un soffitto altissimo, palchi come quelli dei teatri, e grandi tavoli sistemati intorno all'immensa pista da ballo.

«Qui è dove tu e Luke darete inizio alle danze» prosegue

Robyn con un sospiro di felicità. «Io dico sempre che è questo il momento che preferisco. Il primo ballo.»

Fisso il pavimento scintillante e vedo l'immagine di me e Luke che volteggiamo alla luce delle candele, sotto gli sguardi di tutti i presenti.

E sette arpe.

E la New York Philarmonic.

E caviale... e ostriche... e cocktail...

«Rebecca, si sente bene?» mi chiede il signor Ferguson, vedendo la mia espressione.

«Credo sia un tantino frastornata» risponde Robyn con una risatina. «Non è facile assimilare tutto quanto in un colpo solo, non è vero?»

«Be', effettivamente...»

Faccio un respiro profondo e mi volto per un attimo. Okay, non lasciamoci trasportare. Tutto questo può anche essere fantastico, ma non ho nessuna intenzione di lasciarmi influenzare. Ho deciso che mi sposo in Inghilterra, e così farò. Fine della storia.

Certo però... che posto!

«Vieni a sederti» mi dice Robyn dando un colpetto su una sedia dorata vicino alla sua. «Capisco che dal tuo punto di vista è tutto molto lontano ma, credimi, siamo piuttosto stretti coi tempi e vorrei parlare con te di come vedresti questo matrimonio. Tu a cosa avevi pensato? Per esempio, qual è per te l'immagine che incarna l'idea stessa del romanticismo? Un sacco di mie clienti rispondono Rossella e Rhett Butler, oppure Fred e Ginger...» Mi guarda con gli occhi che brillano, la penna pronta a prendere nota.

Questa cosa è già andata troppo avanti. Devo assolutamente dire a questa donna che non ho intenzione di sposarmi qui. Devo dirle che non succederà. Su, Becky, coraggio. Torna alla realtà.

«Io...»

«Sì?»

«A me è sempre piaciuto il finale della *Bella Addormentata*, quando loro danzano insieme» sento la mia voce rispondere.

«Ah, il balletto» dice Elinor, con aria di approvazione.

«No. Veramente io intendevo il film di Walt Disney.»

«Oh!» Robyn ha un istante di perplessità. «Dovrei rivederlo. Bene... sono certa che sarà una grande fonte di ispirazione...»

Prende appunti sulla sua agenda e io mi mordo le labbra.

Devo mettere fine a tutto questo. Su, avanti. Di' qualcosa.

Ma, per qualche ragione, la mia bocca resta chiusa. Mi guardo intorno, osservo gli stucchi dorati, i lampadari. Robyn segue il mio sguardo e sorride.

«Sai una cosa, Becky? Sei una ragazza molto fortunata» dice, stringendomi appena il braccio con un gesto affettuoso. «Vedrai come ci divertiremo!»

SECOND UNION BANK

300 Wall Street

NEW YORK NY 10005

Rebecca Bloomwood
Appartamento B
251 W 11th Street
New York
NY 10014

21 febbraio 2002

Gentile signorina Bloomwood,

in riferimento alla sua lettera del 20 febbraio u.s., di cui la ringrazio, temo di non essere in grado di poter giudicare se una gonna di Miu Miu sia o no da considerarsi una spesa relativa alla conduzione della casa.

Distinti saluti

Walt Pitman
responsabile rapporti con la clientela

CAMERA DEI LORDS
Commissione per le nomine

MODULO DI CANDIDATURA

Si prega di sintetizzare i motivi che giustificano la raccomandazione alla nomina di pari indipendente e di esporre in quale modo si ritiene di contribuire concretamente ai lavori della Camera dei Lords. Si prega inoltre di documentare la richiesta con un CV che illustri con chiarezza i più rilevanti risultati conseguiti ed evidenzi le relative qualifiche ed esperienze.

RICHIESTA DI NOMINA A PARI A VITA

Nome: Rebecca Bloomwood
Indirizzo: Appartamento B
251 W 11th Street
New York
NY 10014

Titolo preferito: Baronessa Rebecca Bloomwood di Harvey Nichols

Principali risultati conseguiti:

SERVIGI RESI ALLA CORONA
Servo la Gran Bretagna da molti anni, sostenendo l'economia nazionale attraverso il commercio al dettaglio.

RELAZIONI COMMERCIALI
Da quando vivo a New York promuovo gli scambi tra la Gran Bretagna e l'America (per esempio acquisto sempre tè d'importazione Twinings e concentrato Marmite).

APPARIZIONI IN PUBBLICO
Sono comparsa in televisione per presiedere dibattiti su argomenti d'attualità (nel settore della moda).

INTERESSI CULTURALI
Colleziono oggetti d'arte e d'antiquariato, in particolare vasi veneziani e articoli da bar degli anni Trenta.

Contributo personale in caso di nomina:
Come nuovo membro della Camera dei Lords, sarei felice di ricoprire il ruolo di consulente di moda, un settore fino ad ora trascurato eppure vitale per l'esistenza stessa della democrazia.

(*vedi retro*)

5

Siamo seri. È ovvio che non mi sposerò a New York. Ovvio. Sarebbe impensabile. Io mi sposerò a casa, come previsto, sotto un bel gazebo in giardino. Non c'è alcun motivo di cambiare i miei piani. Assolutamente nessun motivo.

Eccetto che...

Oh, Dio. Forse, dico forse, Elinor non ha tutti i torti.

Voglio dire, ci si sposa una volta sola nella vita, no? Non è come un compleanno, o Natale. Il giorno del matrimonio è unico. Quindi, se ti venisse offerta la possibilità di avere qualcosa di realmente favoloso, forse dovresti afferrarlo al volo.

E sarebbe davvero favoloso. Avanzare tra quattrocento invitati, al suono di un'orchestra d'archi, con meravigliose composizioni floreali ovunque... e poi una cena fantastica... Robyn mi ha lasciato qualche menu come esempio e non avete idea del cibo! Rosone di aragosta del Maine. Consommé di selvaggina alata con chenelle di fagiano. Riso selvatico con anacardi...

Voglio dire, quelli della Oxshott e Ashtead Quality Caterers saranno anche bravi, ma sono sicura che non hanno mai sentito parlare di anacardi. (A essere sincera neanch'io, ma non è questo il punto.)

E forse Elinor ha ragione. La mamma dovrebbe essere contenta che le togliamo questo peso. Certo. Forse i preparativi risultano più stressanti di quanto lei voglia dare a vedere e forse si è già pentita di essersi offerta di organizzare tutto. Mentre, se ci sposassimo al Plaza, lei non dovrebbe fare nulla, solo venire alla festa e godersela. Inoltre in questo modo mamma e papà non spenderebbero un solo penny. Voglio dire, sarebbe proprio fargli un favore!

E così, mentre me ne torno da Barneys, prendo il cellulare e digito il numero dei miei. Quando la mamma risponde sento in sottofondo la sigla finale di *Crimewatch* e provo un'improvvisa fitta di nostalgia. Mi sembra di vederli, mamma e papà seduti davanti al televisore, che si scaldano col caminetto a gas effetto "vero fuoco di legna".

«Pronto, mamma?»

«Becky! Sono così contenta di sentirti! Ho cercato di faxarti alcuni menu della ditta del rinfresco, ma il tuo apparecchio non funziona. Papà chiede se hai controllato il rotolo della carta, recentemente.»

«Mmm... non ricordo. Senti, mamma...»

«Ah, un'altra cosa! La cognata di Janice conosce una persona che lavora in una fabbrica dove stampano i palloncini! Dice che se ne ordiniamo duecento o più ci danno l'elio gratis!»

«Fantastico. Ti chiamavo appunto per il matrimonio...»

Perché all'improvviso sono così nervosa?

«Ah sì? Graham, per favore, abbassa il televisore.»

«Stavo pensando... ma è solo una possibilità...» e qui faccio una risatina stridula, «che Luke e io magari potremmo sposarci in America!»

«In America?» Segue una lunga pausa. «Come sarebbe a dire, in America?»

«Era solo un'idea! Sai, visto che Luke e io viviamo già qua...»

«Ma vivi lì solo da un anno, Becky!» La mamma sembra scioccata. «La tua casa è qui!»

«Sì, ma pensavo che...»

Speravo che la mamma dicesse: "Che idea fantastica!", rendendomi tutto più facile.

«E come potremmo organizzare un matrimonio in America?»

«Non lo so.» Deglutisco. «Potremmo farlo in un grande albergo.»

«*Un albergo?*» È come se la mamma pensasse che sono diventata matta.

«E magari Elinor potrebbe darci una mano...» aggiungo

sempre più faticosamente. «Sono certa che contribuirebbe... sai, se fosse più costoso...»

Dall'altra parte mi giunge distintamente il rumore di un profondo respiro. Accidenti. Non avrei dovuto menzionare Elinor.

«Sì, ma noi non vogliamo il suo contributo. Grazie mille. Ce la caviamo benissimo da soli. È stata un'idea di Elinor, quella dell'albergo? Pensa forse che non siamo in grado di organizzare un matrimonio decente?»

«No!» mi affretto a rispondere. «Assolutamente. È solo che...»

«Papà dice che se le piacciono così tanto gli alberghi, può prendersi una camera anziché stare da noi.»

Oh, Dio. Sto solo peggiorando le cose.

«Senti. Lascia perdere. È un'idea stupida» dico, stropicciandomi il viso. «Allora, come vanno i preparativi?»

Chiacchieriamo ancora per qualche minuto, e la mamma mi racconta di questo tizio così simpatico della ditta che installa i gazebo, e che il prezzo richiesto è davvero ragionevole e che suo figlio era a scuola con mio cugino Alex, e com'è piccolo il mondo. Alla fine della telefonata la mamma sembra completamente rabbonita e pare aver dimenticato la questione dell'albergo.

La saluto e spengo il cellulare con un sospiro. Bene. Allora è deciso. Tanto vale che chiami Elinor per dirglielo. Inutile aspettare.

Accendo di nuovo il cellulare, digito due cifre e poi mi blocco.

In fondo, che bisogno c'è di prendere decisioni affrettate?

Voglio dire, non si sa mai. Mamma e papà potrebbero discuterne questa sera e cambiare idea. O magari potrebbero venire qui a dare un'occhiata. Forse, se vedessero il Plaza... se si rendessero conto di quanto potrebbe essere magico... sfarzoso... incantevole...

Oh, Dio. Non ce la faccio a rinunciare così. Non ancora.

Quando arrivo a casa, trovo Luke seduto al tavolo. Sta esaminando dei documenti con aria preoccupata.

«Sei tornato presto!» dico, felice.

«Avevo delle carte da guardare» risponde lui. «Ho pensato che qui sarei stato più tranquillo.»

«Ah, certo.»

Avvicinandomi, vedo l'intestazione "Fondazione Elinor Sherman". Ho già la bocca aperta per dire qualcosa, ma poi la richiudo.

«Allora» dice Luke, guardandomi con un mezzo sorriso. «Cosa ne pensi del Plaza?»

«Tu lo sapevi?»

«Sì. Certo. Sarei venuto anch'io se non avessi avuto quell'impegno per pranzo.»

«Ma, Luke...» Faccio un respiro profondo, cercando di mantenermi calma. «Tu sapevi che mia madre sta già organizzando il matrimonio in Inghilterra.»

«Ma sarà appena agli inizi, no?»

«Non avresti dovuto accettare un incontro del genere!»

«Mia madre pensava che fosse una buona idea farti una sorpresa. E così ho fatto.»

«Cogliermi di sorpresa, vuoi dire!» replico arrabbiata, e Luke mi guarda perplesso.

«Non ti è piaciuto il Plaza? Pensavo che saresti rimasta senza parole!»

«Naturale che mi è piaciuto. Ma non è questo il punto.»

«So che hai sempre desiderato un matrimonio sontuoso e quando mia madre si è offerta di organizzare una festa per noi al Plaza ho pensato che fosse perfetto. E, anzi, è stata un'idea mia quella di farti una sorpresa. Credevo ne saresti rimasta entusiasta.»

Sembra così avvilito che mi sento assalire dai sensi di colpa. Non avevo pensato che dietro a tutto questo potesse esserci lui.

«Luke, io sono entusiasta! È solo che... non credo che la mamma sarebbe contenta se ci sposassimo in America.»

«Non puoi cercare di convincerla?»

«Non è così facile. Tua madre è stata piuttosto prepotente, sai...»

«Prepotente? Sta solo cercando di regalarci un matrimonio da favola.»

«Se davvero lo volesse, potrebbe regalarci un matrimonio

da favola in Inghilterra» gli faccio notare. «Oppure potrebbe dare una mano a mamma e papà e potrebbero regalarcelo tutti assieme. Ma invece lei parla del loro giardino come di un "cortile sperduto"!» Quando ripenso al suo tono sprezzante, mi sento assalire dal risentimento.

«Sono sicuro che lei non intendeva...»

«Solo perché non è in mezzo a Manhattan! Voglio dire, lei non l'ha neppure visto il nostro giardino!»

«Okay, d'accordo» dice Luke secco. «Ti sei spiegata benissimo. Non vuoi il matrimonio al Plaza. Ma se vuoi sapere la mia opinione, mia madre è stata incredibilmente generosa a offrirsi di coprire tutte le spese di un matrimonio al Plaza, dopo aver organizzato una festa di fidanzamento sontuosa...»

«Chi ha detto che volevo una festa di fidanzamento sontuosa?» ribatto, prima di riuscire a fermarmi.

«Mi sembra un po' villano.»

«Forse lo sfarzo e l'eleganza e... le cose materiali non mi interessano poi così tanto! Forse per me viene prima la mia famiglia! E la tradizione... e l'onore. Sai, Luke, siamo su questa Terra solo per poco...»

«Basta!» esclama Luke, esasperato. «Hai vinto! Se è davvero un problema lasciamo perdere! Se non vuoi, nessuno ti obbliga a venire alla festa di fidanzamento... e ci sposeremo a Oxshott. Sei contenta, adesso?»

Mi tocco il naso, senza sapere cosa dire. Ovviamente, adesso che lui ha detto così, comincio a propendere per la decisione opposta. Perché, a pensarci bene, è un'offerta davvero incredibile. E se riuscissi in qualche modo a convincere mamma e papà potremmo vivere tutti quanti il giorno più bello della nostra vita.

«Non si tratta necessariamente di sposarsi a Oxshott» dico, alla fine. «Si tratta di prendere la decisione giusta. Senti, sei stato tu a dire che non è il caso di fare le cose in fretta.»

Luke si alza, con un'espressione più dolce.

«Lo so» dice con un sospiro. «Scusami, Becky.»

«Scusami anche tu» mormoro.

«Che stupido.» Mi abbraccia e mi dà un bacio sulla fronte. «Io volevo solo che tu avessi il matrimonio che hai sempre sognato. Se davvero non vuoi sposarti al Plaza, non lo faremo.»

«E tua madre?»

«Le spiegheremo le tue ragioni.» Luke mi guarda fisso per qualche istante. «Becky, per me non ha importanza dove ci sposiamo. Non ha importanza se i fiori sono rosa o azzurri. Quel che importa per me è che diventeremo marito e moglie... e voglio che tutto il mondo lo sappia.»

È così risoluto che mi viene un groppo alla gola.

«Anche per me è l'unica cosa che conta» dico, cercando di soffocare il magone. «È la cosa più importante.»

«Bene. Allora siamo d'accordo. Decidi tu. Fammi solo sapere dove devo presentarmi, e io ci sarò.»

«Okay. Prometto di darti almeno quarantott'ore di preavviso.»

«Ventiquattro basteranno.» Mi bacia di nuovo, poi mi indica la credenza. «A proposito, è arrivato quello. È un regalo di fidanzamento.»

Guardo con attenzione e resto a bocca aperta. È una scatola turchese legata con un nastro bianco. Un pacchetto di Tiffany.

«Devo aprirlo?»

«Certo.»

Impaziente, sciolgo il fiocco e apro la scatola. Dentro, avvolta nella carta velina, c'è una ciotola di vetro blu con un bigliettino che dice: "Con i migliori auguri da parte di Marty e Alison Gerber".

«Che bella! Chi sono questi Gerber?»

«Non lo so. Amici di mia madre.»

«Ma... tutti quelli che vengono alla festa porteranno un regalo?»

«Suppongo di sì.»

«Ah...»

Accidenti! Fisso la ciotola e rifletto, facendo scorrere le dita sulla superficie scintillante.

Sapete una cosa? Forse Luke non ha tutti i torti. Potrebbe essere villano e rifiutare la generosità di Elinor.

Okay, farò così. Aspetterò fin dopo la festa di fidanzamento. E poi deciderò.

La festa di fidanzamento è fissata per le sei del pomeriggio del venerdì seguente. Mi ero ripromessa di arrivare per tempo, ma al lavoro è stata una giornata frenetica, con tre grosse emergenze, e così finisco per arrivare alle sei e dieci, tutta trafelata. Il lato positivo è che indosso un abito nero senza spalline assolutamente favoloso, che mi cade alla perfezione. (A dire il vero, era stato messo da parte per Regan Hartman, una delle mie clienti, ma le dirò che, tutto considerato, non credo le sarebbe stato molto bene.)

L'attico di Elinor si trova in un magnifico palazzo di Park Avenue con un enorme atrio dal pavimento di marmo e ascensori rivestiti in legno di noce che profumano sempre di essenze costose. Quando esco dalla cabina, al sesto piano, mi giunge un gran brusio e il suono di un pianoforte. Davanti alla porta c'è una fila di persone che attendono di entrare e io mi fermo educatamente in coda dietro una coppia di anziani signori che indossano cappotti di pelliccia uguali. Riesco a vedere l'interno dell'appartamento, illuminato da luci soffuse e apparentemente già molto affollato.

A essere sinceri, la casa di Elinor non mi è mai piaciuta del tutto. È completamente arredata in azzurro, ed è piena di divani, pesanti tendaggi di seta e noiosissimi quadri. Non riesco a credere che le piacciano veramente. Anzi, sono convinta che non li guardi neppure.

«Buona sera.» Una voce interrompe le mie riflessioni e mi rendo conto di essere arrivata in testa alla fila. Una donna in tailleur nero con un elenco in mano mi rivolge un sorriso professionale.

«Il suo nome, prego?»

«Rebecca Bloomwood» rispondo timidamente, aspettando un'esclamazione di sorpresa o, per lo meno, un cenno di riconoscimento.

«Bloomwood... Bloomwood...» La donna scorre la sua lista con gli occhi, volta pagina e scorre quella seguente col dito. «Non lo vedo.»

«Davvero? Deve esserci.»

«Controllerò di nuovo...» La donna risale all'inizio dell'elenco e poi torna indietro, più lentamente. «No» dice, alla fine. «Non c'è. Mi dispiace.» Quindi si rivolge a un'ospite bionda che è appena arrivata. «Buonasera. Il suo nome, prego?»

«Ma... ma... la festa è per me. O meglio, non esattamente, ma...»

«Vanessa Dillon.»

«Ah, sì» dice la donna alla porta e depenna il nome con un sorriso. «Si accomodi, prego. Serge si occuperà del soprabito. Potrebbe farsi da parte, signorina?» mi dice, con freddezza. «Sta bloccando l'ingresso.»

«Deve lasciarmi entrare! Dovrei essere sull'elenco!» Cerco di guardare dentro, nella speranza di vedere Luke, o magari Elinor, ma vedo solo un sacco di gente che non conosco. «La prego! Le assicuro che posso entrare!» La donna in nero sospira.

«Ha con sé l'invito?»

«No! Non ne ho bisogno! Io sono la... la fidanzata!»

«La cosa?!» Mi fissa con uno sguardo inespressivo.

«Sono... oh, Dio!» Sbircio ancora all'interno e all'improvviso scorgo Robyn, vestita con una gonna svolazzante e un top di perline color argento.

«Robyn!» chiamo, con la massima discrezione possibile. «Robyn! Non vogliono lasciarmi entrare!»

«Becky!» risponde lei tutta allegra. «Cosa aspetti a entrare? Ti stai perdendo tutto il divertimento!» E con la mano che regge il bicchiere di champagne mi fa cenno di avvicinarmi.

«Visto?» dico, disperata. «Qui mi conoscono. Davvero. Non sto cercando di imbrogliare.»

La donna mi guarda a lungo e poi fa spallucce.

«D'accordo, entri. Serge si occuperà del suo soprabito. Ha portato un regalo?»

«Io... no.»

La donna alza gli occhi al cielo come per dire "Me l'aspettavo", quindi si rivolge alla persona dietro di me, e io mi affretto a sgattaiolare dentro prima che cambi idea.

«Non posso fermarmi a lungo» dice Robyn non appena la raggiungo. «Questa sera ho ben tre prove generali, ma volevo vederti perché ho una notizia fantastica. Del tuo matrimonio si occuperà un creatore di eventi di grande fama! Pensa, Sheldon Lloyd!»

«Accidenti!» dico, cercando di adeguarmi al suo entusiasmo, anche se non ho la minima idea di chi sia questo Sheldon Lloyd. «Perbacco!»

«Sei stupita, eh? Io lo dico sempre, se davvero vuoi che una cosa succeda, falla succedere subito! E così ho parlato con Sheldon e abbiamo buttato giù qualche idea. A proposito, lui ha trovato letteralmente favoloso il tuo concetto di Bella Addormentata. Davvero originale.» Si guarda attorno e abbassa la voce. «La sua idea è quella di trasformare la Terrace Room in una foresta incantata.»

«Davvero?»

«Sì! Oh, sono così elettrizzata! Devo assolutamente farti vedere.»

Apre la borsetta e tira fuori uno schizzo. Lo guardo, allibita.

«Faremo venire delle betulle dalla Svizzera, e le decoreremo con piccole luci. Tu avanzerai lungo un viale alberato, sotto i rami, tra il profumo degli aghi di pino e i fiori, che si schiuderanno magicamente al tuo passaggio, accompagnata dal canto di uccellini ammaestrati... cosa ne dici di uno scoiattolo-robot?»

«Mah...» dico io con una smorfia.

«No, neanch'io ero del tutto convinta. Okay, lasciamo perdere le creature del bosco.» Prende una penna e tira una riga su quella voce. «Ma tutto il resto è fantastico, non credi?»

«Be'... io...»

Forse dovrei dirle che non ho ancora deciso se mi sposerò a New York.

Ma non posso. Interromperebbe i preparativi all'istante. E andrebbe subito a riferirlo a Elinor, la quale farebbe un sacco di storie.

Il fatto è che sono sicura che finiremo col decidere per il Plaza. Quando avrò trovato un modo per convincere la mamma. Insomma, sarebbe assurdo non farlo.

«Sai, Sheldon ha lavorato per molte star di Hollywood» sta dicendo Robyn, abbassando ulteriormente la voce. «Quando lo incontreremo potrai dare un'occhiata al suo portfolio. Credimi, è davvero incredibile.»

«Ah, sì?» Mi sento pervadere da una leggera euforia. «Sembra tutto così... fantastico!»

«Bene» dice lei, guardando l'orologio. «Ora devo proprio andare. Ma mi farò viva presto.» Mi stringe appena la mano, finisce lo champagne e si allontana rapida in direzione della porta. Resto a guardarla, ancora un tantino stordita.

Star di Hollywood! Voglio dire, se la mamma sapesse di questo non vedrebbe le cose in modo diverso? Non si renderebbe conto che si tratta di un'occasione unica?

Il problema è che non riesco a trovare il coraggio di affrontare di nuovo l'argomento. Non ho neppure osato dirle di questa festa. Si sarebbe irritata e avrebbe detto: "Elinor è convinta che non siamo in grado di dare una festa di fidanzamento decente?" o qualcosa del genere, e io mi sarei sentita ancora più in colpa. Se mamma sapesse che me ne sono andata in giro per il Plaza con Elinor, se soltanto immaginasse che sto *prendendo in considerazione* l'idea di sposarmi a New York, anziché a casa...

Una risata mi distoglie dalle mie riflessioni e mi accorgo che sono rimasta sola. Bevo un sorso di champagne e mi guardo attorno alla ricerca di qualcuno con cui parlare. La cosa un po' strana è che questa dovrebbe essere la festa di fidanzamento mia e di Luke. Devono esserci almeno un centinaio di persone qui, e io non ne conosco neppure una. O, meglio, ho riconosciuto qualcuno qua e là, ma nessuno cui avvicinarmi per scambiare due parole. Provo a sorridere a una donna che sta entrando, ma questa mi guarda con aria sospettosa e si dirige verso un gruppo fermo vicino alla finestra. Sapete una cosa? Chiunque abbia detto che gli americani sono più cordiali degli inglesi non è mai stato a New York.

Danny dovrebbe essere qui da qualche parte, penso, scrutando tra la folla. Ho invitato anche Erin e Christina, ma quando sono uscita da Barneys stavano ancora lavorando come matte e prevedo che faranno tardi.

Oh, su, devo trovare qualcuno con cui parlare. Elinor sarà pure da qualche parte. Non che sia la mia compagnia preferita, ma forse lei saprà dirmi se Luke è già arrivato. Mi sto facendo strada a fatica tra un gruppo di donne tutte in nero Armani, quando sento qualcuno dire: «Conosci la sposa?».

Subito mi immobilizzo dietro una colonna, cercando di non far vedere che sto origliando.

«No. Qualcuno la conosce?»

«Dove vivono?»

«Da qualche parte nel West Village. Ma pare che verranno ad abitare qui.»

«Davvero? Credevo fosse impossibile trovare un appartamento in questo palazzo.»

«No, se sei parente di Elinor Sherman!» Le donne scoppiano a ridere e si spostano verso la folla. Io resto a fissare un ghirigoro della colonna.

Devono aver capito male. Non è possibile che noi veniamo ad abitare in questo edificio. Proprio non esiste.

Per qualche minuto vago senza meta tra la gente, mi procuro un bicchiere di champagne e mi costringo a sorridere. Ma, per quanto mi sforzi, non ci riesco. Non è esattamente così che immaginavo la mia festa di fidanzamento. Prima le persone all'ingresso si rifiutano di lasciarmi passare. Poi, una volta entrata, non conosco nessuno e le uniche cose da mangiare sono cubetti di pesce ipocalorici e iperproteici, e, come se non bastasse, se cerchi di prenderne uno, i camerieri ti guardano allibiti.

Non posso non pensare con una certa nostalgia alla festa di fidanzamento di Tom e Lucy. Non era elegante come questa, naturalmente. Janice aveva preparato una gran coppa di punch, un bel barbecue, e Martin aveva cantato *Are You Lonesome Tonight* sulla base del karaoke. Tant'è. Se non altro era divertente. Se non altro conoscevo qualcuno. Conoscevo più gente allo loro festa di fidanzamento che alla mia...

«Becky! Perché te ne stai lì nascosta?» Alzo lo sguardo e finalmente provo un po' di sollievo. È Luke. Dove diavolo è stato, tutto questo tempo?

«Luke!» dico, avvicinandomi, ma subito lancio un'esclamazione di gioia nel vedere l'uomo di mezza età un po' calvo che mi sorride accanto a lui. «Michael!» Gli getto le braccia al collo e lo abbraccio con trasporto.

Michael Ellis è una delle persone cui sono più affezionata al mondo. Vive a Washington, dove dirige un'agenzia pubblicitaria di grande successo. È anche il socio di Luke nella filiale americana della Brandon Communications, oltre a essere un vero maestro di vita per lui. E anche per me, se è per questo. Se non fosse stato per i consigli ricevuti da Michael qualche tempo fa, non mi sarei mai trasferita a New York.

«Luke mi aveva detto che forse saresti venuto!» dico, sorridendo.

«Pensavi davvero che sarei potuto mancare?» replica Michael strizzando l'occhio e levando il bicchiere verso di me. «Congratulazioni, Becky! Comunque scommetto che ti sei pentita di non aver accettato la mia offerta di lavoro. A Washington avresti potuto avere delle ottime chance, mentre qui...» Scuote la testa. «Guarda come sei finita: un lavoro fantastico, l'uomo della tua vita, un matrimonio al Plaza...»

«Chi ti ha detto del Plaza?» chiedo, sorpresa.

«Oh, praticamente tutte le persone con cui ho parlato. A quanto pare sarà l'evento dell'anno.»

«Be'...» Mi stringo nelle spalle con aria modesta.

«Tua madre sarà su di giri per tutto questo, vero?»

«Be'...» Bevo un sorso di champagne per evitare di rispondere.

«Ma stasera non è qui, mi par di capire...»

«No. Sai, è un viaggio lungo!» La mia risata è un po' stridula e bevo un altro sorso, finendo il bicchiere.

«Te ne prendo un altro» dice Luke. «E intanto vado a cercare mia madre. Mi stava chiedendo dove fossi finita... Ah, ho appena chiesto a Michael di farmi da testimone» aggiunge, allontanandosi. «E, fortunatamente, lui ha accettato.»

«Davvero?» dico, sorridendo felice a Michael. «Fantastico! Non poteva pensare a una scelta migliore.»

«Sono molto onorato che me l'abbia chiesto» prosegue Michael. «A meno che non vogliate che vi sposi io. Sono un po' arrugginito, ma forse la formula la ricordo ancora.»

«Davvero?» dico, sorpresa. «Fai anche il pastore, in segreto, oltre a tutto il resto?»

«No» risponde lui scoppiando in una gran risata, «ma qualche anno fa alcuni amici volevano che li sposassi. E grazie a qualche intrallazzo riuscii a ottenere il permesso di celebrare matrimoni.»

«Be', saresti un pastore fantastico! padre Michael. La gente arriverebbe a frotte per assistere alle tue funzioni.»

«Un pastore ateo?» Michael inarca le sopracciglia. «Probabilmente non sarei il primo.» E beve un sorso di champagne. «Allora, come va il lavoro?»

«Benissimo, grazie.»

«Lo so. Raccomando il tuo nome a tutti quelli che incontro.

"Se hai bisogno di vestiti, vai da Becky Bloomwood." Uomini d'affari, camerieri, gente che incontro per la strada...»

«Ecco perché continua ad arrivare da me tanta gente strana...»

«Parlando seriamente, volevo chiederti un piccolo favore.» Michael abbassa leggermente la voce. «Ti sarei grato se potessi dare una mano a mia figlia Deborah. Lei e il suo ragazzo si sono appena lasciati e credo che stia attraversando un momento difficile. Le ho detto che conoscevo una persona che l'avrebbe rimessa in sesto.»

«Certamente» rispondo, commossa. «Sarò felice di aiutarla.»

«Ma non mandarla in bancarotta. Vive del suo stipendio da avvocato.»

«Cercherò di non farlo» dico, ridendo. «E tu?»

«Pensi che io abbia bisogno di aiuto?»

«A essere sincera, mi sembri più che a posto.» Indico il suo impeccabile completo grigio scuro che, ne sono certa, dev'essergli costato una cifra molto vicina ai tremila dollari.

«Mi metto sempre in ghingheri quando so che devo incontrare il bel mondo» dice lui. Si guarda intorno con aria divertita, e io seguo il suo sguardo. Vicino a noi, un gruppetto di cinque o sei donne di mezza età parla animatamente, senza quasi prendere fiato. «Sono amiche tue?»

«Non esattamente. Non conosco molta gente, qui.»

«Lo immaginavo» dice, rivolgendomi un sorriso ironico. «Allora, come va con la futura suocera?» Ha un'aria così innocente che mi viene da ridere.

«Bene. Sai...»

«Di cosa state parlando?» chiede Luke, ricomparendo al mio fianco. Mi porge un bicchiere di champagne e io lancio un'occhiata d'intesa a Michael.

«Stavamo parlando di progetti matrimoniali» risponde Michael senza battere ciglio. «Avete già deciso dove andare in luna di miele?»

«Non ne abbiamo ancora parlato» rispondo, guardando Luke. «Ma ho qualche idea. Dev'essere un posto molto bello e caldo. E raffinato. E dove non sono ancora stata.»

«Non sono sicuro di potermi concedere una luna di miele

molto lunga» dice Luke, corrugando la fronte. «Abbiamo appena acquisito la NorthWest e questo significa che potremmo prendere in considerazione l'idea di espanderci ancora. Quindi è possibile che dovremo accontentarci di un weekend lungo.»

«Un weekend lungo?» Lo fisso, sgomenta. «Ma così non è una luna di miele!»

«Luke» dice Michael con aria di rimprovero. «Non va bene. Devi assolutamente portare tua moglie a fare un bel viaggio di nozze. In qualità di testimone, sento di dover insistere. Dov'è che non sei mai stata, Becky? Venezia? Roma? India? Africa?»

«In nessuno di questi posti.»

«Capisco.» Michael inarca le sopracciglia. «In tal caso potrebbe rivelarsi un viaggio costosetto.»

«Tutti hanno girato il mondo tranne me. Non mi sono mai presa un anno sabbatico. Non sono mai stata in Australia, né in Thailandia...»

«Neanch'io» dice Luke stringendosi nelle spalle. «Ma che importanza ha?»

«Per me ne ha, invece! Non ho visto niente! Lo sai che la miglior amica della madre di Suze è una contadina boliviana?» Guardo Luke con aria solenne. «Hanno macinato il mais insieme nelle praterie di Los Llanos!»

«Luke, pare che dovrai portarla in Bolivia» osserva Michael.

«È questo che vuoi fare in luna di miele? Macinare mais?»

«No, ma pensavo che forse avremmo dovuto ampliare un po' i nostri orizzonti. Che so... magari fare un giro con zaino e tenda.»

«Becky, tu sai cosa significa, vero?» mi fa notare Luke. «Tutte le tue cose in un solo zaino. E te lo devi portare da sola. Non si può spedire per corriere.»

«Ce la potrei fare benissimo!» ribatto, indignata. «E potremmo conoscere un sacco di gente interessante.»

«Io conosco già un sacco di gente interessante.»

«Tu conosci banchieri e persone che lavorano nelle relazioni pubbliche! Per caso conosci un contadino boliviano? O un barbone?»

«No, non posso dire di conoscerlo. E tu?»

«Be'... no» ammetto dopo un attimo di esitazione. «Ma il punto è che dovremmo.»

«D'accordo, Becky» dice Luke alzando una mano. «Ho trovato la soluzione. La luna di miele la organizzi tu. Ovunque tu voglia, purché non siano più di due settimane.»

«Davvero?!» esclamo, sorpresa. «Dici sul serio?»

«Certo. Hai ragione. Non ci si può sposare senza un viaggio di nozze decente. Sorprendimi pure» aggiunge, con un sorriso.

«D'accordo.»

Mi sento spumeggiante di euforia come lo champagne che sto sorseggiando. È o non è grandioso? Sceglierò la nostra luna di miele! Potremmo andare in una fantastica località termale in Thailandia, o a fare un safari...

«A proposito di barboni» dice Luke rivolto a Michael, «sai che a settembre siamo in mezzo a una strada?»

«Davvero? Come mai?»

«Il contratto d'affitto del nostro appartamento scade e la proprietaria ha deciso di vendere. Quindi: tutti fuori.»

«Oh, Luke!» esclamo, bruscamente strappata a un'immagine di me e Luke in cima a una piramide. «Questo mi fa venire in mente che poco fa ho sentito per caso una strana conversazione. Alcune persone stavano dicendo che verremo ad abitare in questo stabile. Chissà perché gli è venuta questa idea...»

«È una possibilità» dice Luke.

«Cosa? Cosa intendi dire? Sei impazzito?»

«Perché no?»

Abbasso un poco la voce. «Pensi davvero che io voglia vivere in questo edificio antiquato pieno di orribili vecchie che ti guardano dall'alto in basso come se puzzassi?»

«Becky...» mi interrompe Michael, facendo un cenno con la testa.

«Ma è vero!» proseguo, voltandomi verso di lui. «In questo palazzo non vive una sola persona decente! Li ho già incontrati e, credimi, sono tutti assolutamente...»

Mi blocco, e di colpo capisco cosa sta cercando di dirmi Michael.

«Tranne... la madre di Luke, ovviamente» aggiungo, cercando di sembrare il più naturale possibile.

«Buona sera, Rebecca» dice una voce raggelante alle mie spalle, e io mi volto con le guance in fiamme.

Eccola lì, dietro di me, con un lungo abito bianco simile a una tunica greca con le pieghe che cadono fino a terra. È così magra e pallida che sembra quasi una delle sue colonne.

«Salve, Elinor» dico, educatamente. «Com'è elegante. Mi dispiace essere arrivata in ritardo.»

«Rebecca» risponde lei, offrendomi la guancia. «Spero che tu abbia conversato con gli ospiti e non sia stata sempre con Luke.»

«Mmm... un po'.»

«Questa è una buona occasione per conoscere persone importanti» prosegue. «La presidentessa di questo stabile, per esempio.»

«Già» dico annuendo. «Magari...»

Probabilmente non è il momento di confessarle che non ho la minima intenzione di venire ad abitare qui.

«Te la presenterò dopo. Ora vorrei fare il brindisi» dice. «Se volete avvicinarvi al podio...»

«Ottimo!» esclamo, cercando di mostrarmi entusiasta, e bevo un sorso di champagne.

«Mamma, hai già conosciuto Michael, vero?» dice Luke.

«Certo» risponde Elinor con un sorriso condiscendente. «Come sta?»

«Benissimo, grazie» risponde Michael, affabile. «Avevo intenzione di venire alla serata d'apertura della sua fondazione, ma purtroppo non mi è stato possibile allontanarmi da Washington. Ho sentito però che è andata molto bene, vero?»

«Sì. Grazie.»

«E ora un'altra felice occasione.» Michael fa un gesto in direzione della sala. «Stavo appunto dicendo a Luke quanto sia fortunato ad aver trovato una ragazza bella, intelligente e raffinata come Becky.»

«Davvero.» Il viso di Elinor si contrae.

«Ma immagino di non dirle niente di nuovo.»

Silenzio.

«Ma certo» dice Elinor, alla fine. E, dopo un'impercettibile esitazione, mi posa una mano sulla spalla.

Oh, Dio. Ha le dita così gelide che è come essere sfiorati da

Tormentilla, la Regina dei Ghiacci. Lancio un'occhiata a Luke e vedo che sta gongolando.

«Bene. Adesso il brindisi!» dico, tutta allegra. «Dopo di lei, Elinor.»

«Ci vediamo dopo, Michael» dice Luke.

«È il vostro momento» risponde Michael, strizzandomi l'occhio. «Ah, Luke» aggiunge a bassa voce, mentre Elinor si allontana, «più tardi vorrei scambiare qualche parola con te a proposito delle attività benefiche di tua madre.»

«Va bene. D'accordo» dice Luke, dopo un momento.

È la mia immaginazione, o mi sembra leggermente sulla difensiva?

«Prima il brindisi, però» dice Michael affabile. «Non siamo qui per parlare d'affari.»

Mentre attraverso la sala con Luke ed Elinor, mi accorgo che le persone ci guardano e bisbigliano. Il podio è in fondo alla sala e quando saliamo comincio a sentirmi un po' nervosa. Nel grande salone è calato il silenzio e tutti i presenti ci guardano.

Cento paia di occhi puntati su di me per una radiografia newyorchese collettiva.

Sforzandomi di non apparire impacciata cerco con lo sguardo qualche viso noto, qualcuno che appartenga al mio mondo. Ma, a parte Michael, non vedo nessun altro.

Continuo a sorridere, ma dentro di me sono delusa. Dove sono i miei amici? So che Christina ed Erin sono per strada, ma Danny? Mi aveva promesso che sarebbe venuto.

«Signore e signori» attacca Elinor benevola, «benvenuti. È per me un enorme piacere avervi qui stasera in questa felice occasione. Un benvenuto particolare a Marcia Fox, la presidentessa di questo palazzo, e Guinevere von...»

«Non me ne frega un accidente della sua stupida lista!» dice una voce alterata alla porta, e un paio di teste si voltano a guardare.

«... von Landlenburg, membro della Fondazione Elinor Sherman...» prosegue Elinor, con aria severa.

«Lasciami entrare, brutta stronza!»

Segue un tramestio di passi e un leggero strillo. Tutti si voltano per vedere cosa sta succedendo.

«Toglimi subito le mani di dosso. Sono incinta, chiaro? Se mi succede qualcosa ti faccio causa!»

«Non ci posso credere!» esclamo, balzando giù dal podio. «Suze!»

«Bex!» Suze compare sulla soglia, abbronzata e in splendida forma, con le perline nei capelli e un bel pancione sotto il vestito. «Sorpresa!»

«*Incinta?*» Tarquin la segue a ruota, con uno smoking fuori moda sopra una polo, e l'aria di una persona completamente sconvolta. «Suze, tesoro, di cosa stai parlando?»

6

«Abbiamo pensato di farti una sorpresa!» dice Suze quando finalmente il trambusto si è placato ed Elinor ha pronunciato il suo discorsetto, nel corso del quale ha nominato me e Luke una volta sola e la Fondazione Elinor Sherman almeno sei. «Un ultimo scampolo di luna di miele. E così siamo andati al tuo appartamento...»

«E hanno trovato me, come sempre perfettamente in orario...» si intromette Danny, rivolgendomi un sorriso di scusa.

«E così Danny ci ha proposto di venire alla festa e di farti una sorpresa.»

«A Tarquin l'hai fatta di sicuro, una sorpresa» osservo, con una risatina. Non riesco a smettere di sorridere. Suze, Tarquin e Danny tutti insieme, alla mia festa.

«Lo so» conviene Suze con aria afflitta. «Avevo intenzione di comunicargli la notizia con un po' più di tatto.»

«Ma non posso credere che non se ne sia accorto. Voglio dire, guardati!»

Indico il pancione di Suze fasciato in un abito rosso aderentissimo. Francamente, non si può non notarlo.

«Ha fatto qualche commento sulla mia pancetta una o due volte» ammette Suze vagamente, «ma io gli ho detto che sono molto suscettibile riguardo al mio peso, e così non ne ha più parlato. E, comunque, adesso è tutto a posto. Guardalo.»

Suze indica Tarquin, che è stato circondato da un gruppo di signore newyorchesi avide di particolari.

«Allora lei vive in un castello?» sento chiedere da una.

«Be', sì. Effettivamente, sì.»

«E conosce il principe Carlo?» chiede un'altra, sgranando gli occhi.

«Abbiamo giocato a polo insieme una o due volte...» Tarquin si guarda intorno, alla disperata ricerca di una via di fuga.

«Devo assolutamente farle conoscere mia figlia» dice una delle signore, cingendogli le spalle come in una morsa. «Lei adora l'Inghilterra. Ha visitato Hampton Court *sei volte*.»

«È uno spettacolo» mi sussurra una voce all'orecchio. Mi volto e vedo Danny che fissa Tarquin. «Un vero spettacolo. Fa il modello?»

«Cosa dovrebbe fare, Tarquin?»

«Voglio dire, quella storia della fattoria è una balla, vero?» Danny tira una boccata di fumo.

«Pensi che Tarquin dovrebbe fare il modello?» Non riesco a trattenere una risata.

«Perché no?» ribatte Danny sulla difensiva. «Ha un look fantastico. Potrei disegnare un'intera collezione su di lui. Una via di mezzo tra il principe Carlo, Rupert Everett e...»

«Danny, tu lo sai che è etero, vero?»

«L'ho capito benissimo. Per chi mi hai preso?» Poi riflette qualche secondo. «Ma ha studiato in un collegio inglese, no?»

«Danny!» esclamo, dandogli una spintarella, e poi alzo lo sguardo. «Ciao, Tarquin! Vedo che sei riuscito a liberarti!»

«Ciao!» dice Tarquin, provato. «Suze, tesoro, hai portato a Becky la roba che ti ha dato sua madre?»

«Oh, l'ho lasciata in albergo» risponde Suze, e poi si volta verso di me. «Sulla strada per l'aeroporto ci siamo fermati a casa dei tuoi. Sono ossessionati! Non parlano d'altro che del tuo matrimonio.»

«Non mi sorprende» commenta Danny. «A quanto pare sarà favoloso. Da far invidia a Catherine Zeta-Jones.»

«Catherine Zeta-Jones?» ripete Suze, incuriosita. «Cosa intendi dire?»

Mi irrigidisco. Oh, merda. Presto, pensa a qualcosa!

«Danny» dico con nonchalance, «mi pare di aver intravisto la direttrice di "Women's Wear Daily".»

«Davvero?! Dove?» Danny si volta di scatto. «Torno subito.» Poi scompare tra la folla e io tiro un sospiro di sollievo.

«Quando siamo andati da loro stavano discutendo delle dimensioni del gazebo» prosegue Suze con un'altra risatina. «Ci hanno fatto sedere sul prato per far finta che fossimo degli ospiti.»

Non voglio sentir parlare di questo. Bevo un sorso di champagne e cerco di pensare a un altro argomento di conversazione.

«Hai raccontato a Becky di quell'altra cosa che è successa?» dice Tarquin, improvvisamente serio.

«Mmm... non ancora» risponde lei e Tarquin tira un solenne e profondo sospiro.

«Becky, Suze ha una cosa da confessarti.»

«Già.» Suze si mordicchia le labbra con aria contrita. «Eravamo a casa dei tuoi, e io ho chiesto di vedere il vestito da sposa di tua madre. E mentre lo stavamo ammirando, io avevo una tazza di caffè in mano, e...» Suze china la testa. «Non so come sia successo, Becky, ma ho rovesciato il caffè sul vestito.»

La guardo, incredula.

«Sul vestito? Dici sul serio?»

«Ovviamente ci siamo subito offerti di farlo smacchiare» aggiunge Tarquin. «Ma non sono sicuro che si possa ancora indossare. Ci dispiace tanto, Becky. Naturalmente ti pagheremo noi un altro vestito.» Guarda il bicchiere vuoto e chiede: «Qualcuno desidera un altro bicchiere di champagne?».

«Quindi il vestito è rovinato?» chiedo, per essere sicura.

«Sì, e non è stato facile, te l'assicuro!» risponde Suze appena Tarquin si allontana. «Al primo tentativo tua madre l'ha tirato via appena in tempo. Poi ha cominciato a preoccuparsi e a dire che era meglio rimetterlo a posto. Sono stata praticamente costretta a buttargli sopra la tazza mentre lo stava mettendo via... e, anche così, ho preso solo lo strascico. Ovviamente, tua madre adesso mi odia» aggiunge, con aria malinconica. «Non credo che mi inviterà al matrimonio.»

«Oh, Suze, no che non ti odia. Sei un tesoro e non finirò mai di ringraziarti. Sinceramente, non credevo che ce l'avresti fatta.»

«Be', non potevo certo permettere di farti sembrare una salsiccia infagottata nel pizzo, no?» risponde Suze con un sorriso. «La cosa strana è che nelle foto, indossato da tua madre, sembra molto bello, ma nella realtà...» Lascia la frase in sospeso e fa una smorfia.

«Esattamente. Oh, Suze, sono così contenta che tu sia qui! Pensavo che fossi tutta... sposata. A proposito, come ci si sente, da sposati?»

«Più o meno uguali» risponde Suze dopo averci pensato un attimo. «Solo che abbiamo più piatti di prima.»

Sento una mano sulla spalla e mi volto. È una donna coi capelli rossi, vestita con un tailleur pantalone di seta rosa pallido.

«Laura Redburn Seymour» dice, tendendomi la mano. «Mio marito e io dobbiamo andare, ma ho appena saputo dove si svolgerà la cerimonia, e volevo dirle che io mi sono sposata esattamente nello stesso posto, quindici anni fa. E lasci che le dica che non c'è niente al mondo paragonabile a ciò che si prova entrando in quella sala.» Unisce le mani e guarda il marito, che assomiglia in maniera impressionante a Clark Kent.

«Be', grazie!»

«Ma allora anche lei è originaria di Oxshott?» chiede Suze, cordiale. «Che coincidenza!»

Oh, merda!

«Prego?» ribatte Laura Redburn Seymour.

«Oxshott!» ripete Suze. «Sa...»

Laura Redburn Seymour si volta e guarda confusa il marito.

«Le nostre famiglie sono originarie del New England» ribatte Clark Kent, con una certa freddezza. «Buona serata. E ancora congratulazioni» aggiunge, rivolto a me.

Mentre i due si allontanano, Suze mi guarda allibita.

«Bex, ma tu ci hai capito qualcosa?»

«Mmm... io...» Mi gratto il naso, cercando di guadagnare tempo.

Non so perché, ma sento di non voler dire a Suze del Plaza.

D'accordo. Lo so perfettamente. È perché so già cosa mi dirà.

«Sì!» dico, alla fine. «Credo di sì.»

«Ma scusa, quella non si è sposata a Oxshott. Allora perché è convinta che vi sposerete nello stesso posto?»

«Sai... sono americani. Niente di quello che dicono ha un senso... allora, quando andiamo a scegliere il mio abito da sposa? Domani?»

«Ma certo!» risponde Suze, rilassandosi immediatamente. «Dove andiamo? Barneys ha un reparto spose?»

Grazie al cielo Suze è così dolce e ingenua!

«Sì. Ho già dato un'occhiata veloce, ma non ho ancora provato nulla. L'unico problema è che non ho un appuntamento e domani è sabato» aggiungo, aggrottando la fronte. «Potremmo provare da Vera Wang, ma anche lì saranno tutti presi...»

«Voglio andare anche a far spese per il bimbo. Ho già una lista.»

«Ho comprato un paio di cosette anch'io» dico, osservando il suo pancione con occhi affettuosi. «Sai, qualche sciocchezza.»

«Voglio una bella carrozzina...»

«Non ti preoccupare, ci ho già pensato io. E ho preso anche qualche bella tutina.»

«Bex, non dovevi!»

«C'era la svendita da Gap bimbi!» dico, per giustificarmi.

«Scusate» ci interrompe una voce. Ci voltiamo e vediamo una signora in abito nero e collana di perle che si avvicina. «Non ho potuto fare a meno di sentire la vostra conversazione. Mi chiamo Cynthia Harrison. Sono grande amica di Elinor e anche di Robyn, la sua wedding planner. Lei è davvero in ottime mani!»

«Oh, certo» rispondo, educatamente. «Mi fa piacere sentirlo.»

«Se sta cercando un abito da sposa, posso invitarvi entrambe nella mia nuova boutique, Dream Dress?» Cynthia Harrison mi scocca un sorriso scintillante. «Sono vent'anni che vendo abiti da sposa e proprio questa settimana ho aperto un nuovo negozio in Madison Avenue. Abbiamo una vastissima scelta di abiti, scarpe e accessori dei grandi nomi della moda. Un servizio personalizzato in un ambiente lussuoso e raffinato. Siamo in grado di soddisfare tutte le esigenze di una sposa, grandi e piccole.»

Poi si interrompe bruscamente, come se avesse finito di leggere una pubblicità.

«Be', d'accordo. Allora verremo domani!»

«Diciamo... per le undici?» suggerisce Cynthia. Guardo Suze e lei annuisce.

«Allora alle undici. E grazie!»

Mentre Cynthia Harrison si allontana, sorrido a Suze tutta gasata, ma lei sta guardando verso il fondo del salone.

«Cos'ha Luke?» mi chiede.

«In che senso?» Mi volto e vedo Luke e Michael in un angolo della sala, lontani da tutti. Sembra che stiano discutendo.

Mentre li osservo, Luke alza la voce e io colgo le parole "... cerca di vederla nel complesso, perdio!".

«Di cosa stanno parlando?» chiede Suze.

«Non ne ho idea.»

Cerco di capire cosa stanno dicendo, ma riesco a sentire solo qualche frammento ogni tanto.

«... semplicemente non mi sembra opportuno...» sta dicendo Michael.

«... nel breve periodo... assolutamente opportuno...»

Oh, Dio, Luke sembra molto agitato.

«... l'impressione sbagliata... abusando della tua posizione...»

«... ne ho abbastanza!»

Allibita, osservo Luke uscire a grandi passi dalla sala. Michael sembra colto in contropiede dalla sua reazione. Per un attimo resta lì, immobile, poi prende il bicchiere e beve una lunga sorsata di whisky.

Non posso crederci. Tra Luke e Michael non c'è mai stata una sola parola di troppo. Luke adora Michael. Lo considera una specie di secondo padre. Cosa diavolo può essere successo?

«Torno subito» mormoro a Suze e, con la massima discrezione, mi avvicino a Michael, che sta fissando il vuoto.

«Cos'è successo?» gli chiedo. «Perché stavate litigando?»

Michael si riscuote. Alza lo sguardo e ritrova il sorriso.

«Solo un piccolo diverbio su questioni di lavoro» dice. «Niente di cui preoccuparsi. Allora, hai deciso la destinazione per la luna di miele?»

«Avanti, Michael, stai parlando con me. Dimmi cosa sta succedendo.» Abbasso la voce. «Cosa intendevi quando hai detto che Luke abusa della sua posizione? Cos'è successo?»

Segue un lungo silenzio e capisco che Michael sta valutando se parlare o no.

«Lo sapevi» dice, alla fine, «che una persona dello staff della Brandon Communications sta lavorando a tempo pieno per la Fondazione Elinor Sherman?»

«Cosa? Dici sul serio?» esclamo, stupita.

«Recentemente ho scoperto che una nuova segretaria della società è stata distaccata presso la madre di Luke. La Brandon Communications le paga lo stipendio, ma in pratica questa ragazza fa da tirapiedi tutto il giorno a Elinor. Naturalmente non è affatto contenta della situazione.» Michael sospira. «Io volevo solo fargli presente questo fatto, ma Luke è molto suscettibile riguardo all'argomento.»

«Non ne sapevo niente» dico, incredula. «Non me ne ha mai parlato.»

«Non ne ha parlato con nessuno. Io l'ho scoperto per caso, perché questa segretaria conosce mia figlia e ha pensato di fare arrivare la faccenda alla mia attenzione.» Michael prosegue, abbassando la voce: «La mia paura è che la ragazza possa lamentarsi con i finanziatori. E allora Luke potrebbe trovarsi nei pasticci».

Non riesco a capacitarmi. Come ha potuto Luke essere così stupido?

«È sua madre» concludo, alla fine. «Tu sai l'ascendente che ha su di lui. Farebbe qualsiasi cosa per compiacerla.»

«Lo so. E lo capisco. Tutti hanno i propri punti deboli.» Guarda l'orologio. «Ora purtroppo devo andare.»

«Ma non puoi andartene senza avergli parlato!»

«Non sono sicuro che servirebbe a qualcosa in questo momento.» Michael mi rivolge uno sguardo affettuoso. «Becky, non permettere che questa cosa ti rovini la serata. E non mettere in croce Luke. Ti ripeto: è molto sensibile all'argomento.» Mi stringe il braccio con un gesto premuroso. «Sono sicuro che si aggiusterà tutto.»

«Sì. Ti prometto che lo lascerò in pace.» Mi costringo a sorridergli. «E grazie per essere venuto, Michael. Ci hai fatto davvero piacere. A tutti e due.»

Lo abbraccio con calore e resto a guardarlo mentre si allontana. Poi esco dalla sala. Devo parlare con Luke, al più presto.

Ovviamente Michael ha ragione. È un argomento molto delicato, quindi non lo devo affrontare di petto. Farò a Luke solo qualche domanda prudente e discreta e, con molto tatto, lo guiderò nella giusta direzione. Proprio come si conviene a una futura moglie.

Alla fine lo trovo al piano di sopra, seduto a fissare il vuoto in camera di sua madre.

«Luke! Ho appena parlato con Michael!» esclamo. «Mi ha detto che hai messo un dipendente della Brandon Communications a lavorare per la fondazione di tua madre! Ma sei impazzito?»

Oh-oh. Non mi è uscito benissimo.

«Una segretaria» ribatte Luke, senza neppure voltarsi. «Perché?»

«Ma non può assumerne una?»

«Era solo per darle una mano. Ascolta, Becky...»

«Non puoi permetterti di utilizzare il personale come piace a te! È ridicolo!»

«Ah, davvero?» Il tono di Luke si è fatto pericolosamente basso. «E tu sei un'esperta di queste cose, vero?»

«No, ma ne so abbastanza per capire che è sbagliato! E se i tuoi finanziatori lo scoprissero? Non puoi usare le risorse della ditta per aiutare tua madre a fare beneficenza!»

«Becky, non sono così stupido. Questa storia della beneficenza gioverà anche alla società.» Finalmente si volta a guardarmi. «È tutta una questione di immagine. Quando verrò fotografato mentre firmo un generoso assegno per una degna causa, ne avrò un ritorno enorme. Oggi il pubblico premia le aziende che ridistribuiscono parte dei proventi. Ho già in mente una o due occasioni da sfruttare in questo senso nelle prossime due settimane, più un paio di articoli fatti uscire al momento giusto. L'effetto positivo per la nostra immagine sarà enorme!»

«E allora perché Michael non la pensa così?»

«Non mi ascoltava. Non ha fatto altro che parlare di "creare un pericoloso precedente".»

«Be', forse non ha tutti i torti. Voglio dire, tu assumi il personale perché lavori con te, non per prestarlo a un'altra società.»

«È solo un caso» ribatte Luke, spazientito. «E, secondo me, i benefici saranno di gran lunga superiori ai costi.»

«Ma non l'hai detto a nessuno, non hai chiesto...»

«Io non devo chiedere nessun permesso» ribatte lui, duro. «Sono l'amministratore delegato. E posso prendere tutte le decisioni che ritengo necessarie.»

«Non intendevo dire che devi chiedere il permesso» mi affretto a precisare. «Ma Michael è il tuo socio. Dovresti ascoltarlo. Dovresti fidarti di lui.»

«E lui dovrebbe fidarsi di me! Non ci saranno problemi con i finanziatori. Credimi, quando vedranno la pubblicità che deriverà da tutto questo, saranno felicissimi. Se solo Michael riuscisse a capirlo, invece di sottilizzare su stupidi dettagli... A proposito, dov'è?»

«È dovuto andare via» dico, e vedo il volto di Luke irrigidirsi per la sorpresa.

«Se n'è andato? Ah, fantastico!»

«Non è come pensi. Doveva farlo.» Mi siedo sul letto e gli prendo la mano. «Luke, non litigare con Michael. È un vero amico. Ricordi quello che ha fatto per te? Ricordi il discorso che ha pronunciato il giorno del tuo compleanno?»

Sto cercando di alleggerire l'atmosfera, ma Luke non sembra accorgersene. Ha un'espressione tesa, le spalle rigide e curve. Non ascolterà una parola di ciò che gli dico. Sospiro, e bevo un sorso di champagne. Dovrò aspettare un momento più adatto.

Per qualche minuto restiamo in silenzio, e lentamente cominciamo a rilassarci. È come se avessimo stabilito una tregua.

«Sarà meglio che vada» dico, alla fine. «Suze non conosce nessuno.»

«Quanto si ferma a New York?» chiede Luke, alzando lo sguardo.

«Solo qualche giorno.»

Bevo un altro sorso di champagne e mi guardo pigramente intorno. Non sono mai stata nella camera da letto di Elinor prima d'ora. È impeccabile, come il resto della casa, con le pareti in tinta pastello e un sacco di mobili su misura dall'aspetto costoso.

«Ehi, indovina un po'» dico, all'improvviso. «Domani Suze e io andiamo a scegliere l'abito da sposa.»

Luke mi guarda sorpreso.

«Credevo che avresti indossato l'abito da sposa di tua madre.»

«Sì, ma...» Assumo un'aria contrita. «Sai, c'è stato un incidente...»

E grazie al cielo che c'è stato. Non finirò mai di ringraziare Suze e la sua mira.

La mattina seguente, quando arriviamo davanti alla vetrina del Dream Dress in Madison Avenue, d'un tratto mi rendo conto di ciò che la mamma mi stava chiedendo di fare. Come poteva pretendere che indossassi quella mostruosità di pizzi e volant invece di una di queste meravigliose, stupefacenti creazioni da Oscar? Apriamo la porta e assaporiamo l'atmosfera ovattata dello showroom, con la sua moquette color champagne, le nuvole trompe l'oeil dipinte sul soffitto e le file di abiti luccicanti, scintillanti, sfavillanti appesi sui due lati della sala.

Mi sento quasi sopraffatta dall'ondata di emozione che mi sta travolgendo. Potrebbe venirmi la ridarella da un momento all'altro.

«Rebecca!» Cynthia ci ha viste e sta venendo verso di noi con un gran sorriso. «Sono così felice che siate venute. Benvenute al Dream Dress. Il nostro motto è...»

«Oh, scommetto che lo so!» la interrompe Suze. «È "Fa che i tuoi sogni si avverino da Dream Dress".»

«No, non è così.»

«Allora è "Tutti i sogni si avverano da Dream Dress"?»

«No.» Il sorriso di Cynthia si fa leggermente forzato. «È "Troveremo l'abito dei tuoi sogni".»

«Oh, bello.» Suze approva educatamente con un cenno della testa. «A me sembrava che i miei fossero migliori» aggiunge poi, sussurrando.

Cynthia ci fa strada, accompagnandoci a un divano color crema. «Torno tra un secondo» dice, affabile. «Nel frattempo, date un'occhiata a queste riviste.» Suze e io ci scambiamo un sorriso euforico, quindi lei prende "Sposa moderna" e io "Martha Stewart Weddings".

Dio, come adoro "Martha Stewart Weddings"!

Dentro di me vorrei essere "Martha Stewart Weddings". Vorrei sgusciare tra le pagine, insieme a tutte quelle persone meravigliose che si sposano a Nantucket o in South Carolina, e arrivano alla cappella cavalcando, e confezionano i segnaposti con le meline ruggine ghiacciate.

Fisso la fotografia di una coppia solitaria in un campo di papaveri sullo sfondo di splendide montagne. Forse anche noi dovremmo sposarci in un campo di papaveri e io potrei indossare una coroncina di spighe e Luke potrebbe costruire una panca per noi due con le sue mani perché la sua famiglia lavora il legno da sei generazioni. E poi potremmo tornare verso casa con il nostro vecchio carro...

«Cos'è il servizio in guanti bianchi alla francese?» chiede Suze, guardando perplessa una pagina pubblicitaria.

«Non lo so» rispondo. «Ehi, Suze, guarda! Dici che il bouquet dovrei farmelo io?»

«Fare cosa?»

«Guarda!» Le indico la pagina. «Puoi confezionare i fiori con la carta crespa per un bouquet originale e creativo.»

«Tu? Fiori di carta?»

«Perché no?» ribatto, leggermente irritata dal suo tono. «Sono una persona molto creativa, sai...»

«E se piove?»

«Non può piovere...» ma poi mi blocco appena in tempo.

Stavo per dire: "Non può piovere dentro il Plaza".

«Non può piovere, lo so» dico invece, e giro la pagina. «Oh, guarda queste scarpe!»

«Signore, cominciamo!» Alziamo lo sguardo e vediamo Cynthia tornare da noi con una cartellina rigida in mano. Si accomoda su una seggiolina dorata e noi la fissiamo con grande attenzione.

«Niente, nella vita» attacca, «può prepararvi all'esperienza di comprare il vostro abito da sposa. Potete pensare di sapere tutto sull'acquisto dei vestiti» e qui Cynthia fa un sorriso e scuote la testa, «ma comprare un abito da sposa è diverso. Noi di Dream Dress diciamo sempre "tu non scegli il tuo vestito..."»

«Ma è il vestito che sceglie te?» suggerisce Suze.

«No» ribatte Cynthia con un moto di fastidio. «Tu non scegli il tuo vestito» ripete, rivolta verso di me, «tu incontri il tuo vestito. Così come hai incontrato il tuo uomo, ora è il momento di incontrare il tuo vestito. E, le assicuro, signorina, c'è un vestito che aspetta solo lei. Potrebbe essere il primo che prova» Cynthia indica una semplice tunica accollata che scopre le spalle e la schiena, «oppure il ventesimo. Ma quando indossa il vestito giusto... sentirà un colpo qua.» Indica il plesso solare. «È come innamorarsi. Lo capirà.»

«Davvero?» Mi guardo intorno, sempre più impaziente. «E come lo capirò?»

«Diciamo... che lo capirà.» Mi rivolge un sorriso saggio. «Ha già qualche idea?»

«Be', ovviamente, qualche idea me la sono fatta...»

«Bene! È sempre utile restringere un po' il campo. Allora, prima di cominciare, lasci che le faccia qualche domanda.» Toglie il cappuccio alla penna. «Cercava qualcosa di semplice?»

«Assolutamente» rispondo, annuendo convinta. «Molto semplice ed elegante. O anche elaborato» aggiungo, adocchiando un abito incredibile con una cascata di rose sul dietro.

«Allora. Semplice o elaborato...» dice, scrivendo sul taccuino. «Lo desiderava ricamato o con applicazioni di perline?»

«Magari.»

«Okay. Con le maniche o senza?»

«Possibilmente senza» rispondo. «Altrimenti con le maniche.»

«Lo voleva con lo strascico?»

«Oh, sì!»

«Ma non ti dispiacerebbe se fosse senza, no?» interviene Suze, che sta sfogliando "Il meglio delle acconciature". «Voglio dire, potresti sempre mettere uno di quei lunghissimi veli.»

«È vero. Ma mi piace l'idea dello strascico...» La fisso, colpita da un'idea improvvisa. «Ehi, Suze, se aspettassimo un paio d'anni a sposarci, il tuo bambino potrebbe reggermi lo strascico!»

«Oh!» Suze si porta le mani alla bocca. «Sarebbe così carino! Ma se poi inciampa? E se si mette a piangere?»

«Non importa. Potremmo prendergli un vestitino fantastico, sai...»

«Se non vi dispiace, vorrei tornare a...» Cynthia ci sorride e studia i suoi appunti. «Allora. Stiamo cercando qualcosa di semplice o elaborato, con o senza maniche, possibilmente con applicazioni e/o ricami, e con lo strascico oppure senza.»

«Esattamente.» Mi guardo attorno per il negozio. «Ma tenga conto che sono una persona molto flessibile!»

«Bene.» Cynthia fissa ancora i suoi appunti per qualche istante, senza parlare. «Bene» ripete infine, «l'unico modo per scoprirlo è provare qualche abito. Su, cominciamo!»

Perché non l'ho mai fatto prima? Provare abiti da sposa è la cosa più divertente che io abbia mai fatto in vita mia. Cynthia mi accompagna in uno spazioso camerino tappezzato con una carta da parati in bianco e oro con i cherubini, e un grande specchio. Poi mi fa indossare un body di pizzo e un paio di scarpe di raso col tacco alto e la sua assistente comincia a portare i vestiti a cinque per volta. Provo abiti aderenti di chiffon scollati sulla schiena, abiti che ricordano il tutù delle ballerine, con il corpino stretto e moltissimi strati di tulle, vestiti di duchesse e pizzo chantelle, abiti semplicissimi con strascichi sensazionali, vestiti coperti di lustrini...

«Quando trova quello giusto lo capirà» continua a dire Cynthia, mentre l'assistente non smette un secondo di armeggiare con gli attaccapanni. «Lei continui a provare.»

«Certo!» rispondo felice, infilandomi in un abito senza spalline con il corpino di pizzo incrostato di perline e la gonna molto ampia e tutta frusciante. Esco dal camerino e sfilo davanti a Suze.

«È fantastico!» dice lei, «ancora meglio di quello con le spalline sottili.»

«Lo so! Ma continua a piacermi di più quello con le maniche di pizzo che scendono oltre le spalle...» dico, osservandomi con occhio critico. «Quanti ne ho provati finora?»

«Mmm... trentacinque» risponde Cynthia guardando la sua lista.

«E quanti ne ho indicati come possibili?»

«Trentadue.»

«Davvero?» esclamo, sorpresa. «Quali non mi piacevano?»

«I due rosa e il robe-manteau.»

«Oh, no. Il robe-manteau non mi dispiaceva affatto. Lo aggiunga tra quelli possibili.» Vado ancora un po' avanti e indietro, poi mi guardo attorno per vedere se c'è qualcosa che non ho ancora provato. Mi fermo davanti a un espositore di abitini per le damine dei fiori e sospiro, un po' più forte di quanto avessi intenzione. «Dio, quanto è difficile. Un abito... *uno solo*.»

«Non credo che Becky abbia mai comprato un solo capo prima d'ora» spiega Suze a Cynthia. «Sa, per lei è uno shock culturale.»

«Non vedo perché non posso indossarne più di uno. Voglio dire, dovrebbe essere il giorno più bello della nostra vita, no? Bisognerebbe poterne indossare... almeno cinque.»

«Sarebbe fantastico!» osserva Suze. «Potresti sceglierne uno molto romantico per l'ingresso in chiesa, uno più elegante per uscire... uno per il cocktail...»

«Uno molto sexy per ballare... e un altro per...»

«Perché Luke possa strappartelo di dosso» conclude Suze con gli occhi che le brillano.

«Signore!» esclama Cynthia, con una risatina. «Rebecca, lo so che è difficile, ma prima o poi dovrà scegliere! Se il matrimonio è a giugno, lei ha già aspettato troppo.»

«Come posso aver aspettato troppo?» ribatto, allibita. «Mi sono appena fidanzata!»

Cynthia scuote la testa.

«In termini di scelta dell'abito da sposa, è tardi. Quello che noi raccomandiamo sempre alle spose è che se desiderano un fidanzamento breve, dovrebbero cominciare a cercare l'abito prima di fidanzarsi.»

«Oh, Dio» faccio io con un sospiro desolato. «Non avevo idea che fosse tutto così complicato.»

«Prova quello laggiù in fondo» suggerisce Suze. «Quello con le maniche a campanella di chiffon. Quello non l'hai ancora provato, no?»

«Oh» faccio io, sorpresa. «No.»

Porto l'abito nel camerino, mi libero della gonna frusciante, e lo indosso.

È svasato sui fianchi, aderente in vita, e cade a terra formando un piccolo strascico increspato. Lo scollo mette in risalto il viso, e il colore è perfetto per la mia carnagione. Me lo sento bene. Mi sta bene.

«Ehi» dice Suze, quando esco. «Che bello!»

«Bello, vero?» dico, salendo sulla piattaforma.

Mi guardo allo specchio e provo una sensazione di piacere. È un abito semplice, ma mi sta benissimo. Sembro più snella, la mia carnagione è luminosa... Dio, forse è quello giusto!

Nel salottino c'è silenzio.

«Lo sente qui?» dice Cynthia, portandosi una mano allo stomaco.

«Non lo so. Credo di sì.» Mi lascio sfuggire una risatina nervosa. «Credo che potrebbe andare.»

«Lo sapevo. Visto? Quando trovi l'abito giusto, ti colpisce. Non si può creare a tavolino. Quando trovi quello giusto, lo capisci.»

«Ho trovato il mio vestito!» dico, sorridendo a Suze.

«Finalmente!» Cynthia appare sollevata. «Beviamo un bicchiere di champagne per festeggiare!»

Mentre lei si allontana, mi guardo di nuovo allo specchio. Ecco. Questo dimostra che non si può mai sapere. Chi avrebbe mai detto che avrei scelto le maniche a campanella?

Una commessa mi passa accanto con un altro vestito e lo sguardo mi cade su un corpino di seta ricamata, legato con dei nastrini.

«Ehi, che bello! Cos'è?»

«Lasci perdere» dice Cynthia, porgendomi un bicchiere di champagne. «Lei ha già trovato il suo vestito!» e alza il bicchiere per brindare. Ma io non riesco a ignorare quel corsetto con i nastrini.

«Forse dovrei provarlo. Velocemente.»

«Sai cosa stavo pensando?» dice Suze, alzando lo sguardo dalla rivista che sta sfogliando. «Forse dovresti cercare un abito che non sia proprio un abito da sposa. Magari... colorato!»

«Uau!» esclamo fissando Suze, mentre la mia fantasia sta già galoppando. «Rosso!»

«Oppure un tailleur pantalone» suggerisce Suze, mostrandomi una foto. «Che ne dici di questo?»

«Ma lei ha già trovato il suo vestito!» si intromette Cynthia, con una vocetta stridula. «Non è necessario cercare oltre! Questo è quello giusto.»

«Mmm...» Faccio una smorfia. «Sa, non ne sono poi così sicura.»

Cynthia mi guarda fissa e per un terribile istante penso che stia per buttarmi in faccia lo champagne.

«Pensavo che questo fosse l'abito dei suoi sogni.»

«È l'abito di alcuni dei miei sogni» puntualizzo. «Io ho un sacco di sogni. Potremmo tenerlo da parte come una delle possibili scelte?»

«D'accordo. Una delle possibili scelte. Me lo annoto.»

Mentre si allontana, Suze si appoggia allo schienale del divano e mi sorride. «Oh, Bex, sarà così romantico! Tarkie e io siamo andati a vedere la chiesa dove vi sposerete. È bellissima!»

«Sì, è bella» convengo, soffocando il senso di colpa.

Ma perché poi dovrei sentirmi in colpa? Niente è ancora deciso. Non ho già scelto il Plaza. Potremmo ancora sposarci a Oxshott.

Forse.

«Tua madre ha intenzione di mettere un arco di rose sopra il cancello, e mazzi di rose uguali su tutte le panche... e tutti gli invitati riceveranno una rosa da appuntare sul petto. Pensava alle rose gialle, ma dipende dagli altri colori...»

«Oh, certo. Be', non sono ancora del tutto sicura...» Lascio la frase in sospeso, vedendo nello specchio la porta del negozio che si apre.

Sta entrando Robyn, con un tailleur lilla e la sua borsetta di Coach. Incrocia il mio sguardo nello specchio e mi saluta con la mano.

Cosa ci fa qui?

«E poi, su ogni tavolo, un mazzolino di fiori...»

Robyn sta venendo verso di noi. Non mi sento del tutto tranquilla.

«Ehi, Suze!» dico con quello che spero sia un sorriso disinvolto. «Perché non vai a dare un'occhiata a quei cuscini per gli anelli, laggiù?»

«Cosa?» Suze mi guarda come fossi impazzita. «Non dirmi che pensi di prendere il cuscino? Ti prego! Ma allora sei diventata una vera americana.»

«Be', allora guarda i diademi. Che ne dici?»

«Bex, cosa c'è che non va?»

«Niente!» rispondo, tutta allegra. «Pensavo che volessi... Oh, salve, Robyn!» Mi sforzo di avere un sorriso cordiale.

«Becky!» esclama lei. «Quel vestito è semplicemente splendido! Sei adorabile. Pensi che sia quello giusto?»

«Non ne sono del tutto sicura.» Ho un'espressione così falsa che mi fanno male i muscoli della faccia. «Come hai fatto a sapere che ero qui? Devi essere telepatica.»

«Cynthia mi ha detto che saresti venuta. È una mia vecchia amica.» Robyn si volta verso Suze. «E questa è la tua amica inglese, vero?»

«Oh... sì. Suze, ti presento Robyn. Robyn, questa è Suze.»

«Suze? La damigella d'onore? Oh, che piacere conoscerti. Sarai semplicemente magnifica in...» Lascia cadere lo sguardo sulla pancia di Suze e resta senza parole. «Cara, ma sei proprio incinta?»

«A giugno il bambino sarà già nato» la rassicura Suze.

«Bene!» Robyn si rilassa visibilmente. «Come stavo dicendo, sarai magnifica in viola!»

«Viola?» Suze è perplessa. «Avevo capito che mi sarei vestita di blu.»

«No. Assolutamente di viola.»

«Bex, sono sicura che tua madre ha detto...»

«Be', comunque sia» mi affretto a interromperle. «Robyn, ora sono un po' impegnata...»

«Lo so, e non voglio esserti di intralcio. Ma, visto che sono qui, ci sono un paio di cosette... solo due secondi, te lo prometto!» Fruga nella borsa e tira fuori l'agenda. «Innanzitutto, abbiamo ricevuto la conferma da parte dell'orchestra, che ti manderà un elenco di brani da approvare. Poi, cos'altro...» prosegue, consultando l'agenda.

«Ottimo!» Lancio un'occhiata a Suze che sta osservando Robyn con aria perplessa. «Perché non mi dai un colpo di telefono, così ne parliamo con calma?»

«Non ci vorrà molto! L'altra cosa era... abbiamo fissato una degustazione al Plaza per il ventitré nella sala dello chef. Gli ho riferito la tua opinione sulla pescatrice, quindi sta pensando a un altro pesce.» Robyn volta pagina. «Ah, sto ancora aspettando la tua lista degli invitati!» Alza lo sguardo e mi ammonisce con un dito, con aria di finto rimprovero. «Presto dovremo pensare agli inviti. Specialmente per gli ospiti d'oltreoceano.»

«D'accordo. Lo farò» dico con un filo di voce.

Non oso guardare Suze.

«Bene! Ci vediamo da Antoine lunedì alle dieci. Vedessi che torte... da svenire! Okay, ora devo proprio scappare.» Chiude l'agenda e sorride a Suze. «È stato un piacere conoscerti, Suze. Ci vediamo al matrimonio!»

«Certo. Ci vediamo!» risponde Suze, un po' troppo sorridente.

La porta si chiude alle spalle di Robyn e io deglutisco, il volto in fiamme.

«Bene... sarà meglio che mi cambi.»

Mi dirigo verso il camerino senza incrociare lo sguardo di Suze. Un attimo dopo entra anche lei. «Chi era quella?» mi chiede, eccessivamente tranquilla, mentre io mi abbasso la cerniera.

«Quella? Quella era Robyn. Simpatica, vero?»

«E di cosa stava parlando?»

«Le solite chiacchiere da matrimonio... mi dai una mano a togliere il corsetto?»

«Perché è convinta che ti sposerai al Plaza?»

«Mmm... non lo so!»

«Invece sì che lo sai! E anche quella donna, alla festa!» d'un tratto la voce di Suze si fa severa. «Bex, cosa sta succedendo?»

«Niente!»

Suze mi stringe una spalla.

«Bex, smettila. Tu non ti sposi al Plaza, vero?»

La guardo fissa, sentendomi avvampare.

«È... una possibilità» ammetto, alla fine.

«Cosa intendi dire, una possibilità?» Suze mi guarda, ritraendo la mano. «Come può essere una possibilità?»

Sistemo l'abito sulla gruccia, cercando di guadagnare tempo, cercando di soffocare il senso di colpa che sento crescere dentro. Forse, se mi comporto come se fosse una cosa normale, potrebbe diventarlo.

«È solo che... be', Elinor si è offerta di organizzare un matrimonio in grande stile per me e Luke, e io non ho ancora deciso se accettare o no l'offerta.» Vedo l'espressione di Suze. «Cosa c'è?»

«Come sarebbe a dire "cosa c'è?"» protesta Suze. «Cosa mi dici del fatto che: a) tua madre sta già organizzando un matrimonio; b) Elinor è una stronza; c) tu sei completamente uscita di testa. Perché mai dovresti sposarti al Plaza?»

«Perché... perché...» Chiudo gli occhi un istante. «Suze, devi vederlo. Ci sarà un'orchestra d'archi, e caviale, ostriche, e sui tavoli cornici di Tiffany per tutti... e champagne Cristal, e la sala sembrerà una foresta incantata, ci saranno alberi di betulla veri e uccelli che cantano...»

«Alberi di betulla veri?» Suze fa una smorfia. «E cosa te ne fai?»

«Dovrà sembrare come nella *Bella Addormentata*! E io sarò la principessa e Luke...» Vedo la sua espressione di rimprovero e lascio la frase in sospeso.

«E tua madre?»

Silenzio. Mi fingo occupata a sganciare il corpetto. Non voglio pensare alla mamma in questo momento.

«Bex! E tua madre?»

«Dovrò solo... convincerla.»

«Convincerla?»

«L'ha detto lei che non devo accontentarmi delle mezze misure!» ribatto, sulla difensiva. «Se venisse a vedere il Plaza, e si rendesse conto...»

«Ma lei ha già fatto un sacco di preparativi! Quando siamo andati da loro non parlava d'altro. E... com'è che si chiama la vicina?»

«Janice.»

«Giusto. Chiamano la vostra cucina il "centro di controllo". Ci sono almeno sei lavagne e liste dappertutto, pezzi di stoffa... sono al settimo cielo.» Suze mi guarda seria. «Becky, non puoi dirgli che non se ne fa niente. Non puoi.»

«Elinor pagherebbe i biglietti.» Dalla mia voce traspare un sottile senso di colpa che fingo di non sentire. «Si divertirebbero un mondo! Potrebbero stare al Plaza, ballare tutta la notte, visitare New York... farebbero la vacanza più bella della loro vita!»

«L'hai già detto a tua madre?»

«No. Non le ho detto niente. Non ancora. Aspetto di essere sicura al cento per cento.» Suze mi guarda e socchiude gli occhi. «Bex, tu farai qualcosa, vero?» mi chiede, all'improvviso. «Non hai intenzione di infilare la testa sotto la sabbia e fingere che non stia succedendo niente?»

«No! Ma che dici! Non farei mai una cosa simile!» ribatto, indignata.

«Ricordati che stai parlando con me» mi fa notare. «Io so come sei fatta. Tu sei quella che gettava gli estratti conto della banca nei cassonetti dei rifiuti sperando che qualcun altro pagasse le tue spese!»

Ecco cosa succede. Tu racconti alle amiche i tuoi segreti più intimi, e loro li usano contro di te.

«Sono molto maturata da allora» dico, cercando di darmi un contegno. «Risolverò tutto. Ho solo bisogno di... di riflettere.»

Segue un lungo silenzio. Fuori, sento Cynthia che dice: «Qui a Dream Dress il nostro motto è "Tu non scegli il tuo vestito..."».

«Senti, Bex» dice Suze alla fine, «non posso prendere questa decisione al posto tuo. Nessuno può farlo. Tutto quello che ti posso dire è che, se hai intenzione di rinunciare al matrimonio di tua madre, devi farlo adesso.»

The Pines
43 Elton Road
Oxshott
Surrey

MESSAGGIO FAX

A: BECKY BLOOMWOOD
DA: MAMMA

20 marzo 2002

Becky, tesoro mio,
splendide notizie!

Forse hai saputo che Suzie ha rovesciato il caffè sull'abito da sposa. Era sconvolta, poverina!

Ma io ho portato il vestito in lavanderia e... hanno fatto un vero miracolo! Adesso è di nuovo bianco come la neve e potrai indossarlo per il matrimonio.

Ti abbraccio forte.
Ci sentiamo presto.

Baci, mamma.

7

Okay, Suze ha ragione. Non posso più rinviare. Devo decidere.

Il giorno dopo la sua partenza, durante l'ora di pranzo, mi siedo nel mio salottino di prova con carta e penna. Devo affrontare la questione scientificamente. Stabilire i pro e i contro, valutarli, e poi prendere una decisione razionale. Bene. Cominciamo.

A favore di Oxshott
1. La mamma sarà felice
2. Papà sarà felice
3. Sarà un bel matrimonio.

Fisso l'elenco per qualche secondo, quindi inizio un'altra colonna.

A favore di New York
1. Sarà il matrimonio più sfolgorante mai visto al mondo.

Oh, Dio. Mi nascondo la faccia tra le mani. Sulla carta non è più facile. Anzi, è ancora più difficile, perché il dilemma è lì davanti a me in tutta la sua evidenza anziché sparire dove vorrei, e cioè in un angolo remoto della mia mente, dove non devo essere costretta ad affrontarlo.

«Becky?»

«Sì?» Alzo lo sguardo, coprendo automaticamente il foglio con la mano. Sulla porta del mio salottino di prova c'è Elise, una delle mie clienti. È un avvocato trentacinquenne, esperta in diritto societario, ed è appena stata trasferita a Hong Kong per un anno. A dire il vero mi mancherà. È sempre piacevole parlare con lei, anche se non ha il minimo senso dell'umorismo. Credo che a lei piacerebbe averlo... è solo che non capisce a cosa servano le battute.

«Ciao, Elise!» dico, sorpresa. «Abbiamo un appuntamento? Credevo partissi oggi.»

«Domani. Ma prima di partire volevo prenderti un regalo per il matrimonio.»

«Oh, ma non è il caso!» esclamo, tutta compiaciuta.

«Volevo solo chiederti dove hai fatto la lista.»

«La lista? Ah, la lista di nozze... veramente non ci ho ancora pensato.»

«No?» Elise aggrotta la fronte. «E allora come faccio a prenderti un regalo?»

«Be'... andrà bene una cosa qualsiasi.»

«Senza la lista?» Elise mi guarda, smarrita. «Ma cosa potrei comprarti?»

«Non lo so! Qualsiasi cosa!» rispondo con una risatina. «Che so... un tostapane?»

«Un tostapane. D'accordo.» Elise fruga dentro la borsa alla ricerca di un pezzo di carta. «Che modello?»

«Non ne ho idea. È la prima cosa che mi è venuta in mente. Senti, Elise, comprami qualcosa a Hong Kong.»

«Fai una lista anche là?» chiede lei, sgranando gli occhi. «In che negozio?»

«Ma no! Volevo dire...» Sospiro. «Okay, senti, quando faccio la lista, te lo faccio sapere. Probabilmente potrai fare tutto via Internet.»

«D'accordo.» Elise ripone il foglietto e mi rivolge un'occhiata di disapprovazione. «Ma dovresti farla al più presto. La gente vorrà sapere che regali farti.»

«Scusami» dico. «E comunque, divertiti a Hong Kong.»

«Grazie.» Elise esita, quindi si avvicina e mi dà un bacio sulla guancia. «Ciao, Becky. E grazie per il tuo aiuto.»

Quando se n'è andata, torno a sedermi e guardo il foglio davanti a me, cercando di concentrarmi.

Ma non riesco a non pensare a quel che ha detto Elise.

E se avesse ragione? E se ci fosse un sacco di gente che vuole farci un regalo e non può?

Mi sento assalire da un improvviso timore. E se, non potendo farlo, rinunciassero?

Sollevo il ricevitore e digito il numero di Luke in automatico.

Mentre aspetto, mi viene in mente che l'altro giorno avevo promesso di non chiamarlo più al lavoro per parlargli di quelle che lui ha definito "banalità matrimoniali". In effetti, l'ho tenuto mezz'ora al telefono per descrivergli tre diversi modi di apparecchiare la tavola e, a quanto pare, lui ha perso una telefonata importantissima dal Giappone.

Ma questa è un'eccezione, no?

«Senti» gli dico, appena risponde, «dobbiamo fare la lista al più presto!»

«Becky, sono in riunione. Non puoi aspettare?»

«No! È importante.»

Silenzio. Poi sento Luke che dice: «Se volete scusarmi un momento...».

«Va bene» mi dice, tornando al telefono, «ricomincia da capo. Qual è il problema?»

«Il problema è che la gente sta cercando di farci dei regali. C'è bisogno della lista di nozze. Se non hanno niente da comprarci, potrebbero rinunciare.»

«E allora fai questa lista.»

«È già un po' che voglio farla. Ho aspettato e aspettato che tu avessi una serata libera...»

«Ho avuto da fare» ribatte lui, sulla difensiva. «Non ci posso far niente.»

So perché reagisce così. Perché ogni sera ha lavorato per promuovere la fondazione di Elinor. E lui sa cosa penso della questione.

«Be', bisogna assolutamente farla» insisto. «Dobbiamo decidere quello che vogliamo.»

«Devo esserci anch'io?»

«Certo! Non ti interessa che piatti avremo?»

«Francamente no.»

«No?» Inspiro a fondo, pronta a lanciarmi in una tirata della serie "se non ti interessano i nostri piatti, forse non ti interessa neanche il nostro rapporto", ma poi, di colpo, mi rendo conto che così potrò scegliere esattamente ciò che voglio.

«D'accordo. Lo farò io. Va bene se vado da Crate and Barrel?»
«Benissimo. Ah, ho promesso a mia madre che questa sera andremo a casa sua per un drink. Alle sei e mezzo.»
«Ah. Va bene. Ci vediamo là. Devo chiamarti da Crate and Barrel per farti sapere cosa ho messo nella lista?»
«Becky» risponde lui, imperturbabile, «se mi chiami ancora una volta in ufficio per parlarmi di questo matrimonio, è possibile che non ci sarà più nessun matrimonio.»
«Bene! Benissimo! Se non ti interessa, organizzerò tutto io e ci vedremo all'altare. Ti va bene, così?»
Cade il silenzio e capisco che Luke sta ridendo.
«Vuoi una risposta sincera o una risposta da punteggio massimo nel test di "Cosmopolitan" "Il tuo uomo ti ama davvero?".»
«Dammi la risposta da punteggio massimo» dico dopo un attimo di riflessione.
«Becky, voglio essere coinvolto anche nel più piccolo dettaglio del nostro matrimonio» recita Luke serio, «e capisco perfettamente che, se dimostrassi una qualsiasi mancanza di interesse, sarebbe un segno che non ti rispetto come donna e come la persona matura, altruista ed equilibrata che sei, e quindi non ti merito.»
«Abbastanza buona come risposta» ammetto, a denti stretti. «Ora dammi quella sincera.»
«Ci vediamo all'altare.»
«Ah, ecco. Be', ti dico solo che te ne pentirai, quando dovrai indossare uno smoking rosa.»
«Hai ragione» dice lui. «Ma ora devo proprio andare. Ci vediamo dopo.»
«Ciao.»
Riattacco e prendo borsa e cappotto. Lancio un'ultima occhiata al mio foglio e provo una fitta di rimorso. Forse dovrei restare qui a riflettere e cercare di prendere una decisione.
Comunque sia, Inghilterra o America, avremo sempre bisogno di una lista di nozze, no? Quindi, in un certo senso, è più saggio andare prima a fare la lista e poi decidere dove sposarsi.
Appunto.

Solo dopo essere entrata da Crate and Barrel mi rendo conto di non sapere nulla di liste nozze. Per il matrimonio di Tom e Lucy ho fatto un regalo cumulativo con i miei genitori, e ha pensato a tutto la mamma. L'unica altra persona sposata che conosco è Suze, e lei e Tarquin non avevano fatto la lista.

Mi guardo intorno, chiedendomi da che parte cominciare. È un negozio allegro e pieno di luce, con tavole apparecchiate qua e là, scaffali di bicchieri scintillanti, espositori di coltelli e pentole di acciaio.

Sto andando verso una piramide di casseruole lucentissime, quando noto una ragazza con la coda di cavallo girare per il negozio e prendere appunti su un modulo. Mi avvicino, cercando di capire che cosa sta facendo, e riesco a vedere sul foglio le parole "Lista di nozze Crate and Barrel". Sta compilando la lista di nozze! Bene. Posso guardare come fa.

«Scusa» mi dice d'un tratto, alzando lo sguardo. «Tu te ne intendi di pentole? Sai a cosa serve questa?»

E solleva una padella. Io non riesco a trattenere un sorriso. Caspita, ma questi newyorchesi non sanno proprio nulla! Probabilmente non ha mai cucinato in vita sua.

«È una padella per friggere» rispondo, cortese. «Serve per friggerci le cose.»

«Okay. E questa?»

Prende un'altra pentola col fondo zigrinato e due manici. «Accidenti. E questa a cosa diavolo serve?»

«Mmm... credo che sia... una teglia... una piastra...»

«Va be'.» La guarda con aria perplessa, e io mi allontano in fretta. Supero un'esposizione di scodelle per cereali in ceramica e arrivo davanti a un terminale contrassegnato da un cartello LISTE DI NOZZE. Forse è qui che si prendono i moduli.

"Benvenuti da Crate and Barrel" dice un allegro messaggio sullo schermo. "Siete pregati di inserire gli articoli di vostra scelta."

Digito distrattamente qualche tasto e intanto ascolto una coppia alle mie spalle che discute di piatti.

«Io non voglio essere un tipo da stoviglie di terracotta» sta dicendo la ragazza, sull'orlo delle lacrime.

«Be', allora cosa vuoi essere?» ribatte l'uomo.

«Non lo so!»

«Stai forse dicendo che sono io il tipo da terracotta, Marie?»

Oh, Dio, devo smetterla di origliare. Abbasso nuovamente

lo sguardo sullo schermo e mi blocco, sorpresa. Sono arrivata al punto in cui si consultano le liste dei futuri sposi per poter comprar loro un regalo. Sto per premere USCITA e lasciar perdere, quando ci ripenso.

Sarebbe divertente vedere cos'hanno scelto gli altri, no?

Digito con cautela il nome "R. Smith" e premo INVIO.

Con mia grande sorpresa sullo schermo compare un elenco di coppie.

Rachel Smith e David Forsyth, Oak Springs, Massachusetts.

Annie M. Winters e Rod Smith, Raleigh, North Carolina.

Richard Smith e Fay Bullock, Wheaton, Illinois.

Leroy Elms e Rachelle F. Smith...

Che figata! Okay, vediamo cos'hanno scelto Rachel e David. Premo INVIO e un attimo dopo dalla stampante comincia a uscire un foglio.

Coppa in vetro caviale/gamberi	4
Piatto torta con piedini e cupola	1
Ciotola per ninfee	2
Decanter classico...	

Accipicchia, è proprio interessante. Anch'io voglio una ciotola per ninfee. E una coppa per i gamberi.

Okay, adesso vediamo cos'hanno scelto Annie e Rod. Premo di nuovo INVIO e compare un'altra lista.

Accidenti, Annie e Rod amano i servizi da cocktail! Chissà perché hanno chiesto sei secchielli da ghiaccio.

Questa cosa è un vero sballo! Vediamo cosa vogliono Richard e Fay. E poi Leroy e Rachelle... Stampo le liste di entrambe le coppie e mentre decido se provare con un altro cognome – che so... Brown – una voce mi dice: «Posso esserle utile, signorina?». Mi volto di scatto e vedo un commesso che mi sorride. La targhetta con il nome mi dice che si chiama "Bud". «Ha difficoltà a rintracciare la lista che desidera?»

Mi sento avvampare per l'imbarazzo.

Non posso certo confessare che stavo solo curiosando.

«Io... a dire il vero l'ho trovata.» Afferro una lista a caso. È quella di Richard e Fay. «Sono dei miei amici, Richard e Fay» proseguo, schiarendomi la gola. «Voglio scegliere un regalo per loro. Sono qui per questo. E poi volevo fare una lista anch'io.»

«Bene. Occupiamoci prima del regalo. Cosa voleva prendere?»

«Mmm... vediamo...» Guardo di nuovo l'elenco.

Su, non puoi comprare un regalo per due perfetti estranei. Confessa la verità e ammetti che stavi curiosando.

«Qualche idea?»

«Le coppette da insalata» mi sento dire.

«Ottima scelta!» Bud mi accompagna alla cassa più vicina. «Ha già in mente un messaggio?»

«Un messaggio?»

«Sì, per i suoi amici.» Prende una penna e mi guarda, fiducioso.

«Mmm, be'... a Richard e Fay» dico, con qualche difficoltà. «Auguri di una bella festa. Con affetto da Becky.»

«E il cognome? Per essere certi che capiscano da chi viene il regalo.»

«Mmm... Bloomwood.»

«Con affetto, da Becky Bloomwood» ripete Bud, scrivendo attentamente.

Me li vedo, Richard e Fay che leggono il biglietto e si guardano perplessi.

Oh, insomma! Intanto si sono beccati quattro coppette da insalata gratis, giusto?

«E ora, occupiamoci della sua lista!» annuncia Bud tutto allegro, mentre passa la mia carta di credito nel lettore. «Questo è il modulo che deve riempire girando per il negozio. Vedrà che la maggior parte dei nostri articoli è divisa in sezioni...»

«Ah, bene. Che tipo di...»

«Utensili, piatti, pentolame, bar, bicchieri, vetro...» fa una pausa per riprendere fiato, «e varie.»

«Bene.»

«Decidere cosa prendere per una casa nuova può sembrare un'impresa ardua» dice, sorridendo. «Quindi io suggerisco sempre di partire dagli articoli fondamentali, pensando alle necessità di tutti i giorni e da lì andare avanti. Se ha bisogno di me, mi dia una voce.»

«Fantastico. Mille grazie.»

Bud si allontana e io mi guardo attorno, pregustando il divertimento. Non ricordo di essere stata così eccitata dai tempi delle letterine a Babbo Natale. E comunque, allora, la mamma mi stava sempre dietro dandomi dei consigli tipo: "Non sono sicura che Babbo Natale possa portarti un paio di vere scarpette coi rubini, tesoro. Perché invece non gli chiedi un bell'album da colorare?".

Ma adesso non c'è nessuno a dirmi cosa posso o non posso chiedere. Posso scrivere tutto quello che voglio. Posso scegliere quei piatti laggiù... e quella caraffa... quella sedia... sempre ammesso che la desideri, voglio dire. Potrei chiedere tutto, l'intero negozio!

In teoria.

Ma non ho intenzione di lasciarmi trasportare. Comincerò dalle necessità di tutti i giorni, come ha suggerito Bud. Con questa gradevole sensazione di acquisita maturità, mi avvio verso il settore degli articoli da cucina e studio attentamente gli scaffali.

Oh, le pinze per le aragoste! Ne prenderò qualcuna. E quelle deliziose forchettine per le pannocchie! Ah, guarda queste margheritine di plastica... non so proprio a cosa servano, ma sono così carine!

Annoto con cura tutti i numeri di codice sulla mia lista. Bene. Cos'altro? Mi guardo attorno e la mia attenzione viene attratta da uno scintillante schieramento di oggetti cromati.

Accidenti! Dobbiamo assolutamente avere una macchina per lo yogurt gelato. E una piastra per fare le cialde. E una teglia per cuocere il pane, una centrifuga per i succhi e un fornetto Pro Chef Premium. Prendo nota dei codici e riprendo a guardarmi intorno con un sospiro soddisfatto. Perché non ho mai fatto una lista nozze prima d'ora? Pensate, fare acquisti senza spendere niente!

Avrei dovuto sposarmi molto tempo fa.

«Scusa?» La ragazza con la coda di cavallo si è spostata alla sezione coltelli. «Sai cos'è un trinciapollo?» mi chiede, mostrandomi un attrezzo che non ho mai visto prima in vita mia.

«È un... attrezzo per trinciare il pollo, credo.»

Ci guardiamo con aria interrogativa per qualche secondo, poi la ragazza fa spallucce e lo aggiunge alla sua lista.

Forse lo prenderò anch'io. E pure uno di quei bellissimi tritaerbe. Senza dimenticare la torcia a gas professionale per fare la crème brûlée.

Non che io l'abbia mai fatta, ma quando sarò sposata non potrò esimermi. All'improvviso mi vedo col grembiule, mentre con una mano termino la crème brûlée e con l'altra rifinisco il coulis di frutta preparato in casa, davanti agli sguardi ammirati di Luke e di un gruppo di ospiti brillanti e simpatici.

«Dove hai fatto le altre liste?» mi chiede la ragazza, esaminando incuriosita una frusta per le uova.

La guardo, sorpresa.

«Cosa vuoi dire? Se ne può fare più di una?»

«Ma certo! Io ne ho fatte tre. Una qui, una da Williams-Sonoma e una da Bloomingdale. Là è fighissimo... ti danno una specie di pistola con cui puoi inserire direttamente gli articoli...»

«Tre liste!» Non riesco a non manifestare la mia eccitazione.

Ma in effetti, a pensarci bene, perché limitarsi a tre?

E così, quando arrivo a casa di Elinor quella sera, ho già preso appuntamento per la lista nozze da Tiffany, Bergdorf, Bloomingdale e Barneys, ho ordinato il catalogo di Williams-Sonoma e ho anche aperto una lista on-line.

Non ho avuto un attimo di tempo per pensare a dove ci sposeremo, ma d'altro canto ci si occupa prima delle priorità.

Quando Elinor viene ad aprirmi la porta, mi accoglie il suono della musica e un gradevole profumo di fiori. Lei indossa un abito a vestaglia e i capelli sembrano meno rigidi del solito. Mentre mi bacia sulla guancia mi stringe appena la mano.

«Luke è già qui» annuncia, facendo strada lungo il corridoio. «Belle le tue scarpe. Sono nuove?»

«Mmm, veramente sì. Grazie!» Sono allibita. Non mi ha mai fatto un complimento prima, neppure una volta.

«Sei dimagrita? Ti trovo bene» aggiunge.

Sono così sbalordita che mi fermo per qualche secondo, e poi sono costretta ad allungare il passo per raggiungerla. Possibile che Elinor Sherman, dopo tutto questo tempo, si stia sforzando di essere carina con me? Non riesco a crederci.

Ma, ora che ci penso, anche verso la fine della festa di fidanzamento è stata piuttosto gentile. Ha detto che non inserirmi nell'elenco degli invitati è stato un deprecabile errore e che le dispiaceva moltissimo.

No, veramente, non ha detto che le dispiaceva... ha detto che avrebbe fatto causa agli organizzatori della festa. Ma comunque... quello che importa è che abbia dimostrato interesse per la cosa, no?

Forse l'ho giudicata male. Forse tutti noi l'abbiamo giudicata male. Forse sotto quell'apparenza distaccata si nasconde una persona totalmente diversa. Ma certo! Dev'essere così. Si è costruita una corazza impenetrabile perché è vulnerabile e insicura. E io sono la sola persona che l'ha intuito e quando sarò riuscita a far emergere la vera Elinor, tutta l'alta società newyorchese si meraviglierà e Luke mi amerà ancora di più e la gente mi chiamerà "la ragazza che ha cambiato Elinor Sherman" e...

«Becky?» La voce di Luke penetra nei miei pensieri. «Ti senti bene?»

«Sì» rispondo, accorgendomi appena in tempo che stavo urtando il tavolino. «Sto benissimo!»

Mi siedo accanto a lui sul divano, Elinor mi porge un bicchiere di vino ghiacciato e io lo sorseggio osservando le luci scintillanti di Manhattan che si perdono in lontananza. Elinor e Luke stanno discutendo della Fondazione e io mi distraggo sgranocchiando mandorle salate. Torno alla mia fantasia, al punto in cui Elinor sta dicendo, rivolta a una sala gremita: "Becky Bloomwood non è soltanto una nuora modello, ma un'amica preziosa" e io sorrido con modestia ai presenti che iniziano ad applaudire, ma poi un rumore secco e brusco mi riporta alla realtà, facendomi rovesciare qualche goccia di vino.

Elinor ha chiuso l'agenda rilegata in coccodrillo sulla quale stava prendendo appunti. La ripone, abbassa leggermente il volume della musica e si rivolge direttamente a me.

«Rebecca.»

«Sì?»

«Ti ho chiesto di venire qui questa sera perché c'è una cosa di cui voglio discutere con te.» Mi versa dell'altro vino e io le sorrido.

«Ah sì?»

«Come tu ben sai, Luke è un giovane molto ricco.»
«Oh... sì, suppongo di sì» ribatto, leggermente imbarazzata.
«Ho parlato con i miei legali... e con quelli di Luke... e siamo tutti concordi. Quindi, vorrei darti questo...» Con un sorriso smagliante mi porge una spessa busta bianca, e ne dà una uguale a Luke.
La prendo con un brivido di aspettativa. Visto? Elinor sta già diventando più cordiale. Proprio come in Dallas. Probabilmente mi ha nominato socia di una qualche fondazione di famiglia, così, per darmi il benvenuto nella dinastia. Sì! Parteciperò ai consigli di amministrazione e insieme prepareremo qualche incredibile operazione finanziaria, e io porterò dei grossi orecchini...
Impaziente, apro la busta e ne estraggo un documento dattiloscritto di parecchi fogli. Ma, dopo aver letto le prime parole, tutta l'euforia svanisce.

Memorandum d'intesa
Tra Luke James Brandon (da qui in avanti definito "lo Sposo")
Rebecca Jane Bloomwood (da qui in avanti definita "la Sposa")

Non capisco. Memorandum di quale intesa? Che sia...
No, non può essere...
Sconcertata, guardo Luke sfogliare le stesse pagine, apparentemente perplesso quanto me.
«Mamma, cos'è questo?» chiede.
«È solo una precauzione» risponde Elinor con un sorriso distaccato. «Una specie di assicurazione.»
Oh, mio Dio. È un contratto prematrimoniale.
Con un leggero senso di nausea, inizio a sfogliare il documento. Sono circa dieci pagine, fitte di paragrafi che portano titoli tipo "Divisione delle proprietà in caso di divorzio" e cose simili.
«Un'assicurazione contro cosa, esattamente?» Il tono di Luke è indecifrabile.
«Non fingiamo di vivere nel mondo delle favole» ribatte Elinor, secca. «Sappiamo tutti cosa potrebbe succedere.»
«E sarebbe?»
«Luke, non creare difficoltà. Sai perfettamente cosa intendo

dire. E considerati i precedenti di Rebecca in fatto di... diciamo così... shopping...» Elinor lancia un'occhiata eloquente alle mie scarpe e, con una fitta di umiliazione, capisco il senso della domanda di poco prima.

Non stava cercando di essere gentile. Stava affilando le armi con cui attaccarmi.

Oh, come ho potuto essere così stupida? Sotto la corazza di Elinor non c'è un cuore tenero. Proprio no.

«Mi faccia capire bene» dico, respirando affannosamente. «Lei crede che io sia interessata a Luke solo per il suo denaro?»

«Becky, figurati se pensa una cosa simile!» esclama Luke.

«E invece sì!»

«Un contratto prematrimoniale è semplicemente una precauzione sensata.»

«Be', è una precauzione che non ritengo di dover prendere» ribatte Luke con una risatina.

«Mi permetto di dissentire» dice Elinor. «Non sto proteggendo solo te. Sto proteggendo entrambi» aggiunge, per niente convincente.

«Cosa crede? Che potrei divorziare da Luke e portargli via tutti i suoi soldi?»

Proprio come ha fatto lei con suo marito, sto per aggiungere, ma mi fermo appena in tempo. «Pensa che sia questo il motivo per cui lo sposo?»

«Becky...»

«Naturalmente, potrai esaminare con calma il testo dell'accordo e riflettere...»

«Non ho bisogno di esaminarlo.»

«Dunque ti rifiuti di firmarlo?» Elinor mi rivolge un'occhiata trionfante, come se avessi appena confermato i suoi sospetti.

«No!» rispondo con voce tremante. «Non mi rifiuto di firmarlo! Firmerò qualsiasi cosa! Non le permetterò di pensare che voglio i soldi di Luke!» Prendo la penna posata sul tavolo e comincio a firmare il primo foglio così furiosamente che la carta si lacera.

«Becky, non essere sciocca!» esclama Luke. «Mamma...»

«È tutto a posto. Firmerò ogni singola... maledetta...»

Con il volto in fiamme e gli occhi velati dalle lacrime, volto pagina dopo pagina continuando a firmare senza neppure guardare cosa c'è scritto. *Rebecca Bloomwood. Rebecca Bloomwood.*

«Io invece non lo firmo» annuncia Luke. «Non ho mai voluto un contratto prematrimoniale! E di certo non ho intenzione di firmare qualcosa che non ho mai visto in vita mia.»

«Ecco fatto.» Poso la penna e afferro la borsa. «Ora credo che andrò. Arrivederci, Elinor.»

«Becky...» dice Luke. E poi: «Mamma, come diavolo ti è saltato in mente di fare una cosa del genere?».

Mentre esco dall'appartamento, sento la testa pulsare furiosamente. Aspetto l'ascensore per qualche istante, poi, visto che non arriva, decido di prendere le scale, tremando di rabbia e mortificazione. Quella è convinta che io voglia solo i soldi di suo figlio. È convinta che sia una a caccia di uomini ricchi.

È questo che pensa la gente di me?

«Becky!» Luke mi sta inseguendo per le scale, scendendo i gradini a tre per volta. «Becky, aspetta. Mi dispiace. Non avevo idea...» Arrivati a pian terreno mi abbraccia forte, ma io resto immobile.

«Credimi, è stato uno shock anche per me.»

«Comunque... faresti meglio a firmare» gli dico, fissando il pavimento. «Devi proteggerti. È una cosa saggia.»

«Becky. Stai parlando con me. Siamo noi due.» Mi solleva il mento con dolcezza finché non posso evitare i suoi occhi scuri. «So che sei arrabbiata. È naturale. Ma devi capirla. Lei vive in America da tanti anni, e qui i contratti prematrimoniali sono la regola. Lei non intendeva...»

«Oh, sì, invece» dico, di nuovo in preda all'umiliazione. «Lei intendeva proprio questo. Lei pensa che io abbia un piano per sottrarti tutti i soldi e spenderli in scarpe!»

«Non è così?» ribatte lui, fingendosi sconcertato. «E me lo dici adesso? Be', se hai intenzione di cambiare le regole del gioco, forse è il caso di farlo davvero, un contratto prematrimoniale...»

Faccio un mezzo sorriso, ma dentro di me sono ancora ferita.

«So che qui molte persone firmano questi contratti, ma lei non doveva prepararne uno senza neppure consultarci! Lo sai come mi ha fatta sentire?»

«Lo so.» Luke mi accarezza la schiena. «Sono furioso con lei.»

«No che non lo sei.»

«Certo che sì.»

«No. Tu non sei mai furioso con lei. È questo il problema.» Mi allontano da lui, cercando di mantenermi calma.

«Becky?» Luke mi guarda negli occhi. «C'è qualcos'altro che non va?»

«Non è solo questo. È... tutto quanto. Il modo in cui si è impossessata del nostro matrimonio. La superiorità con cui ha trattato i miei genitori...»

«Mia madre è una persona molto formale per natura» ribatte Luke, sulla difensiva. «Questo non significa che lei voglia comportarsi in maniera arrogante. Se i tuoi genitori la conoscessero meglio...»

«E il modo in cui ti sfrutta!» So di essermi spinta su un terreno insidioso, ma ormai che sono partita non riesco più a fermarmi. «Le hai dedicato ore e ore del tuo tempo. Le hai mandato una segretaria per la sua fondazione. Hai persino litigato con Michael per colpa sua. Io non ti capisco. Tu sai benissimo che Michael si preoccupa per te. E che ha a cuore solo i tuoi interessi. Ma, per colpa di tua madre, adesso non vi parlate più.»

Luke ha un fremito e capisco di aver toccato un nervo scoperto.

«E vuole perfino che veniamo ad abitare in questo palazzo. Ma non lo capisci? Lei vuole tenerti sotto le grinfie! Ti farà correre di qua e di là come un fattorino e non ci lascerà mai in pace. Luke, tu le stai già dando molto.»

«E cosa c'è di male in questo?» L'espressione di Luke si sta facendo più tesa. «È mia madre.»

«Lo so. Ma non ha mai mostrato il minimo interesse per te finché non sei diventato una persona di successo. Ricordi il nostro primo viaggio qui? Tu eri così ansioso di far colpo su di lei, e lei non ha fatto neppure lo sforzo di incontrarti. Ma ora che ti sei fatto un nome e hai i contatti giusti, ora che i mezzi non ti mancano... all'improvviso vuole prendersi tutto il merito e servirsi di te.»

«Questo non è vero.»

«Sì, invece! Solo che tu non lo capisci perché sei affascinato da lei.»

«Senti, Becky, per te è facile criticare» ribatte Luke, accalorato. «Tu hai un rapporto fantastico con tua madre. Io durante l'adolescenza la mia non l'ho quasi mai vista.»

«Esattamente!» esclamo, senza riuscire a trattenermi. «Proprio quello che voglio dire io. Perché di te non gliene fregava un accidente, neanche allora!»

Oh, merda. Non avrei dovuto dirlo. Negli occhi di Luke vedo un'ombra di dolore e all'improvviso sembra invecchiato di dieci anni.

«Tu sai che non è vero» dice. «Mia madre mi avrebbe voluto. Non è stata colpa sua.»

«Lo so. Mi dispiace...» Mi avvicino, ma lui si ritrae.

«Per una volta mettiti nei suoi panni, Becky. Pensa a quello che ha passato. Dover lasciare il figlio, dover sempre fare la persona forte. Nasconde i suoi sentimenti da così tanto tempo che non c'è da meravigliarsi se ha difficoltà a esternare il proprio affetto. È naturale che i suoi modi siano un po' goffi.»

A sentirlo mi viene quasi da piangere. Si è dato una spiegazione perfetta. È ancora il ragazzino che inventava tutte le scuse del mondo per una madre che non andava mai a trovarlo.

«Ma adesso abbiamo un'occasione per ricostruire il nostro rapporto» sta dicendo. «Forse, ogni tanto manca di tatto, ma sta facendo del suo meglio.»

Già, mi verrebbe voglia di dire, specialmente con me.

Invece, mi stringo nelle spalle e dico: «Suppongo sia così».

Luke si avvicina e mi prende la mano.

«Torna su. Beviamo qualcosa. Dimentichiamo quello che è successo.»

«No» rispondo con un sospiro. «Penso che andrò a casa. Tu vai. Ci vediamo dopo.»

Sulla via di casa comincia a piovere, grossi goccioloni che riempiono le canalette di scolo e grondano dalle tende dei negozi. Mi colpiscono le guance ancora in fiamme, mi inzuppano i capelli e macchiano le mie scarpe nuove bordate di camoscio. Ma io quasi non me ne accorgo. Sono ancora troppo turbata da quanto è accaduto, dallo sguardo penetrante di Elinor, dall'umiliazione patita e dal senso di frustrazione verso

Luke. Come entro in casa si sente il primo tuono. Accendo tutte le luci e il televisore, e poi prendo la posta. C'è una lettera di mamma. La apro per prima. Dalla busta cade un ritaglio di stoffa e una lunga lettera che conserva ancora una debole traccia del suo profumo.

Mia cara Becky,

spero che vada tutto bene nella Grande Mela!

Questo è il colore che avremmo scelto per i tovaglioli. Janice dice che starebbero bene rosa, però io credo che il prugna chiaro si adatti meglio al colore che avevamo pensato per i fiori. Ma vorrei sapere la tua opinione. La sposa sei tu!

Ieri è venuto il fotografo che ci ha suggerito Dennis e ci ha fatto un'ottima impressione. Papà ha sentito parlare molto bene di lui al circolo del golf, e questo è un buon segno. Può fare foto a colori e in bianco e nero, e nel prezzo del servizio è compreso anche un album, il che mi sembra un buon affare. Inoltre può trasformare la foto che preferisci in cento minipuzzle da mandare agli ospiti come ringraziamento.

Io gli ho detto che la cosa più importante per noi è avere un sacco di foto tue vicino al ciliegio in fiore. L'abbiamo piantato quando sei nata e il mio sogno segreto è sempre stato vedere la nostra piccola Rebecca crescere sana e felice e un giorno fotografarla davanti al ciliegio in abito da sposa. Sei la nostra unica figlia e questo giorno è molto importante per noi.

Con tutto il mio affetto

Mamma

Arrivata in fondo al foglio sto piangendo. Non so come mi sia venuto in mente di sposarmi a New York. Non so perché io abbia permesso a Elinor di mostrarmi quello stupido albergo. Io voglio sposarmi a casa mia. Con mamma e papà, col ciliegio in fiore, i miei amici e tutto quanto conta realmente per me.

Ecco. Ho fatto la mia scelta. Domani la comunicherò a tutti.

«Becky?»

Sussulto, spaventata, e mi volto verso la porta. Sulla soglia c'è Luke, grondante. Ha i capelli appiccicati alla fronte e l'acqua gli scivola sulla faccia. «Becky...» dice, senza fiato. «Mi dispiace. Mi dispiace tanto. Non avrei dovuto lasciarti andare via così, non so proprio a cosa stavo pensando. Quando ho visto il temporale...» Ma poi vede le mie guance rigate di lacrime e si interrompe. «Ti senti bene?»

«Sì» dico, asciugandomi gli occhi. «Luke... spiace anche a me.»

Mi guarda per un lunghissimo istante, il volto tremante, gli occhi rossi.

«Becky Bloomwood» dice alla fine, «tu sei la persona più generosa, altruista, affettuosa che conosca e io non ti merito.»

Senza aggiungere altro viene verso di me, con intenzioni così evidenti che il suo viso assume un'espressione quasi feroce. Mentre mi bacia, le gocce di pioggia passano dalle sue guance alle mie labbra mescolandosi al sapore caldo e salato della sua pelle. Chiudo gli occhi e lascio che il mio corpo a poco a poco si rilassi, che il piacere a poco a poco si impossessi di me. Lo sento eccitato e deciso a stringermi i fianchi, a dirmi che mi vuole, che mi desidera, adesso, subito, che mi ama, che gli dispiace, che farà qualsiasi cosa per me...

Dio, come mi piace il sesso riappacificatore.

8

La mattina seguente mi sveglio felice e appagata. Rannicchiata nel letto contro Luke, mi sento forte e risoluta, e sorretta da un'energia interiore. Ho stabilito le mie priorità. Ora niente mi farà più cambiare idea.

«Luke?» dico io, mentre lui sta per scendere dal letto.

«Mmm?» Luke si volta e mi bacia, caldo, delizioso e affascinante.

«Non andartene. Resta qui. Tutto il giorno.»

«Tutto il giorno?»

«Potremmo darci malati.» Mi allungo languida sui cuscini. «A dire il vero, io mi sento piuttosto malata.»

«Davvero? E cosa ti fa male?»

«Mmm... il pancino.»

«A me sembra tutto a posto» dichiara lui, infilando la testa sotto il piumone. «Secondo me è tutto a posto... mi dispiace, ma niente giustificazione.»

«Guastafeste.»

Lo osservo scendere dal letto, infilare la vestaglia e andare in bagno.

«Luke?» ripeto, prima che arrivi alla porta.

«Sì?»

Apro la bocca per dirgli che ieri sera ho preso una decisione importante. Voglio sposarmi a Oxshott come stabilito all'inizio. Ho intenzione di disdire il matrimonio al Plaza. E se Elinor si arrabbia, pazienza.

Ma la richiudo subito.

«Cosa c'è?» dice Luke.

«Ti volevo dire... di non usare tutto il mio shampoo» rispondo, alla fine.

Non riesco proprio ad affrontare l'argomento matrimonio. Non ora che le cose tra noi vanno così bene. E comunque, a Luke non importa dove ci sposiamo. Lo ha detto lui.

Mi sono presa la mattinata libera per l'assaggio delle torte organizzato da Robyn, ma l'appuntamento è alle dieci. Così, uscito Luke, vago pigramente per la casa, preparandomi la colazione e pensando a cosa dirò a Elinor.

Il segreto sta nell'andare dritti al punto. Gentile ma risoluta. Come una persona matura e professionale, come un uomo d'affari costretto a licenziare altri uomini d'affari. Restare calmi e usare espressioni tipo: "Abbiamo scelto di andare in un'altra direzione".

«Salve, Elinor» dico, rivolta alla mia immagine riflessa nello specchio. «Ho una cosa da dirle. Ho scelto di andare in un'altra direzione.»

No. Così penserà che sono diventata lesbica.

Ci riprovo.

«Salve, Elinor. Ho valutato lo scenario che deriva dal progetto di matrimonio da lei proposto e, nonostante i molti lati positivi...»

Insomma. Fallo e basta.

Ignorando il nodo allo stomaco, prendo il telefono e digito il numero di Elinor.

«In questo momento Elinor Sherman non può rispondere alla vostra telefonata...»

È uscita.

Non posso lasciare un messaggio dicendo che il matrimonio è annullato, no?

O sì?

No.

Decido di riattaccare, appena prima del segnale acustico. Okay. E ora cosa faccio?

Be', è ovvio. Chiamo Robyn. La cosa importante è dirlo a qualcuno, prima che le cose vadano troppo avanti.

Raduno le idee, quindi compongo il numero di Robyn.

«Salve! Sono campane da sposa quelle che sento? Spero proprio di sì, perché qui parla Robyn de Bendern, la soluzione a tutti i problemi creati dalla cerimonia. In questo momento non posso rispondere, ma la vostra chiamata per me è importantissima...»

Mi viene in mente che forse Robyn è già uscita per andare al laboratorio del pasticciere. Potrei chiamarla là. Oppure potrei lasciarle un messaggio.

Ma, nel sentire la sua cinguettante voce registrata, provo un improvviso rimorso. Robyn ha già dedicato tante energie a questo matrimonio... e mi è anche diventata molto simpatica. Non posso mandare tutto a monte per telefono. Sorretta da un'improvvisa determinazione, riattacco e prendo la borsetta.

Mi comporterò da persona matura, andrò all'appuntamento col pasticciere e le comunicherò la notizia di persona.

E dopo penserò anche a Elinor.

A essere sincera, a me le torte nuziali non piacciono molto. Ne prendo sempre una fetta perché se non lo fai porta sfortuna o qualcosa del genere, ma in effetti tutto quell'insieme di canditi, marzapane e glassa che sembra gesso mi nausea parecchio. E poi sono così nervosa all'idea di dover comunicare a Robyn che è saltato tutto, che non posso neppure pensare di mangiare.

Invece, quando arrivo a destinazione, mi viene l'acquolina in bocca. Il laboratorio è un posto grande, luminoso, con ampie vetrate e il più invitante profumo di burro e zucchero che abbia mai sentito. Ci sono torte enormi in esposizione, file di decorazioni floreali chiuse in scatole trasparenti, e un sacco di persone al lavoro davanti ai banconi di marmo, intente a creare rosette e tralci di edera in zucchero.

Mentre esito sulla porta, vedo uscire una ragazza magrissima in jeans e stivaletti col tacco, accompagnata dalla madre. Stanno litigando.

«Dovevi solo assaggiarla» sta dicendo la madre. «Quante calorie potevano essere?»

«Non mi interessa» ribatte la ragazza in lacrime. «Costi quel che costi, il giorno del mio matrimonio voglio essere una taglia 2.»

Taglia 2!

Dio, anche se vivo qui già da un po', le taglie americane

continuano a disorientarmi. A cosa corrisponde nel mondo reale?

A una 38?

Be', mi sento già meglio.

«Becky!» Alzo lo sguardo e vedo Robyn. Mi sembra un po' agitata. «Ciao! Ce l'hai fatta!»

«Robyn.» Mi è bastato vederla e ho già lo stomaco chiuso per il nervosismo. «Senti, ho bisogno di parlarti. Ho cercato di chiamare Elinor ma era... e comunque, c'è una cosa che devo dirti.»

«Certo. Certo» dice Robyn, tutta agitata. «Antoine e io saremo da te fra un attimo, ma in questo momento abbiamo un piccolo problema.» E poi, abbassando la voce: «C'è stato un malaugurato incidente con una torta».

«Signorina Bloomwood?» Alzo lo sguardo e vedo un uomo con i capelli grigi e gli occhi scintillanti, con la divisa bianca da cuoco. «Sono Antoine Montignac. Il pasticciere dei pasticcieri. Ha mai visto la mia trasmissione televisiva?»

«Antoine, non credo che abbiamo ancora del tutto risolto la questione con... l'altra nostra cliente» dice Robyn, nervosa.

«Tra un momento» ribatte lui, liquidandola con un gesto della mano. «Signorina Bloomwood. Prego, si sieda.»

«Veramente, non sono del tutto sicura di voler...» attacco, ma prima di capire che cosa sta succedendo mi ritrovo seduta su una poltroncina imbottita davanti a un tavolo dove Antoine ha sistemato una serie di album di fotografie.

«Io posso creare per lei una torta che va al di là dei suoi sogni» dichiara con modestia. «Nessuna immagine è troppo ardita per la mia creatività.»

«Dice davvero?» Osservo la foto di una spettacolare torta a sei piani decorata con tulipani di zucchero, poi giro pagina e ne vedo una formata da cinque farfalle diverse. Sono le torte più grandi che io abbia mai visto. E che decorazioni!

«Queste sono tutte con i canditi?»

«Canditi? *Non, non, non!*» risponde Antoine con una risata. «È una mania degli inglesi, quella di usare i canditi per le torte nuziali. Questa, per esempio...» prosegue, indicandomi la torta a forma di farfalla, «era un leggerissimo pane degli angeli, ogni strato ricoperto da tre farciture diverse: caramello all'arancia, mango e frutto della passione, soufflé di nocciola.»

Accipicchia.

«Se le piace il cioccolato, possiamo realizzare una torta con diverse varietà di cioccolato.» Gira un'altra pagina. «Questa era pan di Spagna al cioccolato amaro farcita di cioccolato fondente, crema di cioccolato bianco e tartufo al Grand Marnier.»

Non avevo idea che le torte nuziali potessero essere così. Sfoglio le pagine, sbalordita dalla varietà della scelta.

«Se poi non vuole una torta tradizionale a più piani, posso fare un dolce che riproduca un oggetto che le piace. Un dipinto, una scultura... o magari un baule di Louis Vuitton» aggiunge, guardandomi bene.

Una torta nuziale a forma di baule di Louis Vuitton! Grandioso!

«Antoine? Potrebbe avvicinarsi un momento?» Robyn sporge la testa da un salottino sulla destra e, nonostante il sorriso, si capisce benissimo che è molto agitata.

«Mi scusi, signorina Bloomwood» dice Antoine con aria contrita. «Davina. Fa' assaggiare alla signorina Bloomwood le nostre torte.»

Una commessa sorridente scompare dietro una porta a doppio battente e ne riemerge con un bicchiere di champagne e un piatto di porcellana finissima su cui sono posate due fette di torta e un piccolo giglio di zucchero. Mi porge una forchettina e mi dice: «Questa è una *mousseline* di mango e frutto della passione, fragola e mandarino; questa invece è crema al caramello con pistacchio e tartufo al caffè».

Uau! Ogni fetta è un leggerissimo pan di Spagna con tre diverse farciture color pastello. Davvero non so da che parte cominciare.

Okay... partiamo dal tartufo al caffè.

Ne prendo un boccone e mi sento svenire. Ecco come dovrebbero essere le torte nuziali. Perché in Inghilterra non le facciamo così?

Bevo qualche sorso di champagne e assaggio il giglio di zucchero, che è ottimo e sa di limone, poi prendo una seconda forchettata di torta e la gusto lentamente, osservando una ragazza che con grande pazienza sta creando un ramoscello di mughetti.

Forse dovrei prendere a Suze una bella torta per il battesimo del bimbo. Voglio dire, sicuramente le farò un regalo, ma potrei anche prenderle anche una torta, così, in più.

«Sa quanto costano queste torte?» chiedo alla ragazza, spazzolando la seconda fetta.

«Be', dipende» risponde lei, alzando lo sguardo, «ma credo che partano dai mille dollari.»

Per poco non mi va di traverso lo champagne. Mille dollari? Partono da mille dollari?

Per una *torta*?

Ma allora, quanto mi sono appena mangiata? Quello che avevo nel piatto doveva valere almeno cinquanta dollari!

«Ne gradisce un'altra fetta? A quanto pare Antoine ne avrà ancora per un po'» dice la ragazza, lanciando un'occhiata in direzione del salottino.

«Oh, be'... perché no? E potrei assaggiare uno di quei tulipani di zucchero? Sa, per valutare meglio.»

«Certo» risponde la ragazza. «Tutto quello che desidera.»

Mi dà un tulipano e un ramoscello di fiorellini bianchi, che sgranocchio beata, mandandoli giù con lo champagne.

Poi comincio a guardarmi attorno, oziosamente, e noto un enorme fiore dalla forma elaborata, giallo e bianco, con minuscole gocce di rugiada. Uau! Ha un'aria così invitante... Allungo la mano oltre una fila di cuoricini di zucchero e lo prendo, ma quando sto per metterlo in bocca, sento un urlo.

«Fermaaa!» Un tizio vestito di bianco sta correndo verso di me. «Non mangi la giunchiglia!»

«Ooops!» faccio io, fermandomi appena in tempo. «Scusi, non mi ero resa conto. È così speciale?»

«Mi ci sono volute tre ore per farla» dice lui prendendomela delicatamente di mano. «Ma per fortuna non è successo niente» aggiunge con un sorriso, anche se vedo che ha la fronte imperlata di sudore.

Mmm. Sarà meglio che mi limiti allo champagne. Ne bevo un altro sorso e, mentre mi guardo intorno alla ricerca della bottiglia, sento provenire le voci concitate di Antoine e Robyn.

«Non l'ho fatto apposta, mademoiselle! Io non sono per le vendette.»

«Invece sì. Lei mi odia, dica la verità» ribatte una voce soffocata.

Poi sento Robyn dire qualcosa in tono conciliante, ma non capisco le parole.

«Un guaio dietro l'altro!» esclama la ragazza ad alta voce e io rimango con il bicchiere a metà strada tra il tavolo e le labbra.

Non ci posso credere.

Non può essere.

«Questo maledetto matrimonio è scalognato!» esclama. «È andato tutto storto, fin dall'inizio.»

La porta si apre e posso sentire chiaramente.

È lei. È Alicia.

Sento il mio corpo irrigidirsi.

«Prima non c'è posto al Plaza. Ora questo fiasco con la torta! E sa cos'ho appena saputo?»

«Cosa?» dice Robyn, allarmata.

«La mia damigella d'onore si è fatta i capelli rossi! E non sarà più in tinta con le altre! Fra tante persone sconsiderate ed egoiste, proprio...»

La porta si spalanca e Alicia irrompe nel laboratorio con i tacchi a spillo che risuonano come spari sul pavimento di legno. Vedendomi, si ferma di colpo e mi fissa. Il cuore mi batte all'impazzata.

«Ciao, Alicia» dico, sforzandomi di apparire rilassata. «Mi dispiace per la tua torta. A proposito, Antoine, quella di prima era deliziosa.»

«Come?» dice Alicia inespressiva. Poi il suo sguardo saetta sul mio anello di fidanzamento, sulla mia faccia, torna all'anello, passa alle scarpe, alla borsa – strada facendo esamina anche la gonna – e alla fine torna all'anello. È come una radiografia newyorchese nella casa degli specchi.

«Ti sposi?» dice alla fine. «Con Luke?»

«Sì.» Lancio un'occhiata disinvolta al brillante sulla mia mano sinistra, quindi le rivolgo un sorriso innocente.

Sono più rilassata. Anzi, comincio proprio a divertirmi.

(Inoltre, anch'io ho fatto la radiografia newyorchese ad Alicia. E il mio anello è un tantino più grosso del suo. Non che voglia fare confronti, per carità.)

«E perché non me l'hai detto?»

Non me l'hai chiesto, vorrei rispondere, ma mi limito a una lieve alzata di spalle.

«E dov'è che ti sposi?» Alicia ha riacquistato la sua naturale arroganza e capisco che è pronta a colpire.

«Be'... si dà il caso che...» Mi schiarisco la gola.

Okay, questo è il momento. È ora di fare il grande annuncio. Di dire a Robyn che ho cambiato idea e che intendo sposarmi a Oxshott.

«Veramente...»

Inspiro a fondo. Su, forza, è come con i cerotti. Più fai veloce, meno male senti. Dài, dillo. Sono sul punto di pronunciare le fatidiche parole quando commetto il fatale errore di alzare lo sguardo. Alicia mi sta fissando con l'espressione più sprezzante e altezzosa che le abbia mai visto. Anni di mortificazioni montano in me come la lava in un vulcano e... non posso farci niente: sento la mía voce dire: «Veramente ci sposiamo al Plaza».

La faccia di Alicia si contrae come una molla per lo stupore.

«Al Plaza? Davvero?»

«Sì. Dovrebbe riuscire bene» aggiungo, con noncuranza. «È un posto così bello, il Plaza. Anche tu ti sposi lì?»

«No» risponde Alicia, a denti stretti. «Non abbiamo trovato posto, con un preavviso così breve. Tu quando hai prenotato?»

«Oh... una o due settimane fa» rispondo, stringendomi nelle spalle.

Sì! Sì! Guarda che faccia!

«Sarà magnifico» aggiunge Robyn entusiasta. «A proposito, questa mattina ho parlato con l'architetto. Ha ordinato duecento betulle, e ci manderanno anche i campioni degli aghi di pino.»

Capisco che Alicia sta rimuginando qualcosa.

«Allora sei tu quella della foresta incantata al Plaza» dice, alla fine. «Ne ho sentito parlare. Costerà una fortuna. È vero che farai venire dei violinisti dell'Orchestra Sinfonica di Vienna?»

«La New York Philarmonic era in tournée» spiega Robyn affranta. «Ma pare che questi di Vienna siano davvero bravi...»

«Sono sicura che saranno bravissimi» dico, sorridendo a Robyn, la quale ricambia con aria complice.

«Signorina Bloomwood!» Antoine compare dal nulla e si porta la mia mano alle labbra. «Ora sono tutto per lei. Mi scuso per averla fatta aspettare. Una piccola seccatura...»

Il volto di Alicia si irrigidisce.

«Bene. Allora me ne vado.»

«*Au revoir*» dice Antoine, senza neppure alzare lo sguardo.

«Ciao, Alicia» dico, con aria innocente. «E buon matrimonio.»

Mentre lei se ne va, io torno a sedermi, col cuore che batte all'impazzata per la soddisfazione. Questo è stato uno dei momenti più belli della mia vita. Finalmente ho avuto la meglio su Alicia la Stronza dalle Gambe Lunghe. Finalmente! Voglio dire, quante volte si è comportata in maniera orribile con me? Risposta: almeno mille. E quante volte ho trovato la risposta perfetta per metterla a posto? Risposta: nessuna.

Fino a oggi!

Vedo che Robyn e Antoine si scambiano un'occhiata d'intesa e muoio dalla voglia di sapere che cosa pensano di Alicia. Ma chiedere non sarebbe consono ai modi di una futura sposa.

E poi, se sparlano di lei, potrebbero benissimo sparlare anche di me.

«Allora!» dice Robyn. «Passiamo a cose più piacevoli. Antoine, lei ha visto il programma per il matrimonio di Becky, vero?»

«Ma *sc*ertamente» risponde lui, sorridendomi. «Sarà un evento *fantastique*.»

«Lo so» mi sento rispondere. «Non vedo l'ora!»

«Allora... se parliamo della torta, sarà meglio che vada a prendere qualche foto. Nel frattempo, posso offrirle ancora un po' di champagne?»

«Sì, grazie. Volentieri» dico, porgendo il bicchiere.

Lo champagne frizza chiaro e delizioso. Antoine scompare nuovamente, e io bevo un sorso di vino, sorridendo per mascherare un leggero disagio.

Ora che Alicia se n'è andata, non ha più senso fingere. Quello che dovrei fare è posare il bicchiere, prendere Robyn da parte, scusarmi per averle fatto perdere tempo e informarla che il matrimonio è disdetto e che mi sposerò a Oxshott. Semplice. Semplicissimo.

Questo è ciò che dovrei fare.

Ma da questa mattina è accaduta una cosa molto strana. Non so come spiegarlo però, in qualche modo, standomene seduta qui a bere champagne e a mangiare torte da mille dollari, non mi sento più una persona destinata a sposarsi in un giardino di Oxshott.

A essere del tutto sincera, con la mano sul cuore, mi sento esattamente come una che farà uno sfarzoso matrimonio al Plaza.

Anzi, dirò di più: io *voglio* essere una che farà uno sfarzoso matrimonio al Plaza. E voglio essere quella ragazza che visita pasticcerie esclusive, con una corte di persone intorno che la trattano come una principessa. Se annullo il matrimonio, tutto questo finirà. Tutti smetteranno di occuparsi di me, e non mi tratteranno più come una persona importante e speciale.

Oh, Dio, cosa mi è successo? Questa mattina ero così decisa.

Chiudo gli occhi e mi costringo a pensare alla mamma e al ciliegio in fiore. Ma neanche questo funziona. Forse è lo champagne, ma, invece di essere sopraffatta dall'emozione e pensare: "Devo assolutamente sposarmi a casa", mi ritrovo a pensare: "Forse potremmo infilare l'albero di ciliegio nella foresta incantata".

«Va tutto bene, Becky?» dice Robyn, sorridendomi. «Un penny per i tuoi pensieri.»

«Oh!» faccio io, trasalendo. «Stavo pensando che... mmm... che sarà un matrimonio fantastico.»

E ora cosa faccio? Devo dire qualcosa?

Non devo dire nulla?

Su, avanti, Becky. Deciditi.

«Allora... vuoi vedere cos'ho nella borsa?» dice Robyn tutta allegra.

«Mmm... sì, certo.»

«Ta-daah!» Mi mostra un cartoncino spesso stampato in rilievo, con un carattere tutto svolazzi e volute, e me lo porge.

La signora Elinor Sherman
richiede l'onore della sua presenza
al matrimonio di
Rebecca Bloomwood
con il figlio
Luke Brandon...

Lo guardo col cuore che batte forte.

È vero. È proprio vero. È scritto qui, nero su bianco.

O, meglio, bronzo su tortora.

Prendo il cartoncino e lo rigiro tra le dita.

«Cosa ne dici?» mi chiede Robyn, raggiante. «È molto raffinato, vero? Pensa, il cartoncino è ottanta per cento lino.»

«È... bellissimo» rispondo con un nodo in gola. «Ma non è un po' presto per mandare gli inviti?»

«Non li mandiamo ancora. Ma io preferisco averli per tempo. Io lo dico sempre, non si controllano mai abbastanza. Non possiamo chiedere ai nostri ospiti di presentarsi in "abito da pera" come è successo a una sposa di mia conoscenza...» dice, con una risata squillante.

«Giusto.» Guardo nuovamente l'invito.

Sabato, 22 giugno alle 19.00
Al Plaza Hotel
New York City

Il gioco si fa serio. Se devo dire qualcosa, devo dirlo adesso. Se voglio annullare questo matrimonio, devo farlo ora. In questo istante.

La mia bocca, però, resta chiusa.

Significa che, dopotutto, sto scegliendo il Plaza? Che mi sto vendendo al nemico? Che preferisco lo sfarzo e la mondanità? Che scelgo Elinor, anziché mamma e papà?

«Pensavo ti sarebbe piaciuto mandarne uno a tua madre» dice Robyn.

Alzo la testa di scatto, ma l'espressione di Robyn è assolutamente innocente. «È un vero peccato che non sia qui per partecipare ai preparativi. Ma sono sicura che le piacerà tantissimo, vero?»

«Sì» rispondo dopo una lunga pausa. «Sì, le piacerà.»

Metto l'invito nella borsa e la chiudo con un gesto secco. Provo una leggera sensazione di nausea.

Allora è deciso. New York.

La mamma capirà. Quando le racconterò tutto, nei minimi particolari, capirà. Deve capire per forza.

La torta di Antoine al litchi e mandarino è favolosa, ma, chissà perché, mi è passato l'appetito.

Ho provato un'infinità di gusti, ma non riesco ancora a decidermi; Antoine e Robyn si scambiano un'occhiata e suggeriscono che forse ho bisogno di un po' di tempo per scegliere. E così, con un'ultima rosa di zucchero nella borsa, li saluto e vado da Barneys, dove mi dedico a tutte le mie clienti con estrema gentilezza e professionalità, come se non avessi nient'altro per la testa.

In realtà non faccio che pensare alla telefonata che devo fare. A come darò la notizia alla mamma. A come glielo spiegherò.

Non le dirò subito che ho deciso di sposarmi al Plaza. Almeno, non all'inizio. Le dirò solo che è una possibilità, se va bene a tutte e due. Questa è l'espressione chiave. *Se va bene a tutte e due.*

La verità è che la prima volta non le avevo esposto la cosa correttamente. E, quando le avrò spiegato tutto come si deve, forse coglierà l'occasione al volo. Quando le avrò raccontato della foresta incantata, dell'orchestra d'archi e della torta da mille dollari. Uno splendido matrimonio di lusso, tutto pagato! Voglio dire, chi non approfitterebbe dell'occasione?

Ma salendo le scale di casa mi sento morire dall'agitazione. So di non essere sincera con me stessa. So cosa desidera realmente la mamma.

Però so anche che, se mi impunto, lei farà quello che le chiedo.

Chiudo la porta e inspiro a fondo. Due secondi dopo, suona il campanello, e io sussulto per lo spavento. Dio, come sono nervosa.

«Oh, Danny sei tu» dico, aprendo la porta. «Senti, devo fare una telefonata importante, quindi, se non ti dispiace...»

«Okay. Devo chiederti un favore» dice lui, entrando e ignorando completamente le mie parole.

«Cosa?»

«Randall mi sta facendo un sacco di pressioni. Vuole sapere dove vendo i miei vestiti, chi sono i miei clienti, se ho una strategia aziendale, e cose del genere. E io gli dico, ma certo che ho una strategia aziendale, Randall. L'anno prossimo ho intenzione di comprare la Coca-Cola, cosa ne dici?»

«Danny...»

«E allora lui comincia a dire che se non ho una solida base di clientela dovrei smettere, perché lui non ha più intenzione di sovvenzionarmi. Ha usato la parola "sovvenzionarmi"! Ci credi?»

«Be'...» dico, agitata. «Ti paga l'affitto. E ti ha comprato tutti quei rotoli di camoscio rosa che volevi...»

«D'accordo» ammette lui dopo qualche secondo. «D'accordo. Il camoscio rosa è stato un errore, lo ammetto. Ma, Cristo! Lui non fa che parlare di quello! Gli ho detto del tuo abito, ma lui ha obiettato: "Daniel, non puoi basare un'impresa commerciale su una sola cliente, che per di più vive al piano di sotto"». Danny si mordicchia le pellicine del pollice, nervoso. «E allora io gli ho detto che avevo un ordine importante di un grande magazzino.»

«Davvero? Quale?»

«Barneys.»

Lo guardo, mettendo finalmente a fuoco il problema.

«Barneys?! Danny! Ma perché gli hai detto Barneys?»

«Così tu puoi coprirmi le spalle. Se te lo chiede, devi dire che vendete i miei vestiti, okay? E tutte le tue clienti fanno a gara per comprare le mie creazioni, e tu non hai mai visto niente di simile.»

«Tu sei pazzo. Non ci cascherà mai. E cosa gli dirai quando rivorrà i suoi soldi?»

«A quel punto li avrò.»

«E se controlla? E se va da Barneys per vedere con i suoi occhi?»

«Non lo farà» ribatte Danny con aria sdegnosa. Trova il tempo per parlarmi sì e no una volta al mese, figuriamoci per fare una visita non programmata da Barneys. Ma se dovessi incontrarlo sulle scale, conferma la mia storia. Non ti chiedo altro.»

«Be', d'accordo» dico alla fine.

Insomma! Come se non avessi altro a cui pensare.

«Danny, ora devo proprio fare quella telefonata» dico, inutilmente.

«Allora, avete trovato un posto dove andare?» mi chiede, lasciandosi cadere su una poltrona.

«Non abbiamo avuto tempo.»

«Non ci avete neanche pensato?»

«Elinor vuole che andiamo ad abitare nel suo stesso palazzo, ma io ho detto di no. Tutto qui.»

«Davvero?» Danny mi fissa. «Ma tu vuoi restare qui nel Village?»

«Certo che lo voglio. Non ho nessuna intenzione di andarmene.»

«E allora cosa farete?»

«Non lo so. Al momento ho mille altre cose a cui pensare. E, a questo proposito...»

«Stress prematrimoniale» dichiara Danny con l'aria di chi la sa lunga. «La soluzione è un Martini doppio.» Apre il mobile bar, e una pila di dépliant di liste di nozze cade a terra.

«Ehi!» esclama con aria di rimprovero. «Hai fatto la lista senza di me? Non ci posso credere. È una vita che muoio dalla voglia di fare una lista! Ce l'hai messa la macchina per il cappuccino?»

«Mmm... sì. Credo di sì.»

«Errore. Non lo fa mai buono come quello vero. Senti, se vuoi che ti ritiri qualche regalo, io sono qua sopra...»

«Sì, lo so» rispondo, dandogli un'occhiataccia. «Come a Natale.»

La questione di Natale per me è ancora un tasto dolente. Avevo pensato di fare una cosa furba ordinando un sacco di regali via Internet. Ma non sono mai arrivati e così ho passato il giorno della vigilia a correre per negozi. Poi, la mattina di Natale, siamo saliti a bere qualcosa da Danny e Randall, e trovo Danny avvolto nella vestaglia di seta che avevo comprato per Elinor, che divora i cioccolatini destinati alla mia collega Samantha.

«Insomma, cosa dovevo pensare?» dice lui, subito sulla difensiva. «Era Natale, erano avvolti nella carta da regalo... è stato come scoprire che Babbo Natale esiste.» Allunga la mano verso la bottiglia di Martini e ne versa in abbondanza nello shaker. «Forte? Extra forte?»

«Danny. Devo assolutamente fare quella telefonata. Torno tra un minuto.»

Stacco l'apparecchio telefonico dalla presa, lo porto in camera da letto, chiudo la porta e cerco di riordinare le idee.

Posso farcela. Devo stare tranquilla. Digito il numero di casa e ascolto il telefono squillare con un po' di paura.

«Pronto?» dice una voce metallica.

«Pronto?» rispondo, perplessa. Anche considerando che è un'intercontinentale, questa non è la voce della mamma.

«Becky! Sono Janice! Come stai, cara?»

Che strano. Possibile che abbia composto il numero dei vicini per errore?

«Sto bene.»

«Oh, perfetto. Già che ti sento, dimmi: preferisci l'acqua Evian o la Vittel?»

«La Vittel» rispondo, automaticamente. «Janice...»

«Ottimo. E come acqua frizzante? Sai, oggi un sacco di gente beve solo acqua, visto che poi deve guidare, allora... che ne dici della Perrier?»

«Non... non saprei. Senti, Janice, la mamma è lì?»

«Ma non lo sai, cara? I tuoi sono partiti. Sono andati nel Lake District.»

Mi sento assalire dall'avvilimento. Come posso aver dimenticato il loro viaggio nel Lake District?

«Io ho fatto un salto a controllare le piante. Se è un'emergenza, posso cercare il numero che hanno lasciato...»

«No, no. Va tutto bene.»

Piano piano passo dall'avvilimento al sollievo. Per il momento sono salva. Voglio dire, non è colpa mia se non sono a casa, no?

«Sei sicura?» insiste Janice. «Se è importante, non ci metto niente a trovarlo.»

«No, davvero. È tutto a posto. Non è niente di importante. Be', mi ha fatto piacere parlare con te. Ciao.» Abbasso la cornetta, tremando leggermente.

Si tratta solo di pochi giorni. Non farà questa grande differenza.

Torno in soggiorno e trovo Danny stravaccato sul divano che passa da un canale all'altro.

«Tutto a posto?» mi chiede, sollevando appena lo sguardo.

«Sì. Beviamoci quel drink.»

«È nello shaker» dice lui, accennando con la testa al mobile bar, e proprio in quel momento si apre la porta d'ingresso.

«Ciao, Luke, sei tu?» dico. «Sei arrivato appena in tempo per...»

Mi interrompo bruscamente, e lo guardo sgomenta entrare nella stanza. Ha il viso pallido e tirato, lo sguardo truce. Non l'ho mai visto così prima d'ora.

Danny e io ci scambiamo un'occhiata. Sento un tuffo al cuore.

«Luke? Ti senti bene?»

«È un'ora che cerco di chiamarti» dice. «Al lavoro non c'eri, a casa la linea era occupata...»

«Probabilmente prima stavo rientrando. E poi ho dovuto fare una telefonata.» Preoccupata, mi avvicino a lui. «Luke, cos'è successo? Si tratta del lavoro?»

«No, di Michael» risponde lui. «Ho appena saputo che ha avuto un infarto.»

9

La stanza di Michael è al quarto piano del George Washington Hospital. Percorriamo il corridoio in silenzio, guardando dritto davanti a noi. La notte scorsa nessuno dei due ha dormito bene, anzi, non credo che Luke abbia dormito affatto. Non ha parlato molto, ma so che è tormentato dai sensi di colpa.

«Avrebbe potuto morire» ha detto ieri sera, mentre al buio aspettavamo inutilmente di addormentarci.

«Ma non è morto» ho risposto, cercando la sua mano.

«Però avrebbe potuto.»

È vero. Michael avrebbe potuto morire. Ogni volta che ci penso provo un'orribile stretta allo stomaco. Non mi è mai capitato che uno dei miei cari stesse male. Voglio dire, c'è stata la prozia Muriel, che aveva una malattia ai reni, ma l'ho vista due volte in tutta la mia vita. E i miei nonni sono ancora tutti vivi, a parte nonno Bloomwood che morì quando avevo due anni e che quindi non ho mai conosciuto.

Anzi, a dire il vero non ho mai messo piede in un ospedale, se non si conta *ER - Medici in prima linea*. Mentre passiamo davanti a cartelli terrificanti tipo ONCOLOGIA e NEFROLOGIA, mi rendo conto ancora una volta di quanto sia stata facile la mia vita.

Arrivati davanti alla stanza 465 Luke si ferma.

«Eccoci» dice. «Sei pronta?» Poi bussa piano e, dopo un attimo, apre la porta.

Michael dorme in un grande letto dalla struttura di metallo, con almeno sei mazzi di fiori sul comodino e altrettanti sparsi per la camera. Ha una flebo nella mano e un altro tubicino che va dal petto a una macchina con tante lucine. Ha il volto pallido e tirato, e un'aria vulnerabile.

Mi fa un brutto effetto. L'ho sempre visto negli eleganti e costosi panni dell'uomo d'affari, con in mano drink dai nomi altisonanti. Grande, rassicurante, indistruttibile. Non sdraiato in un letto d'ospedale.

Lancio un'occhiata a Luke e lo vedo fissare Michael, il viso ferreo. Sembra quasi che stia per piangere.

Oh, Dio. Adesso viene da piangere anche a me.

Poi Michael apre gli occhi e mi sento invadere dal sollievo. Almeno gli occhi sono gli stessi di sempre. Lo stesso calore. La stessa ironia.

«Non dovevate fare tanta strada per venire fin qui» dice. La voce è ancor più roca del solito.

«Michael» dice Luke, avvicinandosi. «Come ti senti?»

«Meglio. Adesso meglio.» Il suo sguardo si posa perplesso su Luke. «E tu come ti senti? Hai un aspetto orribile.»

«Infatti, non mi sento tanto...» risponde Luke, lasciando la frase in sospeso.

«Davvero? Forse dovresti farti fare un check-up. È molto rassicurante. Ora so che soffro di angina, ma so anche che il sistema linfatico è a posto e che non sono allergico alle noccioline. Cosa sempre buona a sapersi.» Guarda il cesto di frutta che Luke tiene in mano. «È per me?»

«Sì!» risponde Luke, come ritornando in sé. «È solo un piccolo... lo metto qui?»

Mentre sposta le composizioni di fiori esotici per fare un po' di spazio, mi cade l'occhio su un bigliettino con l'intestazione della Casa Bianca. Caspita.

«Frutta» dice Michael, annuendo. «Molto premuroso. Devi aver parlato col mio dottore. Qui dentro sono severissimi. I visitatori che portano dolci vengono accompagnati in una stanzetta e costretti a correre per dieci minuti.»

«Michael...» Luke fa un respiro profondo e noto che le sue mani stringono con forza il manico del cesto. «Michael, volevo dirti che mi dispiace... a proposito della nostra discussione.»

«È acqua passata. Davvero.»

«No. Non per me.»

«Luke, non è una cosa importante» ribatte Michael con un'occhiata affettuosa.

«Ma io mi sento...»

«Si è trattato di un piccolo dissenso, tutto qui. E nel frattempo ho riflettuto su quanto hai detto. Non hai tutti i torti. Se la Brandon Communications viene pubblicamente associata a una giusta causa, questo non può che giovare all'immagine dell'azienda.»

«Non avrei mai dovuto agire senza consultarti» mormora Luke.

«Be', come hai detto tu, è la tua società. Il controllo ce l'hai tu. E io lo rispetto.»

«E io rispetto i tuoi consigli» ribatte pronto Luke. «E li rispetterò sempre.»

«Bene. Possiamo seppellire l'ascia di guerra?» Michael tende la mano, coperta di ematomi lasciati dagli aghi della flebo e, dopo un istante di esitazione, Luke la stringe con delicatezza.

Io ho un nodo in gola.

«Vado a prendere... un po' d'acqua» mormoro, ed esco dalla stanza soffocando i singhiozzi.

Non posso scoppiare a piangere davanti a Michael. Penserebbe che sono patetica.

O magari penserebbe che piango perché so qualcosa che lui non sa, che ho visto la sua cartella clinica e so che non si tratta di angina. Che ha un embolo nel cervello operabile solo da uno specialista di Chicago che ha rifiutato di occuparsi del caso di Michael per via di un'antica faida tra colleghi...

D'accordo. Devo smetterla di confondere la realtà con *ER*.

Raggiungo una sala d'attesa lì vicino, respirando a fondo per calmarmi, e mi siedo accanto a una donna di mezz'età con un vecchio cardigan blu.

«Tutto bene, cara?» Alzo lo sguardo e vedo che mi porge un fazzolettino di carta. «È dura, vero?» dice con dolcezza, mentre mi soffio il naso. «Ha un parente ricoverato qua?»

«Un amico. E lei?»

«Mio marito Ken» risponde la donna. «Gli hanno fatto un by-pass.»

«Oh, mi dispiace.»

Sento un brivido nella schiena mentre cerco di immaginare come mi sentirei io se in quel letto di ospedale ci fosse Luke.

«Dovrebbe riprendersi, sempre che si riguardi un po'. Ah, questi uomini. Danno tutto per scontato.» Scuote la testa. «Ma quando uno viene in questi posti... capisce cos'è veramente importante, no?»

«Assolutamente» dico con fermezza.

Restiamo in silenzio per un po', e io penso con apprensione a Luke. Forse riuscirò a convincerlo a riprendere ad andare in palestra. E a mangiare solo maionese dietetica, che riduce il colesterolo. Tanto per essere sicuri.

Dopo poco, la donna mi sorride e se ne va. Io mi fermo. Voglio lasciare a Luke e Michael ancora un po' di tempo da soli. Un paio di pazienti in sedia a rotelle e flebo al braccio chiacchierano vicino alla finestra, una vecchina dall'aspetto fragile saluta quelli che devono essere i suoi nipoti. Appena li ha visti, si è illuminata e di colpo è sembrata più giovane di dieci anni. Con orrore, mi ritrovo di nuovo sul punto di mettermi a piangere.

Vicino a me ci sono due ragazze in jeans; una mi sorride con aria comprensiva.

«È commovente, no?» dice.

«In effetti, io penso che se i pazienti potessero avere i familiari accanto probabilmente guarirebbero molto più in fretta» dico, convinta. «Gli ospedali dovrebbero istituire delle stanze per gli ospiti su ogni piano. La gente tornerebbe a casa in metà tempo!»

«È un'osservazione molto acuta» osserva una voce gradevole alle mie spalle. Mi volto, sorpresa, e vedo una graziosa dottoressa coi capelli scuri che mi sorride. «Un recente studio condotto a Chicago ha dimostrato esattamente la stessa cosa.»

«Davvero?» Arrossisco, orgogliosa di me. «Be', grazie! Stavo solo commentando ciò che ho visto...»

«Ma questo è esattamente l'atteggiamento che devono avere i medici di oggi» prosegue lei. «La disponibilità ad andare oltre le cartelle cliniche. La disponibilità a curare non solo il paziente, ma anche la persona. Essere medici non significa solo superare gli esami e imparare a memoria i nomi delle ossa.

Significa scoprire l'essere umano nel suo complesso... non solo il corpo fisico, ma anche il suo spirito.»

Accidenti. Devo dire che sono davvero colpita. Non ho mai visto nessun medico inglese andarsene in giro per i corridoi a fare appassionati discorsi sulla professione medica. Normalmente ti passano accanto correndo, sempre indaffarati.

«Dedicarsi alla professione medica è sempre stato il suo desiderio?» aggiunge, sorridendomi di nuovo.

«Mmm... be'... non esattamente.»

Mi sembra un po' scortese dire che non l'ho mai preso neppure in considerazione. Voglio dire, non bisogna avere il massimo dei voti anche solo per l'esame di ammissione?

Ma in fondo... non è una brutta idea, no? Anzi, a dire il vero, mi sento stranamente attratta dalla prospettiva. Qualche giorno fa stavo giusto pensando che non ho fatto niente di significativo nella mia vita. Be', allora perché non diventare medico? Succede a molte persone di cambiare lavoro, no? E, ora che ci penso, ho sempre avuto una specie di desiderio innato di guarire gli altri. In me dev'esserci qualcosa di speciale che questa dottoressa ha subito colto. Altrimenti, perché si sarebbe rivolta a me suggerendomi di darmi alla medicina?

Dottoressa Rebecca Bloomwood.

Baronessa Rebecca Bloomwood, dottore in medicina, cavaliere dell'Impero Britannico.

Dio, la mamma sarebbe così orgogliosa di me!

La dottoressa dice qualcos'altro, ma io non la ascolto più, completamente assorbita dall'immagine di me che entro in una camera d'ospedale col camice bianco svolazzante e dico: "Pressione quaranta su venticinque" o quel che è, ed esco sotto gli sguardi ammirati dei presenti.

La dottoressa Rebecca Bloomwood, chirurgo d'avanguardia, non si sarebbe mai dedicata alla professione medica se non fosse stato per un incontro casuale avvenuto in un corridoio di ospedale. In quel periodo la nota specialista lavorava nel mondo della moda...

«Ho sempre desiderato diventare medico» dice una delle ragazze in jeans, entusiasta, e io alzo lo sguardo leggermente stizzita.

Copiona. Il medico dovevo essere io, non lei.

«Quand'ero piccola volevo diventare dentista» dice l'altra.

«Ma poi sono rinsavita.» Sento una sonora risata e quando mi volto, confusa, vedo che intorno a noi si è radunato un capannello di persone.

Cosa sta succedendo? Si stanno tutti intromettendo nella nostra conversazione? Lancio un'occhiata sdegnosa all'opuscolo che il tizio vicino a me tiene in mano e leggo GUIDA AI CORSI DI SPECIALIZZAZIONE DELLA FACOLTÀ DI MEDICINA.

Oh.

Ho capito.

Be', e allora? Magari farò anch'io un corso di specializzazione! Probabilmente di medicina ne so quanto questa gente, e in più sono in grado di fare commenti intuitivi.

«C'è qualche domanda?» chiede la graziosa dottoressa, e segue un silenzio imbarazzato.

«Su, non abbiate timore. Devono pur esserci delle cose che desiderate sapere. Anche se pensate che siano domande ovvie o elementari... fatele comunque.»

Ancora silenzio. Alzo gli occhi al cielo. Insomma, questa gente è davvero patetica! A me vengono in mente almeno una decina di domande interessanti, e senza neppure sforzarmi.

«Io avrei una domanda» dico, un nanosecondo dopo che un tizio con gli occhiali ha alzato la mano.

«Bene!» dice la dottoressa. «Così mi piace! Prima lei» dice, rivolta al tizio.

«Io sono interessato al campo della chirurgia cerebrovascolare, e vorrei sapere che tecnologie usate per il trattamento degli aneurismi intracranici.»

«Ah, bene! In questo campo ci sono stati degli sviluppi molto interessanti» risponde la dottoressa, guardandosi attorno con un sorriso. «Qualcuno di voi avrà sentito parlare del rafforzamento della parete dell'aneurisma col sistema a spirale di Guglielmi...»

Un paio di persone annuiscono, altre prendono nota.

«Be', recentemente in California sono stati condotti dei test clinici...»

Sapete una cosa? Non credo di voler più fare la mia domanda. Anzi, penso che mi allontanerò quatta quatta mentre la dottoressa parla.

Ma è troppo tardi. Ha già terminato e ora sta guardando verso di me.

«E la sua domanda?» mi chiede con un sorriso cordiale.

«Ah, la mia non è importante» mi affretto a rispondere.

«No, no. Dica pure. Chieda pure tutto quello che vuole.»

Tutti si voltano verso di me.

«Be'...» dico, con le guance in fiamme, «volevo solo sapere se... se è permesso tingere i camici di colori diversi.»

D'accordo. Forse, ripensandoci, non diventerò medico. Anche se ancora non capisco perché tutti hanno riso in quel modo. Scommetto che sotto sotto qualcuno avrebbe voluto conoscere la risposta. Anzi, alcune delle ragazze sembravano molto interessate. Mentre torno nella stanza di Michael, il cuore mi batte ancora per l'imbarazzo.

«Ciao» dice Luke con un sorriso. È seduto accanto al letto di Michael e l'atmosfera è molto più rilassata.

«Stavo dicendo a Luke che mia figlia non mi dà tregua» dice Michael mentre mi siedo. «Vuole che vada in pensione, o per lo meno che riduca i miei impegni. E mi trasferisca a New York.»

«Davvero? Sarebbe fantastico!»

«Non è una cattiva idea» osserva Luke, «considerando che adesso fai almeno sei lavori a tempo pieno.»

«Tua figlia mi è molto simpatica» dico, entusiasta. «Ci siamo così divertite quando è venuta da Barneys. Come va il suo nuovo lavoro?»

La figlia di Michael è un avvocato specializzato in brevetti. Ed è un mostro d'intelligenza. Però, finché non gliel'ho fatto notare, non si era mai resa conto di scegliere colori che le stavano malissimo.

«Molto bene, grazie. È appena passata alla Finerman Wallstein» aggiunge Michael, rivolto a Luke. «Un ambiente molto elegante.»

«Lo conosco» dice Luke. «Si occupano loro di certe mie questioni personali. Ci sono stato giusto qualche settimana fa per il testamento. La prossima volta la cercherò.»

«Le farai piacere» osserva Michael.

«Hai fatto testamento, Luke?» chiedo, incuriosita.

«Ovvio. Perché, tu no?» ribatte lui, fissandomi.

«No.» Guardo Luke e poi Michael. «Perché?»

«Tutti dovrebbero fare testamento» dice Michael con aria seria.

«Non mi è mai passato per la mente che tu non l'avessi fatto» insiste Luke, scuotendo la testa.

«E a me non è mai passato per la mente di farlo!» ribatto, sulla difensiva. «Ho solo ventisette anni!»

«Prenderò appuntamento con il mio legale» conclude Luke. «Dobbiamo rimediare al più presto.»

«D'accordo. Ma francamente...» Mi stringo nelle spalle. Ma poi mi viene in mente una cosa. «Allora, a chi hai lasciato tutto?»

«A te» risponde lui. «A parte qualche piccolo lascito.»

«A me?» dico, guardandolo a bocca aperta. «Davvero?»

«È consuetudine che un marito lasci le sue proprietà alla moglie» dice, con un sorriso. «Ma se non sei d'accordo...»

«No. Certo che no! È solo che... non me l'aspettavo.»

Sento una strana, gradevole sensazione dentro di me. Luke ha lasciato tutto a me!

Non capisco perché la cosa dovrebbe sorprendermi. Voglio dire, viviamo insieme. Stiamo per sposarci. Comunque sia, non posso fare a meno di provare un certa euforia.

«Devo dedurre che tu non hai intenzione di lasciarmi niente?» chiede Luke bonariamente.

«Certo!» esclamo. «Voglio dire, certo che lascio tutto a te!»

«Nessuna pressione» osserva Luke sorridendo a Michael.

«Lo farò» dico, sempre più agitata. «Non ci avevo proprio pensato.»

Per nascondere la mia confusione, prendo una pera e la addento. Ora che ci penso, perché non ho mai fatto testamento?

Immagino sia perché non ho mai realmente pensato alla mia morte. Ma potrei morire anch'io, no? Voglio dire, il treno che ci riporta a New York potrebbe scontrarsi con un altro treno. Oppure potrebbe entrarci in casa un pazzo con un'accetta... oppure potrei essere scambiata per una spia del governo ed essere rapita da una banda di terroristi stranieri...

E a chi andrebbero tutte le mie cose?

Dio, Luke ha proprio ragione. Questa è un'emergenza.

«Becky? Va tutto bene?» Alzo lo sguardo e vedo Luke che si infila il cappotto. «Dobbiamo andare.»

«Grazie per essere venuti» dice Michael, e mi stringe forte la mano mentre mi chino a baciarlo. «Mi ha fatto davvero piacere.»

«Ti terrò informato sul matrimonio» dice Luke, sorridendogli. «Non pensare di sottrarti ai tuoi doveri di testimone.»

«Certo che no. Questo mi ricorda che, alla vostra festa di fidanzamento, ho parlato con tante persone diverse e ho finito per fare un po' di confusione. Vi sposate a New York o in Inghilterra?»

«New York» risponde Luke, perplesso. «Era la nostra decisione definitiva no, Becky? Non ti ho più chiesto come ha preso tua madre la notizia.»

«Mmm...» Prendo tempo avvolgendomi la sciarpa intorno al collo.

Non posso ammettere la verità. Non posso confessare che la mamma non sa ancora del Plaza.

Non qui. Non adesso.

Voglio dire, non posso far venire a Michael un altro infarto, no?

«Sì!» dico, avvampando. «Sì, tutto bene. New York. È deciso!» Faccio una risata allegra e mi chino a prendere la borsa.

E poi, non è proprio una bugia. Quando la mamma ritorna glielo dirò.

Quando saliamo sul treno, Luke è pallido ed esausto. Credo che vedere Michael in quelle condizioni lo abbia turbato più di quanto voglia ammettere. Continua a guardare fuori dal finestrino, gli occhi fissi sull'oscurità crescente, e io cerco di pensare a qualcosa che possa tirarlo un po' su.

«Guarda!» dico, alla fine. Frugo nella borsa e tiro fuori un libro che ho comprato l'altro giorno. Si intitola *Una promessa per la vita*. «Dobbiamo pensare a comporre la promessa per il nostro matrimonio.»

«Comporla?» dice Luke, aggrottando la fronte. «Ma non è sempre la stessa?»

«No! Quella è roba vecchia. Oggi ogni coppia scrive la propria. Senti cosa dice il libro: "La vostra promessa di matrimonio è un'occasione per dimostrare al mondo quanto vi amate. Insieme alla formula con cui il celebrante vi dichiara marito e moglie, costituisce il fulcro della cerimonia e dovrebbero essere le parole più belle e commoventi che vengono pronunciate durante il matrimonio"».

Alzo lo sguardo verso Luke, ma lui sta di nuovo guardando fuori dal finestrino.

«Il libro dice che dobbiamo pensare a che tipo di coppia siamo» proseguo. «Siamo Giovani Amanti o Compagni d'Autunno?»

Luke non mi sta neppure ascoltando. Forse dovrei trovare qualche esempio più specifico. Mi cade l'occhio su una pagina intitolata "Matrimonio Estivo". Sembra molto appropriato.

> Come in estate sbocciano le rose, così oggi il mio amore sboccia per te. Come le nuvole candide volano in alto nel cielo, così vola alto il mio amore.

Leggo a voce alta.

Faccio una smorfia. Forse no. Scorro le pagine, leggendo qui e là.

> Tu che mi hai aiutato nel periodo doloroso della riabili...

> Anche se sei incarcerato per omicidio, il nostro amore brillerà sempre come un faro...

«Oh, guarda» esclamo all'improvviso. «Questo è per i fidanzatini di scuola.»

> I nostri sguardi si sono incrociati su un libro di matematica. Come potevamo immaginare che la trigonometria avrebbe portato al matrimonio?

«I nostri sguardi si sono incrociati durante un'affollata conferenza stampa» dice Luke. «Come potevamo immaginare che il nostro amore sarebbe sbocciato mentre io annunciavo un nuovo esaltante gruppo di società a capitale variabile pronte a investire in società europee in forte crescita con rendiconti periodici, costi fissi e premi scontati per tutto il primo anno di vita?»

«Luke...»

D'accordo. Forse non è il momento adatto per parlare di promesse matrimoniali. Chiudo il libro e guardo Luke, preoccupata.

«Ti senti bene?»
«Sto bene.»
«Sei preoccupato per Michael?» chiedo, prendendogli la mano. «Vedrai che si rimetterà presto. Hai sentito anche tu quello che ha detto. È stato solo un campanello d'allarme.»
Per un po' Luke resta in silenzio, poi si volta verso di me.
«Mentre tu eri in bagno» mi dice lentamente, «ho conosciuto i genitori del tizio che sta nella stanza accanto a quella di Michael. Ha avuto un attacco di cuore la scorsa settimana. Sai quanti anni ha?»
«Quanti?» chiedo, ansiosa.
«Trentatré.»
«Davvero? Ma è orribile.»
Luke ha solo un anno di più.
«A quanto pare fa l'agente di borsa. Ed è molto bravo.» Espira lentamente. «Ti fa pensare, no? Ti fa riflettere su cosa stai facendo della tua vita. E ti viene da chiederti...»
«Sì, in effetti...» dico, e mi sento come se stessi camminando sulle uova. «Certo.»
Luke non ha mai parlato in questo modo prima d'ora. Di solito, se io comincio a parlare della vita e del suo significato – cosa che non faccio molto spesso, lo ammetto – o mi ignora o la butta sullo scherzo. Non mi ha mai confessato di avere dei dubbi su ciò che sta facendo della sua vita. Io vorrei essere incoraggiante, ma temo di dire qualcosa di sbagliato e di ottenere l'effetto contrario.
È tornato a guardare fuori dal finestrino.
«A cosa stavi pensando, esattamente?» gli chiedo.
«Non lo so» risponde lui, dopo una pausa. «Suppongo che, anche solo per un momento, questo genere di cose ti faccia vedere il mondo in maniera diversa.
Mi fissa e per un istante ho l'impressione di poter vedere dentro di lui, di scorgere qualcosa che raramente mostra. Un Luke più mite, più arrendevole, e pieno di dubbi come chiunque altro.
Poi, sbatte le ciglia, ed è tutto finito. È tornato quello di sempre. Efficiente. Sicuro di sé.
«Comunque sia, sono contento di aver chiarito tutto con Michael» dice, bevendo un sorso d'acqua dalla bottiglia che si è portato.

«Anch'io.»

«Alla fine ha capito il mio punto di vista. La pubblicità che otterremo grazie alla fondazione gioverà enormemente alla nostra società. E il fatto che si tratti della fondazione di mia madre è del tutto irrilevante.»

«Sì, suppongo di sì» ammetto poco convinta.

Non ho nessuna voglia di parlare di sua madre in questo momento, quindi riapro il libro delle promesse di matrimonio.

«Ehi, qui ce n'è una per una storia d'amore travolgente. *Ci siamo conosciuti solo un'ora fa, ma già so che ti amerò per sempre...*»

Quando arriviamo, la Grand Central Station è affollata di gente. Luke si dirige verso i bagni, io verso un chiosco per comprare delle caramelle. Supero un'edicola... e mi blocco. Un momento. Cos'era quello?

Torno indietro e fisso allibita il "New York Times". In prima pagina c'è una piccola foto di Elinor che rimanda a un articolo nelle pagine interne.

Afferro il giornale e cerco velocemente l'articolo in questione.

C'è il titolo – L'INDIFFERENZA PER LA BENEFICENZA – e sotto una foto di Elinor che sorride dai gradini di un importante edificio mentre porge un assegno a un tizio in giacca e cravatta. Il mio sguardo corre incuriosito alla didascalia. *Elinor Sherman ha lottato contro l'apatia per raccogliere denaro in favore della causa in cui crede.*

Ma non doveva essere Luke a consegnare quell'assegno?

Scorro velocemente l'articolo, cercando qualche riferimento alla Brandon Communications, o il nome di Luke. Ma arrivo in fondo alla pagina senza trovare nulla. Il suo nome non compare neppure una volta.

Fisso la pagina, incredula.

Come può fargli questo, dopo tutto il tempo che le ha dedicato?

«Cosa c'è?»

La voce di Luke mi fa sussultare. Per un attimo penso di nascondere il giornale sotto il cappotto. Ma è inutile. Tanto, prima o poi lo vedrà.

«Luke...» dico esitante, poi giro la pagina in modo che lui possa vederla.

«È mia madre?» Luke è sbalordito. «Non mi ha detto che avevano organizzato qualcosa. Fammi dare un'occhiata.»

«Luke...» Faccio un respiro profondo. «Il tuo nome non compare mai. E neanche quello della società.»

Lo guardo scorrere la pagina, e fremo nel vedere l'espressione di crescente incredulità sul suo viso. Era già stata una giornata dura per lui, anche senza scoprire che la madre lo ha fregato.

«Non ti ha neppure detto che avrebbe rilasciato questa intervista?»

Luke non risponde. Prende il cellulare, digita nervosamente un numero e aspetta qualche istante. Poi ha un moto di disappunto.

«Me n'ero dimenticato. È tornata in Svizzera.»

L'avevo scordato anch'io. È tornata a far visita ai suoi amici, giusto in tempo per il matrimonio. Questa volta si fermerà per due mesi, il che significa che si fa fare il servizio completo.

Deve aver dato l'intervista subito prima di partire.

Cerco di prendere la mano di Luke, ma lui non reagisce. Dio solo sa cosa sta pensando.

«Luke, forse c'è una spiegazione...»

«Lascia perdere.»

«Ma...»

«Lascia perdere.» La sua voce è tagliente. «È stata una giornata lunga e difficile. Andiamocene a casa.»

ULTIME VOLONTÀ
DI REBECCA BLOOMWOOD

Io, REBECCA JANE BLOOMWOOD, nel pieno possesso delle mie facoltà, rendo note e dichiaro le mie ultime volontà.

PRIMO: con questo documento revoco ogni disposizione testamentaria da me precedentemente emessa.

SECONDO: (a) Lascio a SUSAN CLEATH-STUART la mia collezione di scarpe, tutti i miei jeans, la mia giacca di pelle beige, tutti i miei cosmetici a eccezione del rossetto di Chanel, il poggiapiedi in cuoio, la borsa rossa di Kate Spade,[+] l'anello d'argento con la pietra di Luna, e il quadro con i due elefanti.

(b) Lascio a mia madre JANE BLOOMWOOD tutte le altre borse, il rossetto di Chanel, tutti i miei gioielli, il piumone di cotone bianco di Barneys, la vestaglia da camera a nido d'ape, i cuscini di camoscio, il vaso in vetro di Murano, la mia collezione di cucchiaini da marmellata e l'orologio di Tiffany.[*]

(c) Lascio a mio padre GRAHAM BLOOMWOOD il gioco degli scacchi, i CD di musica classica che mi ha regalato per Natale, il borsone da viaggio di Bill Amberg, la lampada da scrivania in titanio, e il manoscritto incompleto del mio manuale di self-help *La gestione delle finanze secondo Becky Bloomwood*, i cui diritti vengono pertanto a lui trasferiti.

(d) Lascio al mio amico DANNY KOVITZ tutti i vecchi numeri di "Vogue" edizione britannica,[++] la mia lampada di roccia lavica, il giubbotto di jeans personalizzato e la centrifuga.

(e) Lascio alla mia amica ERIN GAYLER il pullover di cashmere, l'abito da sera di Donna Karan, tutti i miei abiti di Betsy Johnson, e le palline-fermacoda di Louis Vuitton.

TERZO: Lascio a LUKE JAMES BRANDON ogni mio altro avere di qualsiasi genere e tipo e ovunque situato, a eccezione degli indumenti che si trovano nelle borse in fondo al guardaroba.[**]

[+] a meno che non preferisca la borsa nuova di DKNY con le maniglie lunghe.
[*] e anche il portachiavi di Tiffany, che non trovo più ma che dev'essere in casa da qualche parte.
[++] più tutte le altre riviste che acquisterò nel frattempo.
[**] che dovranno essere rimossi con discrezione e in segreto.

10

Non è proprio un bel momento.

Anzi è un momento orribile. Da quando ha visto quell'articolo sul giornale, Luke si è chiuso in se stesso. Non vuole parlarne, l'atmosfera a casa è sempre più tesa e io non so come fare. Qualche giorno fa ho provato a comprare delle candele profumate rilassanti, ma non avevano nessun odore, a parte quello della cera. Ieri, invece, ho provato a spostare i mobili nel tentativo di rendere l'appartamento più armonioso e più feng-shui. Ma Luke è entrato in soggiorno proprio nel momento in cui urtavo il lettore CD con una gamba del divano e non credo sia rimasto favorevolmente impressionato.

Dio, vorrei tanto che si confidasse con me, come succede in *Dawson's Creek*. Ma ogni volta che gli dico «Vuoi parlare?» e do un colpetto sul divano per invitarlo a sedersi accanto a me, invece di rispondere: "Sì, Becky, ci sono delle cose di cui vorrei parlarti" o mi ignora o mi risponde che abbiamo finito il caffè.

So che ha cercato di chiamare sua madre, ma in quella stupida clinica svizzera i pazienti non sono autorizzati a tenere accesi i cellulari, e quindi non è riuscito a parlarle. So anche che ha fatto parecchie telefonate a Michael. E che la segretaria che lavorava per la Fondazione Elinor Sherman ora è tornata alla Brandon Communications. Quando gli ho fatto qualche domanda in proposito, però, Luke si è chiuso a riccio e non mi ha risposto. È come se non volesse ammettere ciò che è successo.

L'unica cosa che sta andando a gonfie vele sono i preparativi per il matrimonio. Robyn e io abbiamo avuto parecchi incontri con l'architetto, il quale mi ha esposto delle idee fantastiche per la sala. Poi, l'altro giorno c'è stata la degustazione dei dolci al Plaza, e c'era da svenire ad assaggiare le diverse proposte di pudding. Per tutto il tempo non ho fatto che bere champagne, servita e riverita come una principessa da deferenti camerieri.

Ma, se devo essere del tutto sincera, non mi sentivo rilassata e felice come avrei dovuto. Anche mentre ero seduta là, a gustare pesche sciroppate con mousse di pistacchio e anicini, il mio piacere è stato sottilmente guastato da una punta di rimorso.

Credo che mi sentirò molto meglio quando avrò comunicato la novità alla mamma.

Non che ci sia motivo di sentirsi in colpa. Non potevo dirle niente finché erano in vacanza nel Lake District, no? Non potevo certo interrompere la loro meritata vacanza. Ma domani tornano. Perciò telefonerò con calma alla mamma, per dirle che apprezzo sinceramente tutto ciò che ha fatto, che questo non significa che io non le sia grata, ma che ho deciso...

No. Che Luke e io abbiamo deciso...

No. Che Elinor si è gentilmente offerta... Che abbiamo deciso di accettare...

Oh, Dio. Mi si annoda lo stomaco solo all'idea.

D'accordo, ci penserò dopo. E, comunque, non voglio fare un discorsetto falso e impacciato. Meglio improvvisare ed essere spontanei.

Quando arrivo da Barneys, Christina sta riordinando un espositore di giacche da sera.

«Ciao» mi dice. «Hai firmato le lettere che ti ho lasciato?»

«Come?» rispondo distrattamente. «Oh, scusa. Me ne sono dimenticata. Lo farò oggi.»

«Becky? Va tutto bene?» chiede lei, osservandomi con attenzione.

«Sto bene. Sono solo... non lo so, il matrimonio...»

«Ho visto India del reparto spose ieri sera. Mi ha detto che le hai chiesto di metterti via un abito di Richard Tyler.»

«Sì.»

«Ma avrei giurato che l'altro giorno stessi dicendo a Erin che avevi scelto un abito da Vera Wang.»

Distolgo lo sguardo e armeggio con la cerniera della borsa. «Be'... il fatto è che ho prenotato più di un vestito.»

«Quanti?»

«Quattro» ammetto dopo una pausa. Non c'è bisogno che le dica di quello da Kleinfeld.

Christina getta la testa all'indietro e scoppia in una risata. «Becky, non puoi indossare più di un abito! Alla fine dovrai sceglierne uno, lo sai.»

«Lo so» dico poco convinta, e scompaio nel mio salottino prima che possa aggiungere altro.

La mia prima cliente è Laurel. È qui perché è stata invitata a un weekend di lavoro, abbigliamento informale. Peccato che la sua idea di abbigliamento informale sia pantaloni della tuta e maglietta.

«Hai una pessima cera» mi dice, entrando. «Cosa c'è che non va?»

«Niente!» rispondo, con un gran sorriso. «Sono solo un po' preoccupata.»

«Hai litigato con tua madre?»

Sollevo la testa di scatto.

«No» rispondo cauta. «Perché me lo chiedi?»

«È la regola» dice Laurel, togliendosi la giacca. «Tutte le spose litigano con le madri. Se non è per la cerimonia, è per le composizioni floreali. Io ho lanciato alla mia un colino per il tè perché aveva cancellato tre mie amiche dall'elenco degli invitati senza chiedermelo.»

«Davvero? Ma poi avete fatto la pace?»

«Non ci siamo più parlate per cinque anni.»

«Cinque anni?» La fisso, inorridita. «Solo per uno screzio da matrimonio?»

«Becky, quando si tratta di matrimonio, non sono mai semplici screzi.» Guarda una maglia di cashmere. «Bella, questa.»

«Sì» ribatto, poco interessata. Dio, ora sono davvero preoccupata.

E se rompo i rapporti con la mamma? E se lei si offende e dice che non vuole più vedermi? E se poi Luke e io abbiamo dei bambini e loro non conosceranno mai i nonni? Ogni Natale compreranno dei regali per nonno e nonna Bloomwood, e ogni anno i pacchi rimarranno intatti sotto l'albero finché noi non li metteremo via in silenzio e poi un giorno la bambina dirà: "Mamma, perché la nonna Bloomwood ci odia?" e io dovrò ricacciare indietro le lacrime e rispondere: "Tesoro, non è che ci odia, è solo che...".

«Becky? Ti senti bene?»

Ritorno bruscamente al presente e vedo Laurel che mi osserva preoccupata. «Sai, non mi sembri a posto. Forse hai bisogno di staccare un po'.»

«Sto bene. Davvero» rispondo, sforzandomi di rivolgerle il mio miglior sorriso professionale. «Allora, queste sono le gonne a cui avevo pensato. Se vuoi provare quella beige, con la camicia avorio...»

Mentre Laurel prova i diversi capi, io sto seduta su uno sgabello, annuendo e facendo qualche raro commento; il mio cervello, però, si sta ancora arrovellando sulla questione mamma. Mi sento così invischiata in questo pasticcio che ho perso il senso della misura. Darà in escandescenze quando le dirò del Plaza? Oppure no? Non so neanch'io cosa pensare.

Voglio dire, prendete quello che è successo a Natale. Credevo che la mamma ci sarebbe rimasta malissimo sapendo che Luke e io non saremmo andati a casa loro, e ci ho messo un sacco di tempo per trovare il coraggio di dirglielo. E invece, è stata molto cara e mi ha detto che non dovevo preoccuparmi, perché lei e papà avrebbero passato comunque una bella giornata in compagnia di Janice e Martin. E forse, adesso, succederà lo stesso. Quando le spiegherò tutta la storia, lei mi dirà: «Oh, tesoro, non essere sciocca. È naturale che dovete sposarvi dove preferite voi».

Oppure scoppierà a piangere, chiedendomi come ho potuto farle questo e che al Plaza non ci verrà neppure morta.

«E così ho ricevuto questa citazione per posta. La puttanella mi fa causa! Ti pare possibile? Lei fa causa a me!»

Mentre la voce di Laurel si insinua nei miei pensieri, sento i primi campanelli d'allarme. Alzo lo sguardo e vedo che sta per prendere un abitino leggero che voglio proporle per la sera.

«Pretende un risarcimento per danni fisici e psicologici! Pensa che coraggio!»

«Laurel» dico, innervosita, «perché questo non lo provi dopo?» Mi guardo intorno alla disperata ricerca di qualcosa di più robusto e resistente. Che so, una giacca di tweed, o un piumino sportivo. Ma lei non mi vede nemmeno.

«Secondo i suoi legali, io avrei ostacolato il suo fondamentale diritto di perseguire l'amore con la persona da lei scelta. E mi ha denunciato per comportamento irragionevolmente aggressivo. Ma ci pensi? Comportamento irragionevolmente aggressivo!» Infila una gamba nel vestito come se stesse immaginando di prendere a calci qualcuno. «Ovvio che sono aggressiva! Mi ha portato via il marito. Mi ha rubato i gioielli. Cosa si aspetta?» Laurel si aggiusta una manica sulla spalla, il rumore di uno strappo mi fa trasalire. «Te lo pago» dice, senza interrompersi.

«Ti ha rubato i gioielli?» dico. «In che senso?»

«Come, non te l'ho raccontato? Quando Bill ha cominciato a portarsela a casa, sono iniziate a sparire delle cose. Un pendente di smeraldi che mi aveva regalato mia nonna. Un paio di braccialetti. Ovviamente io non avevo idea di quello che stava succedendo, quindi pensavo di averli persi io. Ma quando ho saputo della tresca, ho capito che doveva essere stata lei.»

«E non hai potuto fare niente?» chiedo, allibita.

«Oh, certo. Ho chiamato la polizia.» L'espressione di Laurel si fa tesa mentre si abbottona il vestito. «Gli agenti sono andati da lei, le hanno fatto delle domande e hanno perquisito il suo appartamento. Ma non hanno trovato nulla. Ovvio.» Mi guarda con un sorrisino strano. «E poi Bill è venuto a saperlo. È andato su tutte le furie. È corso alla polizia e ha detto... be' non so cos'abbia detto di preciso, ma quel pomeriggio stesso il comando mi ha richiamato dicendo che per loro il caso era chiuso. Ovviamente si sono convinti che io fossi una povera moglie abbandonata che voleva vendicarsi. Cosa che in effetti ero.»

Si guarda allo specchio e lentamente tutta la sua agitazione svanisce. «Sai, ho sempre pensato che rinsavisse» dice, a voce bassa. «Pensavo che potesse durare un mese, forse due. E che poi lui sarebbe tornato da me strisciando, io lo avrei respinto, avrebbe insistito, avremmo litigato e alla fine...» Espira lentamente. «E invece no. Lui non è tornato.»

Incrocia il mio sguardo nello specchio e all'improvviso mi sento attraversare da una fitta di risentimento. Perché mai quello stupido di un marito doveva lasciarla?

«Mi piace questo vestito» aggiunge, con voce più allegra. «Senza lo strappo, ovviamente.»

«Vado a prendertene un altro» dico. «È su questo piano.»

Esco dal reparto e mi dirigo verso gli espositori. È ancora presto per gli acquirenti abituali e il piano è quasi deserto. Ma mentre cerco un altro vestito della taglia di Laurel, colgo con la coda dell'occhio la presenza di una figura familiare. Mi volto, sorpresa, ma la figura è scomparsa.

Strano. Quando ho trovato il vestito e ho preso uno scialle coordinato, mi volto, ed eccolo di nuovo lì. È Danny. Cosa diavolo ci fa qui da Barneys? Mi avvicino e lo guardo meglio. È nervoso, scarmigliato e ha un'espressione da pazzo.

«Danny!» esclamo, facendolo sussultare. «Cosa ci fai qui?»

«Oh! Niente! Stavo solo... curiosando.»

«Ti senti bene?»

«Sì, sì. Benissimo!» Lancia un'occhiata all'orologio. «Immagino avrai da fare, no?»

«A dire il vero sì» rispondo, un po' dispiaciuta. «Ho una cliente che mi aspetta. Altrimenti potremmo andare a prendere un caffè.»

«No, non c'è problema. Va' pure, ci vediamo dopo.»

«D'accordo.» Torno nel mio salottino di prova, leggermente perplessa.

Laurel decide di comprare tre mise che ho scelto per lei, e prima di andare via mi abbraccia. «Non farti abbattere dal matrimonio» mi dice. «Non devi dare ascolto a me. La mia non è una visione obiettiva. So che tu e Luke sarete felici.»

«Laurel» dico, abbracciandola forte, «sei fantastica.»

Laurel è una delle persone che preferisco al mondo. Dio, se dovesse mai capitarmi di incontrare quel cretino del marito, gliela faccio vedere io.

Quando Laurel se ne va, consulto l'agenda degli appuntamenti e vedo che ho un'ora libera prima della prossima cliente, così decido di andare al reparto spose per dare un'altra occhiata al mio vestito. Ormai la scelta si è ristretta a questo e quello di Vera Wang. O magari quello di Tracy Connop.

Uno dei tre, comunque.

Mentre esco dal mio reparto, mi fermo, sorpresa. C'è di

nuovo Danny, accanto a un espositore di top. Cosa diavolo ci fa ancora qui? Sto per chiamarlo per chiedergli se vuole venire a vedere il mio vestito e a bere un cappuccino veloce, quando, con mia grande sorpresa, vedo che si guarda intorno, si china con aria furtiva e tira fuori qualcosa da una sacca di tela. È una T-shirt con le maniche luccicanti, infilata su una gruccia. La appende all'espositore, si guarda di nuovo in giro, poi ne tira fuori un'altra.

Lo osservo stupefatta. Ma cosa sta facendo?

Lui si guarda ancora intorno, si china e questa volta prende un piccolo cartello laminato, che sistema in fondo all'espositore.

Cosa diavolo sta combinando?

«Danny?» dico, avviandomi verso di lui.

«Eh? Cosa?» dice sorpreso, poi si volta e mi vede. «Shhh! Becky, per favore!»

«Cosa stai facendo con quelle T-shirt?» gli chiedo, a bassa voce.

«Mi sto inserendo nel vostro assortimento.»

«Cosa intendi dire?»

Fa un cenno col capo in direzione del cartello laminato e io, incredula, leggo:

LA COLLEZIONE DANNY KOVITZ.
UN ENTUSIASMANTE GIOVANE TALENTO DA BARNEYS

«Non sono tutte su grucce di Barneys» dice lui, appendendone altre due, «ma ho pensato che in fondo non è poi così importante.»

«Danny... ma non puoi fare una cosa del genere. Non puoi mettere le tue cose sugli espositori!»

«Lo sto facendo.»

«Ma...»

«Non ho altra scelta, d'accordo? In questo momento Randall sta venendo qui e si aspetta di trovare un'intera linea Danny Kovitz.»

Lo fisso, inorridita.

«Avevi detto che non sarebbe mai venuto a controllare!»

«E infatti è così» ribatte Danny, infilando un'altra maglietta nell'espositore, «ma quella stupida della sua ragazza ha pensato di metterci il becco. Non aveva mai mostrato alcun interesse per me, ma appena ha sentito parlare di Barneys ha cominciato a dire: "Oh, Randall! Dovresti aiutare tuo fratello! Domani perché non vai da Barneys a comprare una delle sue cose?". E io a dire: "Ma no, Randall, non è affatto necessario". E ora lui si è messo in testa di venire a dare un'occhiata. E così io ho passato tutta la notte a cucire.»

«Hai fatto tutto stanotte?» dico, incredula, allungando la mano verso una maglietta. Una treccina di camoscio si stacca e cade a terra.

«Be', magari le rifiniture non sono all'altezza dei miei standard produttivi» dice lui, sulla difensiva. «Vedi di non maltrattarle, okay?» Comincia a contare le sue magliette. «Due... quattro... sei... otto... dieci. Dovrebbero bastare.»

«Danny...» Lancio un'occhiata in giro, e vedo Carla, una delle commesse, che ci guarda stranita. «Ciao!» dico, tutta allegra. «Sto... aiutando uno dei miei clienti a trovare... Per la sua ragazza...» Carla ci lancia un'altra occhiata sospettosa e si allontana. «Non funzionerà» mormoro, appena sono certa che non può sentirci. «Devi toglierle subito. Non è nemmeno il reparto giusto!»

«Mi bastano due minuti» ribatte lui. «Due minuti. Il tempo che lui entri, veda il cartello, e se ne vada. Su, Becky, a nessuno verrà in mente di...» Di colpo si blocca. «Eccolo qui.»

Seguo il suo sguardo e vedo Randall che attraversa il reparto, diretto verso di noi.

Per la milionesima volta mi chiedo come sia possibile che Randall e Daniel siano figli degli stessi genitori. Mentre Daniel è sempre agitato e in costante movimento, Randall è un tipo pacato, serio, dalla corporatura pesante.

«Ciao, Daniel» dice e poi fa un cenno con la testa verso di me. «Becky.»

«Ciao, Randall» rispondo con un sorriso forzato che spero sembri naturale. «Come stai?»

«Eccole qui!» dice Danny con aria trionfante, allontanandosi di qualche passo dall'espositore e indicando le magliette. «La mia collezione. Da Barneys. Proprio come ti avevo detto.»

«Vedo» dice Randall, osservando con attenzione gli indumenti. Segue un silenzio carico di tensione, e io ho la certezza che stia per scoprire tutto. Invece non dice una parola e, con una certa sorpresa, mi rendo conto che c'è cascato in pieno.

Ma perché dovrei essere sorpresa? Le creazioni di Danny non sono poi così fuori luogo su quell'espositore.

«Congratulazioni» dice Randall alla fine. «È un bel risultato.» Con gesto impacciato, dà una pacca sulla spalla del fratello, e poi mi chiede: «Si vendono?».

«Sì! Piacciono molto, direi.»

«Qual è il prezzo al dettaglio?» Allunga una mano verso una maglietta e Danny e io istintivamente tratteniamo il fiato. Immobili, lo guardiamo mentre cerca il cartellino e poi alza lo sguardo, sconcertato. «Ma qui non c'è il cartellino del prezzo.»

«È perché... sono appena arrivate» mi sento rispondere. «Ma credo che costino... ottantanove dollari.»

«Mah» dice Randall scuotendo la testa. «Be', io non ho mai capito nulla di alta moda...»

«A me lo dice» mi sussurra Danny all'orecchio.

«Ma se si vendono, un motivo ci sarà. Daniel, ti faccio tanto di cappello.» Ne prende un'altra con una fila di rivetti intorno allo scollo e la guarda perplesso. «Quale dovrei prendere, secondo voi?»

«Non la comprare!» esclama Danny. «Te ne faccio una. Te la regalo.»

«Insisto. Se non posso aiutare mio fratello...»

«Randall, ti prego» insiste Danny convinto. «Lascia che ti faccia un regalo. È il minimo, dopo tutti i favori che mi hai fatto in questi ultimi anni. Davvero.»

«Be', se sei proprio sicuro» dice Randall alla fine, stringendosi nelle spalle. Poi guarda l'orologio. «Ora devo proprio andare. Mi ha fatto piacere vederti, Becky.»

«Ti accompagno all'ascensore» dice Danny, e mi lancia un'occhiata esultante.

Mentre si allontanano, provo un senso di sollievo misto a ilarità. Dio, l'abbiamo scampata bella! Non riesco quasi a credere che ce la siamo cavati con così poco.

«Ehi!» dice una voce alle mie spalle. «Guarda queste! Sono nuove?» Da dietro la mia spalla vedo spuntare una mano curata che afferra una delle magliette di Danny prima che io possa fermarla. Mi volto di scatto e resto sbigottita. È Lisa Farley, una cliente di Erin, gentile ma completamente svitata. Ha poco più di vent'anni, non credo che abbia un lavoro, e dice sempre tutto quello che le passa per la mente, anche se potrebbe risultare offensivo. (Una volta ha chiesto a Erin con aria innocente: «Ma non ti dà fastidio avere una bocca così strana?».)

Ora si appoggia la T-shirt sul davanti e la osserva.

Accidenti. Avrei dovuto toglierle immediatamente dall'espositore.

«Salve, Becky!» dice, tutta allegra. «Che carina questa! Non le avevo mai viste prima.»

«Infatti non sono ancora in vendita» mi affretto a rispondere. «Anzi, devo riportarle subito in magazzino.» Faccio per afferrare la maglietta, ma lei si ritrae.

«Voglio solo vederla allo specchio. Ehi, Tracy! Cosa ne dici?»

Un'altra ragazza, che indossa una giacca con il nuovo motivo di Dior, sta venendo verso di noi.

«Di cosa?»

«Di queste nuove magliette. Non sono una vera figata?» Ne prende un'altra e la porge a Tracy.

«Per cortesia, dovrei ritirarle...» dico, inutilmente.

«Guarda questa!»

Le due ragazze frugano tra le grucce con gesti rapidi, e le povere magliette non riescono a sopportare le sollecitazioni. Gli orli si disfano, lustrini e jais si staccano, per terra cade una nevicata di paillette.

«Oops, questa cucitura si è aperta» dice Lisa, guardandomi sbigottita. «Becky, non sono stata io, si è scucita da sola.»

«Non preoccuparti» dico, poco convinta.

«Ma è normale che venga via tutto in questo modo? Ehi, Christina!» chiama Lisa all'improvviso. «Questa nuova linea è così divertente!»

Christina?

Mi volto lentamente e mi blocco di colpo. Christina è ferma sulla soglia del reparto di shopping personalizzato, e sta chiacchierando col capo del personale.

«Quale nuova linea? Oh, ciao, Becky.»

Merda. Devo assolutamente mettere fine a questa conversazione.

«Lisa» dico, disperata. «Vieni a vedere le nuove giacche di Marc Jacobs che sono appena arrivate!»

Lisa mi ignora.

«Questa nuova... com'è che si chiama...» Guarda l'etichetta strizzando gli occhi. «Danny Kovitz! Non posso credere che Erin non mi abbia detto nulla! Birichina...» dice, agitando un dito in segno di rimprovero.

Sgomenta, vedo Christina drizzare le orecchie, subito in allarme. Niente la irrita di più della sensazione che il suo reparto sia meno che perfetto.

«Mi scusi un secondo» dice, lasciando il capo del personale per venire da noi.

«Cos'è che Erin non le ha detto?» chiede, affabile, alla ragazza.

«Di questo nuovo stilista» risponde Lisa. «Non l'ho mai sentito nominare prima.»

«Ahi!» esclama Tracy, ritraendo la mano da una T-shirt. «C'era uno spillo!»

«Uno spillo?» ripete Christina. «Me lo dia.»

Prende la maglietta a brandelli e la osserva allibita. Poi vede il cartello di Danny.

Oh, come ho potuto essere così stupida! Perché non ho tolto almeno quello?

Lo legge e la sua espressione cambia. Quando mi guarda negli occhi avverto un formicolio di paura. Non ho mai avuto problemi con Christina prima d'ora, ma l'ho sentita riprendere delle persone al telefono e so che sa essere piuttosto severa.

«Tu sai niente di questo, Becky?» mi chiede, cortese.

«Ecco...» Mi schiarisco la gola. «Il fatto è che...»

«Capisco. Lisa, temo che ci sia stato un piccolo equivoco» dice, rivolgendole un sorriso professionale. «Questi articoli non sono in vendita. Becky... sarà meglio che tu venga nel mio ufficio.»

«Christina... mi dispiace» dico, con le guance in fiamme.

«Cos'è successo?» chiede Tracy. «Perché non sono in vendita?»

«Becky è nei guai?» chiede Lisa, costernata. «Non la licenzi! È più simpatica di Erin... oops!» Si porta entrambe le mani alla bocca. «Scusa, Erin, non ti avevo vista!»

«Non c'è problema» dice Erin con un sorriso tirato.
Qui si mette male.
«Christina, non posso che scusarmi» dico, umilmente. «Non era mia intenzione causare problemi. Non volevo imbrogliare le clienti.»
«Nel mio ufficio» dice Christina, sollevando una mano per farmi tacere. «Se hai qualcosa da dire, Becky, potrai dirlo là.»
«Ferma!» dice una voce melodrammatica alle nostre spalle. Ci voltiamo di scatto e vediamo Danny venire verso di noi, con uno sguardo più stravolto del solito. «Ferma! Non se la prenda con Becky per questo!» prosegue, fermandosi davanti a me. «Lei non c'entra niente. Se proprio vuole licenziare qualcuno, licenzi me!»
«Danny, non può licenziarti» mormoro. «Tu non lavori da Barneys.»
«E questo chi sarebbe?» chiede Christina.
«Danny Kovitz.»
«Danny Kovitz. Ah.» Il viso di Christina si illumina. «Dunque è stato lei a... a confezionare questi indumenti. E a collocarli sui nostri espositori.»
«Cosa? Non è un vero stilista?» esclama Tracy, inorridita. «Lo sapevo! Io non mi faccio ingannare.» Si affretta a riappendere la maglietta che tiene in mano, quasi ne fosse stata contaminata.
«Ma non è illegale?» chiede Lisa, sgranando gli occhi.
«E allora?» ribatte Danny sulla difensiva. «Volete sapere perché sono costretto a ricorrere all'inganno? Forse voi non sapete quanto sia impossibile avere un'occasione in questo cosiddetto "business della moda".» Si guarda intorno per accertarsi che tutti i presenti lo stiano ascoltando. «Io voglio solo portare le mie idee alle persone che sanno apprezzarle. Io metto ogni goccia di linfa vitale nel mio lavoro. Io piango, io grido di dolore, io mi prosciugo nell'atto del creare. Ma i potenti della moda non sono interessati ai nuovi talenti! Non sono interessati a far crescere l'ultimo arrivato che osa essere un po' diverso!» Nella foga la sua voce si alza. «Chi può biasimarmi, se sono costretto a misure estreme? Se mi pungete, non esce forse del sangue dalla mia pelle?»
«Accidenti» sussurra Lisa. «Non sapevo che fosse così dura.»
«Sei tu che hai punto me» si intromette Tracy, che di tutte

sembra la meno colpita dall'arringa di Danny. «Con il tuo stupido spillo.»

«Christina, deve assolutamente dargli una possibilità!» esclama Lisa. «Guardi come si è impegnato!»

«Io voglio soltanto portare le mie idee a chi le sa apprezzare!» riattacca Danny. «Il mio unico desiderio è che qualcuno, un giorno, possa indossare uno dei miei abiti e sentirsi trasformato. Io striscio, mi prostro, ma ricevo solo porte in faccia...»

«Ora basta!» esclama Christina, in parte divertita, in parte esasperata. «Vuole la sua grande occasione? Mi faccia dare un'occhiata a questi vestiti.»

Segue un momento di silenzio incuriosito. Lancio un'occhiata veloce in direzione di Danny. Forse è venuto il suo momento! Christina riconoscerà il suo genio creativo e Barneys acquisterà un'intera collezione da lui, facendone uno stilista di successo! E Gwyneth Paltrow indosserà una delle sue T-shirt per partecipare alla trasmissione di Jay Leno, e tutti correranno a comprarle, e lui diventerà famoso e aprirà il suo atelier!

Christina prende una T-shirt spruzzata di colore e strass sul davanti; mentre la osserva trattengo il fiato. Lisa e Tracy si scambiano un'occhiata interessata, Danny è immobile, ma il suo viso è teso per la speranza. C'è un silenzio di tomba quando Christina posa la maglietta e ne esamina una seconda. Tutti tratteniamo il respiro, in attesa del verdetto. Aggrottando la fronte, Christina tende la maglietta per guardarla meglio... e una manica le resta in mano.

Nessuno osa parlare.

«È il look» dice Danny, un po' troppo tardi. «Si tratta di un approccio distruttivo al design...»

Christina scuote la testa e la posa.

«Giovanotto, lei di sicuro ha gusto, e forse ha anche talento. Purtroppo, però, gusto e talento non bastano. Finché non sarà in grado di rifinire adeguatamente i suoi lavori non farà molta strada.»

«Solitamente le mie creazioni sono rifinite con la massima cura!» ribatte Danny. «Ma questa collezione è stata ultimata in modo un po' frettoloso.»

«Le suggerisco di ricominciare dall'inizio, e di fare pochi capi ma ben rifiniti.»

«Sta dicendo che sono poco preciso?»

«Sto dicendo che deve imparare a portare a termine un progetto.» Christina gli rivolge un sorriso cordiale. «E allora ne riparleremo.»

«Io sono perfettamente in grado di portare a termine un progetto!» ribatte Danny, indignato. «È uno dei miei punti di forza! È uno dei miei... altrimenti, come potrei fare l'abito da sposa di Becky?» E mi afferra, come se a questo punto dovessimo esibirci in un duetto. «L'abito più importante della sua vita! Lei ha fiducia in me. Quando Becky Bloomwood avanzerà tra due ali di folla nel salone del Plaza indossando una creazione di Danny Kovitz, non direte più che sono impreciso. E quando i telefoni cominceranno a squillare...»

«Cosa?» dico io, stupidamente.

«Lei farà l'abito da sposa di Becky?» Christina si volta verso di me. «Credevo avessi scelto un abito di Richard Tyler!»

«Richard Tyler?» ripete Danny stupito.

«Io pensavo che indossassi un abito di Vera Wang» dice Erin, che da due minuti si è unita al gruppo ed è rimasta a godersi la scena.

«Io avevo sentito dire che avresti indossato l'abito da sposa di tua madre» si intromette Lisa.

«Il vestito te lo faccio io!» insiste Danny, gli occhi spalancati per lo sconcerto. «Me l'avevi promesso! Avevamo fatto un patto!»

«Quello di Vera Wang è perfetto» insiste Erin. «Devi indossare quello.»

«Io sceglierei Richard Tyler» dice Tracy.

«E l'abito da sposa di tua madre?» ribatte Lisa. «Non sarebbe romantico?»

«Quello di Vera Wang le sta divinamente» dice Erin, convinta.

«Ma come puoi rinunciare all'abito da sposa di tua madre?» chiede Lisa. «Come puoi trascurare una tradizione familiare come quella? Becky, non sei d'accordo?»

«L'importante è che le stia bene!» tiene duro Erin.

«L'importante è essere romantici!» insiste Lisa.

«E il mio vestito?» chiede Danny con voce lamentosa. «Dov'è finita la lealtà verso il tuo miglior amico? Dimmelo, Becky.»

Ho la sensazione che tutte quelle voci mi stiano trapanando il cervello. Tutti mi fissano avidi, in attesa di una risposta... e all'improvviso perdo la calma.

«Non lo so. Okay? Non so ancora cosa voglio fare!»

Sono sul punto di scoppiare a piangere, il che è assolutamente ridicolo. Voglio dire, non mi mancano certo gli abiti da sposa.

«Becky, credo che dovremmo scambiare due parole» dice Christina, lanciandomi un'occhiata penetrante. «Erin, metti tutto a posto, per favore, e scusati con Carla, d'accordo? Becky, tu vieni con me.»

Entriamo nell'elegante ufficio di Christina arredato tutto in beige e camoscio, e lei chiude la porta. Si volta, e per un terribile istante temo che stia per mettersi a urlare. Invece, mi fa cenno di sedermi e mi guarda a lungo, con attenzione.

«Come stai, Becky?»

«Bene!»

«Bene. Capisco.» Christina annuisce con aria scettica. «Cosa ti sta succedendo, in questo periodo?»

«Niente. Sai, le solite cose.»

«I preparativi per il matrimonio procedono bene?»

«Sì! Sì, non c'è nessun problema.»

«Capisco.» Christina resta in silenzio per un istante, dandosi dei colpetti sui denti con la penna. «Recentemente sei andata a far visita a un amico in ospedale. Chi era?»

«Ah, sì. Veramente era un amico di Luke, Michael. Ha avuto un infarto.»

«Dev'essere stato uno shock per te.»

Per un attimo resto in silenzio.

«Be', suppongo di sì» dico, alla fine, sfiorando con un dito il bracciolo della poltrona. «Specialmente per Luke. Loro due sono sempre stati molto uniti, ma avevano litigato e Luke aveva dei forti sensi di colpa. Poi abbiamo ricevuto questa telefonata che ci informava di quanto era accaduto a Michael e... insomma, se fosse morto, Luke non avrebbe potuto...» Mi interrompo, coprendomi la faccia con la mano, per nascondere l'emozione. «E poi, in questo momento c'è molta tensione tra Luke e sua madre, e questo certo non aiuta. Lei lo ha usato.

Anzi, ha abusato di lui. Luke si è sentito tradito, ma con me non vuole parlarne.» Mi si incrina la voce. «Al momento non vuole parlare di nulla. Né del matrimonio, né della luna di miele... neppure di dove andremo ad abitare! Ci hanno dato lo sfratto, e non abbiamo ancora trovato un posto, e non so neppure quando cominceremo a cercarlo...»

Con mia grande sorpresa, una lacrima mi scende sul naso. Da dove è spuntata?

«Ma a parte questo, tu stai bene» dice Christina.

«Oh, sì!» Mi stropiccio il viso. «A parte questo, va tutto benissimo!»

«Becky!» Christina scuote la testa. «Così non va. Voglio che tu ti prenda qualche giorno di ferie. Ti spettano in ogni caso.»

«Io non ho bisogno di ferie!»

«Recentemente mi sono accorta che sei piuttosto tesa, ma non avevo idea che fosse così grave. È stato solo quando Laurel mi ha parlato, questa mattina, che...»

«Laurel?» chiedo, colta alla sprovvista.

«Anche lei è preoccupata. Mi ha detto che teme che tu abbia perso il tuo smalto. Anche Erin l'ha notato. Dice che ieri ti ha parlato di una vendita di campionario di Kate Spade, e tu non le hai quasi dato retta. Questa non è la Becky che ho assunto.»

«Mi stai licenziando?» dico, avvilita.

«Io non voglio licenziarti! Sono solo preoccupata per te. Becky, mi hai appena raccontato una serie di circostanze piuttosto difficili. Il tuo amico... Luke... l'appartamento.»

Prende una bottiglia di acqua minerale, ne versa due bicchieri, e me ne porge uno.

«E non è tutto. Dico bene, Becky?»

«Cosa intendi dire?»

«Credo che ci sia un'altra complicazione di cui non mi hai parlato. Ha a che fare col matrimonio.» Mi guarda negli occhi. «Ho ragione?»

Oh, mio Dio.

Come ha fatto a scoprirlo? Sono stata così attenta...

«Ho ragione?» ripete Christina con dolcezza.

Per qualche istante resto immobile. Poi, lentamente, annuisco.

È quasi un sollievo pensare che il mio segreto non è più tale.

«Come hai fatto a scoprirlo?» dico, appoggiandomi allo schienale.

«Me l'ha detto Laurel.»

«Laurel?» Sono stupefatta. «Ma io non le ho mai...»

«Ha detto che era evidente. E poi ti sei tradita con piccoli accenni... sai, mantenere un segreto è molto più difficile di quanto si pensi.»

«Io... non riesco a credere che tu l'abbia scoperto. Non ho osato parlarne con nessuno!» Mi scosto i capelli dalle guance in fiamme. «Chissà cosa penserai di me, adesso.»

«Nessuno pensa male di te» ribatte lei. «Davvero.»

«Non avevo intenzione di lasciare che le cose arrivassero fino a questo punto.»

«Ovvio che no! Non ti colpevolizzare.»

«Ma è tutta colpa mia!»

«No. È perfettamente normale.»

«Normale?»

«Ma certo! Tutte le spose litigano con la madre a proposito del matrimonio. Non sei l'unica, Becky.»

La guardo, confusa. Cos'ha detto?

«Io capisco bene le pressioni cui sei sottoposta.» Christina mi rivolge un'occhiata comprensiva. «Specialmente se tu e tua madre siete sempre state molto unite in passato.»

Christina è convinta che...

All'improvviso mi rendo conto che sta aspettando una risposta.

«Ehm... sì!» dico, con voce strozzata. «È stato... piuttosto difficile.»

«Becky, io raramente mi permetto di dare dei consigli, giusto?»

«Be', sì.»

«Ma adesso voglio che tu mi dia ascolto. Voglio che tu ricordi che questo è il tuo matrimonio. Non il matrimonio di tua madre. È tuo e di Luke e ci si sposa solo una volta. Quindi devi fare come vuoi tu. Credimi, se non fai così, te ne pentirai.»

«Mmm. Il fatto è che... non è così semplice.»

«Invece è semplice. Semplicissimo. È il tuo matrimonio, Becky. Il tuo matrimonio.»

La sua voce è chiara, decisa. Guardandola, mentre mi porto

il bicchiere alla bocca, sento come se un raggio di luce avesse squarciato le nubi.

È il mio matrimonio. Non ci avevo mai pensato in questi termini.

Non è il matrimonio della mamma. Né quello di Elinor. È il mio.

«È facile cadere nella trappola di voler compiacere tua madre a tutti i costi» sta dicendo Christina. «È un istinto naturale nelle persone generose. Ma talvolta bisogna anche saper essere egoisti. Quando mi sono sposata io...»

«Tu sei sposata?» chiedo, sorpresa. «Non lo sapevo.»

«È successo tanto tempo fa. Non ha funzionato. E forse non ha funzionato proprio perché io ho odiato ogni istante di quel matrimonio. Dalla musica alla promessa, che mia madre aveva voluto scrivere personalmente.» La sua mano si stringe attorno a un bastoncino di plastica. «Dal blu elettrico dei cocktail a quel vestito così di cattivo gusto...»

«Davvero? Ma è orribile!»

«Ormai è acqua passata.» Il bastoncino si spezza e lei mi rivolge un sorriso incerto. «Ma ricorda quanto ti ho detto. È il tuo giorno. Tuo e di Luke. Fallo come vuoi tu, e non sentirti in colpa per questo. E... Becky?»

«Sì?»

«Ricorda, tu e tua madre siete persone adulte. Quindi discutetene da persone adulte.» Inarca le sopracciglia. «Potresti restare sorpresa dal risultato.»

Christina ha ragione. Oh, come ha ragione!

Mentre rientro a casa, mi sembra di vedere tutto molto chiaro. Il mio atteggiamento verso il matrimonio è cambiato. Sento una nuova determinazione. Questo è il *mio* matrimonio, il *mio* giorno. E se voglio sposarmi a New York, è lì che mi sposerò. Se voglio indossare un abito di Vera Wang, lo indosserò. È ridicolo sentirsi in colpa per queste cose.

Ho rimandato troppo il chiarimento con la mamma. Voglio dire, cosa mi aspetto che faccia? Che scoppi in lacrime? Siamo due persone adulte. Faremo un discorso maturo e sensato, io le esporrò con calma il mio punto di vista e la cosa sarà risolta, una volta per tutte. Dio, come mi sento sollevata! La chiamerò subito.

Entro in camera, decisa, getto la borsa sul letto e digito il numero.

«Ciao, papà» dico, appena lui risponde. «C'è la mamma? Devo parlarle di una cosa. È importante.»

Mi guardo allo specchio e mi sembra di essere un'annunciatrice della NBC: decisa, calma, padrona di me.

«Becky?» risponde papà, perplesso. «Ti senti bene?»

«Benissimo. Devo solo discutere di un paio di cose con la mamma.»

Mio padre si allontana per chiamarla, io faccio un respiro profondo e mi tiro indietro i capelli, sentendomi di colpo molto matura. Ecco, probabilmente per la prima volta nella mia vita sto per avere una discussione adulta e risolutiva con mia madre.

Chissà, forse questo è l'inizio di un nuovo rapporto con i miei genitori, improntato a un nuovo, mutuo rispetto, a una visione comune della vita.

«Pronto, tesoro?»

«Ciao, mamma.» Inspiro a fondo. Ecco qui. Calma e matura. «Mamma...»

«Oh, Becky, stavo proprio per telefonarti io. Non immaginerai mai chi abbiamo visto nel Lake District!»

«Chi?»

«La zia Zannie! Te la ricordi? Le rubavi sempre le collane. E le scarpe. Abbiamo riso tanto, ripensando a come te ne andavi in giro traballante sui tacchi...»

«Mamma, devo parlarti di una cosa importante.»

«Hanno sempre lo stesso negozio, in paese. Quello dove andavi a comprare i gelati alla fragola. Ricordi quella volta in cui ne hai mangiati troppi e poi sei stata male? Abbiamo riso anche di quello!»

«Mamma...»

«E i Tiverton vivono ancora nella stessa casa, ma...»

«Ma cosa?»

«Sai, tesoro... purtroppo l'asino Carrot...» qui la mamma abbassa la voce «è volato nel paradiso degli asini. Ma era tanto vecchio, cara, e lassù sarà felice...»

È impossibile. Non mi sento affatto adulta. Mi sembra di avere sei anni.

«Ti mandano tutti i loro saluti» dice mia madre, concludendo finalmente le sue reminiscenze, «e naturalmente verranno per il matrimonio! Allora, papà mi ha detto che volevi dirmi qualcosa?»

«Io...» Mi schiarisco la gola, improvvisamente intimorita dal silenzio, dagli echi della linea, dalla distanza che ci separa. «Be'... volevo...»

Oh, Dio! Mi tremano le labbra e la mia voce da annunciatrice si è trasformata in un nervoso squittio.

«Cosa c'è Becky?» chiede la mamma preoccupata. «C'è qualcosa che non va?»

«No! È solo che...»

No, non funziona.

So che quanto ha detto Christina è giusto. So che non dovrei sentirmi in colpa. È il mio matrimonio, io sono una persona adulta e dovrei avere quello che voglio. Non sto chiedendo a mamma e papà di pagare loro. Non gli sto chiedendo alcun sacrificio.

Ma tant'è...

Non riesco a dire alla mamma che voglio sposarmi al Plaza per telefono. Non posso farlo.

«Pensavo di venire a trovarvi» mi ritrovo a dire d'un fiato. «È questo che volevo dirti. Vengo a casa.»

FINERMAN WALLSTEIN
Studio legale
Finerman House
1398 Avenue of the Americas
New York, NY 10105

Rebecca Bloomwood
Appartamento B
251 W 11th Street
New York
NY 10014

18 aprile 2002

Gentile signorina Bloomwood,
la ringrazio per la sua lettera del 16 aprile riguardante il suo testamento. Confermo che sotto la seconda clausola, sezione (e), è stato aggiunto "e anche i miei nuovi stivali di jeans col tacco alto", come da lei richiesto.

Distinti saluti

Jane Cardozo

11

Come scorgo la mamma mi sento subito nervosa. È davanti al terminal 4, accanto a papà, intenta a scrutare l'uscita. Quando mi vede, il suo viso si accende con un misto di gioia e preoccupazione. Quando ha saputo che sarei venuta senza Luke c'è rimasta male e sono stata costretta a ripetere più volte che tra noi va tutto bene.

Poi ho dovuto assicurarle che non ero stata licenziata.

Dopodiché ho giurato di non essere in fuga da un giro di strozzini internazionale.

Sapete, a volte, quando ripenso agli ultimi anni, provo un leggero senso di colpa nei confronti dei miei genitori, per tutto quello che gli ho fatto passare.

«Becky! Graham, è arrivata!» Mia madre si precipita in avanti, facendosi largo a gomitate tra una famiglia di indiani in turbante. «Becky, tesoro! Come stai? Come sta Luke? Va tutto bene?»

«Ciao, mamma» dico, stringendola forte. «Sto bene. Luke ti abbraccia. Va tutto bene.»

Tranne una cosetta da nulla... sto organizzando uno sfarzoso matrimonio a New York a tua insaputa.

Smettila, ordino alla mia mente mentre papà mi dà un bacio e prende il carrello. Non vedo la necessità di parlarne subito. E neppure di pensarci. Affronterò l'argomento più tardi, quando saremo a casa e mi si presenterà l'occasione.

Prima o poi dovrà pur presentarsi.

"Allora, Becky, hai più pensato all'idea di sposarti in America?"

"Sai, mamma, è strano che tu me lo chieda, perché..."

Giusto. Aspetterò un'occasione di questo tipo.

Ma, per quanto mi sforzi di comportarmi in maniera naturale e rilassata, non riesco a pensare ad altro. Prima che mamma e papà abbiano trovato l'auto, si siano messi d'accordo su dov'è l'uscita, e abbiano discusso se tre sterline e sessanta è una cifra ragionevole per un'ora di parcheggio, il mio stomaco è un groviglio di nervi che si stringe ancora di più ogni volta che vengono pronunciate, anche di sfuggita, le parole "matrimonio", "Luke", "New York" o "America".

È come quella volta che ho detto ai miei genitori che avrei sostenuto anch'io l'esame facoltativo di matematica avanzata. Tom, il nostro vicino di casa, aveva deciso di farlo e sua madre Janice non faceva che vantarsi di questo, e così ho detto a mamma e papà che l'avrei fatto anch'io. Poi sono iniziati gli esami, e ho dovuto fingere di sostenere uno scritto in più (e invece ho passato tre ore da Topshop). Quando sono usciti i risultati, i miei continuavano a chiedermi: «Quanto hai preso in matematica avanzata?».

Così ho inventato la storia che gli esaminatori ci impiegavano più tempo a correggere gli elaborati di matematica perché era una materia molto più difficile delle altre. E sono convinta che mi avrebbero creduto, se Janice non fosse venuta da noi dicendo: «Tom ha preso il massimo dei voti, e Becky?».

Maledetto Tom.

«Non mi hai ancora chiesto del matrimonio» mi dice la mamma mentre sfrecciamo lungo la A3 in direzione di Oxshott.

«Oh! Già, è vero!» Mi costringo a usare un tono allegro. «Allora... come vanno i preparativi?»

«A essere sinceri, non abbiamo fatto molto» risponde papà, mentre ci avviciniamo allo svincolo per Oxshott.

«Siamo ancora agli inizi» aggiunge la mamma, serena.

«In fondo è solo un matrimonio» prosegue papà. «Secondo me, la gente si scalda troppo per queste cose. Si può anche organizzare tutto all'ultimo minuto.»

«Certo» dico io, sollevata. «Sono pienamente d'accordo.»

Be', grazie al cielo. Mi abbandono sul sedile e comincio a rilassarmi. Questo renderà le cose più semplici. Se non hanno ancora fatto molto, ci vorrà poco per annullare tutto. Anzi, a dire il vero, sembra quasi che la cosa non li tocchi. Andrà tutto bene, me lo sento. Mi sono preoccupata per niente.

«A proposito, ha telefonato Suzie» dice la mamma mentre ci avviciniamo a casa. «Voleva sapere se potevate vedervi oggi, sul tardi. Le ho detto che ero certa di sì... ah, sarà meglio che ti avverta» prosegue la mamma, voltandosi a guardarmi. «Tom e Lucy...»

«Sì?» dico, rassegnata a dover subire il racconto dettagliato dell'ultima cucina che hanno comprato o della promozione che Lucy ha avuto sul lavoro.

«Si sono lasciati.» La mamma abbassa la voce anche se siamo chiusi in macchina.

«Si sono lasciati?» La fisso, allibita. «Stai dicendo sul serio? Ma se sono sposati solo da...»

«Neanche due anni. Janice è distrutta, come puoi immaginare.»

«Ma cos'è successo?» chiedo, mentre la mamma sporge in fuori le labbra.

«Lucy è scappata con un batterista.»

«Un batterista?»

«Di un complesso rock. A quanto pare ha un piercing sul...» Si interrompe con aria disgustata e la mia fantasia sfrenata esplora tutte le possibilità, di alcune delle quali, sono certa, la mamma non ha mai sentito parlare. (A essere sinceri, neppure io, finché non sono andata a vivere nel West Village.) «Capezzolo» conclude, alla fine, e io mi sento quasi sollevata.

«Fammi capire bene... Lucy è scappata con un batterista con un piercing sul capezzolo?»

«Vive in una roulotte» precisa papà, mettendo la freccia a sinistra.

«Dopo tutta la fatica che Tom ha fatto per sistemargli quella bella serra» aggiunge la mamma, scuotendo la testa. «Certe ragazze non sanno proprio cos'è la gratitudine.»

Non riesco a capacitarmi. Lucy lavora per la Wetherby's Investment Bank. Lei e Tom vivono a Reigate, in una casa che ha le tendine in tinta coi divani. Come diavolo ha fatto Lucy a conoscere un batterista con un piercing sul capezzolo?

All'improvviso mi torna in mente quella conversazione che

avevo sentito in giardino l'ultima volta che ero stata qui. Lucy non pareva esattamente felice. Ma non sembrava neppure una sul punto di scappare con un batterista.

«E Tom come sta?»

«Tira avanti» risponde papà. Al momento è qui a casa con Janice e Martin, povero ragazzo.»

«Se vuoi sapere come la penso io, lui l'ha già superata» ribatte la mamma, decisa. «È Janice che mi fa pena. Dopo il bellissimo matrimonio che ha organizzato! Quella ragazza ha fatto fessi tutti quanti.»

Ci fermiamo davanti a casa e, con grande sorpresa, vedo due furgoni bianchi parcheggiati nel vialetto.

«Cosa succede?» chiedo.

«Niente» dice la mamma.

«È l'idraulico» risponde papà.

Ma hanno tutti e due un'aria un po' strana. Mentre percorriamo il vialetto, la mamma si volta a guardare papà con occhi scintillanti.

«Allora, sei pronta?» dice papà, con noncuranza. Poi infila la chiave nella toppa e spalanca la porta.

«Sorpresa!» esclamano mamma e papà in coro. Io rimango a bocca aperta.

Nell'ingresso la vecchia tappezzeria è sparita, come pure la moquette. La casa è stata totalmente ridecorata con colori chiari e freschi, pavimenti in sisal e nuove lampade ovunque. Alzo lo sguardo, incredula, e vedo un operaio intento a ridipingere la ringhiera. Sul pianerottolo altri due stanno installando un lampadario, arrampicati su una scala a pioli. Ovunque c'è odore di nuovo e di pittura. E di tanti soldi spesi.

«State rimodernando la casa!» dico, con un filo di voce.

«Per il matrimonio!» risponde la mamma, raggiante.

«Ma avete detto...» deglutisco «avete detto che eravate ancora agli inizi.»

«Volevamo farti una sorpresa!»

«Allora, Becky, cosa ne pensi?» chiede papà. «Ti piace? I lavori hanno la tua approvazione?»

Il suo tono è scherzoso, ma capisco ugualmente che per lui è molto importante sapere se mi piace o no. Per tutti e due. Hanno fatto tutto questo per me.

«È fantastico» dico, con voce strozzata. «È davvero molto bello.»

«Ora vieni a vedere il giardino!» dice la mamma, e io la seguo fuori, dove trovo una squadra di giardinieri in tuta che lavorano alle aiuole.

«Stanno piantando le viole del pensiero per la scritta LUKE E BECKY!» mi spiega la mamma. «Fioriranno in tempo per giugno. E metteremo una nuova fontana, proprio all'ingresso del gazebo. L'ho vista in una trasmissione alla tivù.»

«Ma è... fantastico.»

«E si accende di notte, così, quando ci saranno i fuochi d'artificio...»

«Quali fuochi d'artificio?» chiedo, e la mamma si volta verso di me, sorpresa.

«Ma ti ho mandato un fax, Becky! Non dirmi che te ne sei dimenticata.»

«No. Certo che no.»

Ripenso alla pila di fax che mamma mi ha spedito e che io, rosa dai sensi di colpa, infilavo sotto il letto, dopo averli guardati di sfuggita; alcuni senza neppure leggerli.

Cos'ho mai fatto? Perché non ho prestato attenzione a quello che stava succedendo?

«Becky, tesoro, non hai una bella cera» osserva la mamma. «Devi essere stanca per il viaggio. Vieni a bere una tazza di caffè.»

Entriamo in cucina e mi sento di nuovo stringere lo stomaco.

«Avete rifatto anche la cucina?»

«Oh, no!» risponde la mamma, gaia. «Abbiamo solo fatto ridipingere i pensili. Sono venuti bene, no? Su, prenditi un croissant. Vengono dalla nuova panetteria.»

Mi porge il cestino, ma io non me la sento di mangiare. Ho lo stomaco chiuso per la nausea. Non avevo nessuna idea di ciò che stava succedendo.

«Becky? Qualcosa non va?» chiede la mamma, scrutandomi.

«No!» mi affretto a rispondere. «Va tutto bene. Splendidamente.»

E ora cosa faccio?

«Sai, penso che andrò a disfare i bagagli» dico con un debole sorriso.

Quando mi chiudo la porta della stanza alle spalle, ho ancora il sorriso sulle labbra, e il cuore che batte all'impazzata.

Le cose non stanno andando secondo i piani.

Anzi. Carta da parati nuova. Fontana in giardino. Fuochi d'artificio. Come mai non ero al corrente di tutto questo? Avrei dovuto immaginarlo. È tutta colpa mia. Oh, Dio. Oh, Dio...

Come faccio a dire a papà e mamma che è tutto annullato? Come faccio?

Non posso.

Ma devo farlo.

Non posso. Non posso proprio.

È il *mio* matrimonio, ricordo a me stessa con fermezza, cercando di ritrovare la determinazione newyorchese. Posso sposarmi dove preferisco.

Ma le mie parole mi risuonano false e mi danno un fremito. Forse questo poteva essere vero all'inizio, prima che partissero i preparativi. Ma adesso... non è più soltanto il mio matrimonio. È il regalo di papà e mamma. È il dono più grande che mi abbiano mai fatto, in cui hanno investito tanto amore e tanto lavoro.

E io ho intenzione di rifiutarlo. Di dire grazie, no.

Ma cos'ho nella testa?

Col cuore che mi batte forte, prendo dalla tasca il foglietto di appunti che ho scribacchiato in aereo, cercando di ricordare tutte le giustificazioni che mi ero trovata.

Motivi per sposarsi al Plaza:

1. Non vi piacerebbe fare un viaggio a New York, spesati di tutto?
2. Il Plaza è un albergo fantastico.
3. Non dovreste preoccuparvi di nulla.
4. Un gazebo rovinerebbe il giardino.
5. Non sareste costretti a invitare la zia Sylvia.
6. Riceverete in omaggio delle cornici di Tiffany...

Suonavano così convincenti mentre le scrivevo. Ora sembrano barzellette. Mamma e papà non sanno niente del Plaza. Perché dovrebbero prendere un aereo per venire in un albergo pretenzioso che non hanno mai visto? Perché dovrebbero rinunciare a ospitare in casa loro il matrimonio che hanno sempre sognato? Io sono la loro unica figlia.

E allora... cosa faccio?

Resto a fissare la pagina, col respiro affannato, lasciando che i miei pensieri si contorcano sulla questione. Sono alla disperata ricerca di una soluzione, di una scappatoia, incapace di arrendermi prima di averle vagliate proprio tutte. A costo di girare in tondo, come i coniglietti di quella pubblicità delle pile.

«Becky?»

La mamma entra in camera, facendomi trasalire, e mi affretto ad accartocciare il foglio che ho davanti.

«Ciao! Oh, il caffè. Fantastico.»

«È decaffeinato» dice la mamma, porgendomi una tazza su cui è scritto NON OCCORRE ESSERE PAZZI PER ORGANIZZARE UN MATRIMONIO, MA TUA MADRE LO È. «Ho pensato che in questo periodo lo bevessi senza caffeina.»

«No» rispondo, sorpresa, «ma va bene lo stesso.»

«Come ti senti?» La mamma viene a sedersi accanto a me e, senza farmene accorgere, mi passo il foglio accartocciato da una mano all'altra. «Sei stanca? Hai nausea?»

«Sto benone» rispondo, con un sospiro un po' più profondo di quanto avessi intenzione di fare. «Ma il cibo a bordo era orribile.»

«Devi mantenerti in forze!» dice la mamma, stringendomi la mano. «Guarda. Ho una cosa per te, tesoro. Cosa ne pensi?» dice, porgendomi un foglio di carta.

Lo apro e lo guardo, sconcertata. È il progetto di una casa. Una casa con quattro camere da letto, a Oxshott, per essere precisi.

«È bella, vero?» Il volto della mamma si illumina. «Guarda i particolari!»

«Non avrete intenzione di cambiare casa, vero?»

«Non per noi, sciocchina! Sareste dietro l'angolo. Guarda, c'è anche un barbecue in muratura, due camere col bagno privato...»

«Mamma, noi viviamo a New York.»

«Per adesso sì. Ma non vorrete restare a New York per sempre, no?»

Nella sua voce avverto un'improvvisa nota di preoccupazione e, anche se sta sorridendo, intravedo un'ombra di tensione nel suo sguardo. Ho già aperto la bocca per rispondere quando mi rendo conto, sorpresa io stessa, che Luke e io non abbiamo mai parlato di programmi a lungo termine.

Suppongo di aver sempre dato per scontato che un giorno torneremo in Gran Bretagna. Ma quando?

«Non avrete intenzione di restare là per sempre, no?» insiste la mamma, con una risatina.

«Non lo so» rispondo, confusa. «Non so cosa vogliamo fare.»

«Non puoi tirar su una famiglia in quell'appartamento triste e angusto! Dovrai venire a casa! Vorrai una bella casa con un bel giardino! Specialmente adesso.»

«Adesso cosa?»

«Adesso che...» La mamma fa un gesto molto eloquente.

«Cosa?»

«Oh, Becky» dice la mamma con un sospiro. «Posso capire che tu sia un pochino... imbarazzata a dirlo in giro. Ma non c'è da vergognarsi, tesoro! Al giorno d'oggi è perfettamente accettabile. Non è un più un disonore!»

«Disonore? Di cosa stai...»

«L'unica cosa che vorremmo sapere...» e qui fa una pausa, garbata. «È di quanto dobbiamo allargare il vestito, per il matrimonio.»

Allargare il vestito? Ma cosa...

Un momento.

«Mamma! Non starai per caso pensando che io... che io...» Ripeto lo stesso gesto eloquente da lei fatto un secondo fa.

«No?» Il volto della mamma è l'immagine della delusione.

«No! Certo che no! Cosa te lo fa pensare?»

«Hai detto che dovevi discutere con noi di una cosa importante!» risponde la mamma, bevendo un sorso di caffè. «Non si tratta di Luke, non si tratta del tuo lavoro, non si tratta del direttore della tua banca. E Suzie sta per avere un bambino, e siccome voi due avete sempre fatto tutto assieme, abbiamo pensato che...»

«Be', non è così. D'accordo? E non si tratta neanche di droga, prima che tu me lo chieda.»

«Ma allora di cosa volevi parlarci?» Posa la tazza e mi guarda con espressione preoccupata. «Cosa c'è di così importante da farti tornare a casa?»

Nella stanza scende il silenzio. Le mie dita stringono forte la tazza.

Ecco. Questa è l'occasione che aspettavo. Il momento per confessare tutto. Per dire alla mamma del Plaza. Se voglio farlo, questo è il momento giusto. Prima che le cose procedano oltre. Prima che i miei spendano altri soldi.

«Be'...» Mi schiarisco la gola. «È solo che...»

Mi interrompo e bevo un sorso di caffè. Ho la gola chiusa e provo una sensazione di nausea. Come posso dire alla mamma che voglio sposarmi altrove? Come posso farle questo?

Chiudo le palpebre e lascio che lo splendore del Plaza mi danzi davanti agli occhi, cercando di rivivere l'incanto di quel posto... le sale dorate, l'eleganza di ogni dettaglio. Immagini di me e Luke che volteggiamo sulla pista da ballo davanti alla folla che ci osserva estasiata.

Ma in qualche modo, tutto questo non sembra più desiderabile come prima. Non sembra più così convincente.

Oh, Dio. Cos'è che voglio? Cos'è che voglio realmente?

«Lo sapevo!»

Alzo lo sguardo e vedo la mamma che mi scruta sgomenta. «Lo sapevo! Tu e Luke vi siete lasciati. È così?»

«Mamma...»

«Lo sapevo! L'ho detto a tuo padre. Più di una volta. "Me lo sento. Becky viene a casa per annullare il matrimonio." Lui diceva che sono sciocchezze, ma io me lo sentivo qui.» La mamma si porta la mano al petto. «Una mamma certe cose le sente. Avevo ragione, non è così? Vuoi annullare il matrimonio, vero?»

La fisso, ammutolita. Sa che sono venuta a casa per annullare il matrimonio. Come fa a saperlo?

«Becky? Ti senti bene?» Mi mette un braccio attorno alle spalle. «Tesoro, ascoltami. A noi non interessa. Papà e io vogliamo solo ciò che è meglio per te. E se questo significa cancellare il matrimonio, lo faremo. Tesoro, non devi andare avanti a meno che tu non sia sicura al cento per cento. Al centodieci per cento!»

«Ma... avete fatto tanti sforzi...» mormoro. «Avete speso tutti questi soldi...»

«Non importa! I soldi non hanno importanza!» esclama mia

madre e mi stringe forte. «Becky, se hai qualche dubbio, annulliamo subito tutto. Noi vogliamo solo che tu sia felice. Solo questo.»

La mamma sembra così tollerante e comprensiva che per qualche istante non riesco neppure a parlare. Ecco, mi sta offrendo ciò che sono venuta a chiederle. Senza fare domande, senza recriminare. Solo con amore e comprensione.

E, guardando il suo volto dolce e familiare, capisco al di là di ogni dubbio che è impossibile.

«Va tutto bene» dico alla fine. «Luke e io non ci siamo lasciati. Il matrimonio si farà.» E poi concludo, stropicciandomi il viso: «Sai, credo che andrò fuori a prendere una boccata d'aria».

Quando esco un paio di giardinieri alzano la testa per salutarmi e io ricambio con un debole sorriso. Mi sento paranoica; ho la sensazione che tutti possano vedere il mio segreto, come fosse un enorme bubbone pronto a esplodere. O una nuvoletta dei fumetti che fluttua sopra la mia testa.

Sto progettando un altro matrimonio.
Per lo stesso giorno.
I miei genitori non lo sanno.

Sì, lo so che sono nei guai.
Sì, lo so che mi sono comportata da stupida.
Oh, insomma, andate tutti al diavolo e lasciatemi in pace. Non vedete quanto sono stressata?

«Ciao, Becky.»

Sussulto, spaventata, e mi volto. In piedi dietro la staccionata che divide i nostri due giardini, c'è Tom, che mi guarda con una faccia da funerale.

«Ciao, Tom!» dico, cercando di nascondere la sorpresa che provo nel vederlo.

Accidenti! Ha un aspetto orribile, è pallido, triste, malvestito. Non che Tom sia mai stato un modello di classe, ma quando stava con Lucy era un po' migliorato. Anzi, c'è stato un periodo in cui il suo taglio di capelli era persino alla moda. Ora è tornato alla sua zazzera unticcia e al maglione marrone che Janice gli ha regalato per Natale cinque anni fa.

«Mi è spiaciuto sentire che...» lascio la frase in sospeso, imbarazzata.

«Non c'è problema.»

Tom curva le spalle con aria afflitta e guarda i giardinieri impegnati a zappare e potare alle mie spalle. «Allora, come vanno i preparativi per le nozze?»

«Oh, bene» rispondo tutta allegra. «Sai, a questo stadio non si fa che stilare elenchi... cose da fare, cose da controllare, dettagli da definire.»

Tipo in che continente sposarsi, per esempio. Oh, Dio. Oh, Dio.

«E i tuoi come stanno?»

«Ricordo i preparativi per il nostro matrimonio» prosegue Tom, scuotendo la testa. «Mi sembra siano passati cent'anni. Persone diverse...»

«Oh, Tom. Mi dispiace. Perché non cambiamo...»

«E sai qual è la cosa peggiore?» insiste Tom, ignorandomi.

I tuoi capelli, sto per dire.

E per poco non lo dico.

«La cosa peggiore è che credevo di capire Lucy. E che lei mi capisse. E invece...» Si interrompe, si infila una mano in tasca alla ricerca del fazzoletto e si soffia il naso. «Voglio dire, ripensandoci, ora mi rendo conto che c'erano dei segnali.»

«Davvero?»

«Oh, sì. È solo che io non ho saputo coglierli.»

«Come...?» Non vorrei fargli capire quanto sono curiosa.

«Be'...» Ci pensa per un istante. «Come quando diceva che se avesse dovuto vivere ancora un minuto a Reigate si sarebbe tirata un colpo.»

«Ah» faccio io, leggermente sorpresa.

«E poi quella crisi isterica da Furniture Village...»

«Crisi isterica?»

«Si è messa a urlare: "Ho ventisette anni! Ho ventisette anni! Che cosa ci faccio qui?". Alla fine è dovuta intervenire la vigilanza per calmarla.»

«Ma non capisco. Io pensavo che Reigate le piacesse. Voi due sembravate così...»

"Compiaciuti" è la parola che sto cercando.
«Così... felici.»
«È stata felice finché c'erano dei regali di nozze da aprire» dice Tom, serio, «ma poi... è come se all'improvviso si fosse guardata attorno e avesse capito... che quella ormai era la sua vita. E che non le piaceva. Me compreso, suppongo.»
«Oh, Tom.»
«Ha cominciato a dire che era stanca della periferia e che voleva godersi la vita finché era giovane. Ma io pensavo: "Abbiamo appena ridipinto la casa, abbiamo quasi finito la nuova serra, non è il momento adatto per cambiar casa...".» Alza lo sguardo e capisco quant'è infelice. «Avrei dovuto darle retta. Forse avrei dovuto anche farmi fare quel tatuaggio.»
«Voleva che ti facessi un tatuaggio?»
«Uguale al suo.»
Lucy Webster con un tatuaggio! Avrei voglia di mettermi a ridere. Ma poi, vedendo l'aria affranta di Tom, provo una rabbia improvvisa. Okay, Tom e io non siamo sempre andati d'accordo, ma questo proprio non se lo merita. Lui è quello che è, ma se a Lucy non piaceva perché se l'è sposato?
«Tom, non puoi colpevolizzarti» gli dico, convinta. «Da quanto mi dici, anche Lucy aveva qualche problema.»
«Lo pensi davvero?»
«Ma certo. Ed è stata fortunata a incontrare te. Peggio per lei che non ha saputo apprezzarti.» D'impulso mi sporgo oltre la staccionata e lo abbraccio. Ritraendomi, vedo che mi fissa con uno sguardo da cane abbandonato.
«Tu mi hai sempre capito, Becky.»
«Be', sono tanti anni che ci conosciamo.»
«Nessun altro mi conosce come te.»
Continua a stringermi e, visto che non sembra intenzionato a mollare la presa, arretro di un passo col pretesto di indicare la casa, dove un uomo in tuta sta dipingendo una finestra.
«Hai visto quanti lavori hanno fatto fare i miei? È incredibile.»
«Oh, sì. Stanno facendo le cose in grande. Ho sentito parlare dei fuochi d'artificio. Devi essere alle stelle.»
«Non vedo l'ora» rispondo, automaticamente. Come ogni volta che qualcuno mi parla del matrimonio. Ma adesso, os-

servando la nostra vecchia casa rimessa a nuovo, come un'anziana signora che si è fatta bella, provo una strana sensazione. Come una stretta al cuore.

E di colpo capisco che è vero.

Sono davvero impaziente di vedere il nostro giardino tutto pieno di palloncini. Di vedere la mamma in ghingheri e felice. Di prepararmi in camera mia, davanti alla mia toeletta. Di dire addio alla mia vecchia vita come si deve, e non nell'anonima suite di un albergo. Qui, a casa mia, dove sono cresciuta.

Quando ero a New York non riuscivo a immaginare questo matrimonio. Mi sembrava così modesto e banale in confronto allo sfarzo del Plaza. Ma, ora che sono qui, è il Plaza che comincia a sembrarmi irreale. È il Plaza che passa in secondo piano, come una vacanza in una località esotica e remota che comincio già a dimenticare. È stato divertente recitare la parte della principessa, assaggiare piatti raffinati e discutere di champagne d'annata e di composizioni floreali da migliaia di dollari. Ma è proprio questo il punto. Recitavo una parte.

La verità è che il mio posto è qui. Qui, in questo giardino inglese che conosco da una vita.

Cosa devo fare?

Ho davvero intenzione di...

Non riesco neppure a pensarci.

Sto davvero contemplando la possibilità di annullare quel matrimonio principesco?

Al solo pensiero mi si torcono le budella.

«Becky?» La voce della mamma si insinua nei miei pensieri. Alzo lo sguardo, ancora intontita, e la vedo sulla porta, con una tovaglia in mano. «Becky! C'è una telefonata per te.»

«Ah. Okay. Chi è?»

«Qualcuno che si chiama Robin» dice la mamma. «Ciao, Tom!»

«Robin?» dico, perplessa, avviandomi verso casa. «Robin chi?»

Non mi pare di conoscere nessun Robin. A parte il Robin Anderson che lavorava per "Il mensile degli investimenti", ma lo conoscevo appena...

«Non ho capito il cognome» dice la mamma. «Ma è una signora molto gentile. Ha detto che chiama da New York...»

Robyn?

All'improvviso non riesco più a muovere un passo. Sono inchiodata sui gradini della veranda.

Robyn al telefono... qui?

È tutto sbagliato. Robyn non appartiene a questo mondo, lei appartiene a New York. Mi sembra uno di quei film in cui le persone tornano indietro nel tempo e cambiano il corso della Seconda guerra mondiale.

«È una tua amica?» chiede la mamma con aria innocente. «Abbiamo scambiato qualche parola sul tuo matrimonio...»

Sento la terra mancarmi sotto i piedi.

«Cosa... cosa ti ha detto?» riesco a chiedere.

«Niente di particolare» risponde la mamma, guardandomi sorpresa. «Mi ha chiesto di che colore intendevo vestirmi... e ha continuato a parlare di violinisti. Non vorrai mica dei violinisti al matrimonio, vero, cara?»

«Ma certo che no!» La voce mi esce un po' stridula. «Perché dovrei volere dei violinisti?»

«Becky, tesoro, ti senti bene?» La mamma mi osserva con attenzione. «Devo dirle che la richiami?»

«No! Non parlare più con lei! Voglio dire... è tutto a posto. Le parlo io.»

Mi affretto a entrare in casa, col cuore che mi batte forte. Cosa le dico, ora? Dovrei dirle che ho cambiato idea?

Afferro il ricevitore e vedo che la mamma mi ha seguita dentro casa. Oh, Dio. E ora come faccio?

«Ciao, Robyn!» dico, cercando di assumere un tono naturale. «Come stai?»

Okay. Vedrò di concludere la telefonata al più presto.

«Ciao, Becky! Sono felice di aver avuto modo di parlare con tua madre» dice lei. «Mi pare una signora così simpatica! Non vedo l'ora di conoscerla.»

«Certo» ribatto, con quanto più entusiasmo possibile. «Anch'io non vedo l'ora che vi conosciate.»

«Sono rimasta sorpresa che non sapesse dell'orchestra d'archi viennese. Vergogna. Dovresti tenere tua madre al corrente di tutte le novità, Becky.»

«Lo so» ribatto dopo un attimo. «È che ho avuto parecchio da fare.»

«Ti capisco» dice lei, comprensiva. «Sai cosa ti dico? Le mando una busta con tutte le informazioni. La spedisco subito col corriere. Così potrà vedere tutto coi suoi occhi! Se mi dai l'indirizzo...»

«No!» urlo, prima di riuscire a fermarmi. «Voglio dire... non preoccuparti. Glielo spiegherò io. Non mandare nulla. Nulla.»

«Neanche qualche menu? Sono sicura che le farebbe piacere vederli.»

«No! Niente!»

La mia mano stringe la cornetta e io sto sudando. Non oso neppure guardare la mamma.

«Be', come vuoi. Il capo sei tu! Allora, ho parlato con Sheldon Lloyd su come apparecchiare i tavoli...»

Mentre lei parla e parla, lancio un'occhiata alla mamma, ferma a qualche metro da me. Sono quasi certa che riesca a sentire quanto viene detto dall'altra parte. Avrà sentito la parola Plaza? E le parole matrimonio e salone?

«Bene» dico, senza aver capito niente di quanto mi sta dicendo Robyn. «Mi pare che vada tutto bene.» Rigiro il cavo del telefono intorno alle dita. «Ma, ascolta, Robyn... il fatto è che sono venuta a casa per prendere le distanze da tutto questo. Potresti evitare di chiamarmi qui?»

«Non vuoi essere tenuta al corrente?» chiede Robyn, sorpresa.

«No. Va bene così. Tu fai quello che devi e mi aggiornerai quando torno, la prossima settimana.»

«D'accordo. Ti capisco. Hai bisogno di staccare un po'. Becky, ti prometto che, a meno che non si tratti di un'emergenza, ti lascerò in pace. Riposati!»

«Grazie. Ciao, Robyn.»

Riattacco, tremando per il sollievo. Grazie al cielo ha messo giù.

Ma non mi sento del tutto sicura. Robyn ha il mio numero di casa. Potrebbe richiamare in qualsiasi momento. Voglio dire, quando si tratta di un matrimonio, cosa si intende per emergenza? Probabilmente qualsiasi cosa. Anche un petalo di rosa fuori posto. E basta solo che dica la parola sbagliata alla mamma, ed entrambe scopriranno cosa sta succedendo. La mamma capirà subito perché sono venuta qui e cosa stavo cercando di dirle.

Ci resterebbe così male, poverina! Non posso permettere che accada una cosa simile.

Okay. Ho due possibilità. La prima: convinco mamma e papà a traslocare immediatamente. La seconda...

«Ascolta, mamma» dico, voltandomi verso di lei. «Questa Robyn...»

«Sì?»

«Questa donna è una squilibrata.»

«Una squilibrata?» ripete la mamma, guardandomi. «In che senso, tesoro?»

«Lei è... lei è innamorata di Luke.»

«Oh, mio Dio!»

«Già. E ha questa idea fissa di sposarlo.»

«*Sposarlo?*» la mamma mi guarda a bocca aperta.

«Sì! Al Plaza Hotel! Pare che abbia persino cercato di... prenotarlo. A nome mio.»

Mi sto torcendo le dita. Devo essere pazza. La mamma non ci cascherà mai. Mai. Neppure in un milione...

«Sai, la cosa non mi sorprende affatto» dice lei. «Ho capito subito che in lei c'era qualcosa di strano. Tutte quelle sciocchezze sui violinisti! E voleva sapere a tutti i costi di che colore mi sarei vestita...»

«Oh, ha delle vere manie. Se dovesse telefonare ancora, riattacca subito con una scusa. E qualunque cosa ti dica, anche se sembra plausibile, non credere a una sola parola. D'accordo?»

«D'accordo, tesoro» dice la mamma annuendo. «Come vuoi tu.»

E poi, mentre entra in cucina, sento che dice: «Povera donna, non si può che provare pena per le persone come lei. Graham, hai sentito? Quella signora che ha chiamato dall'America e cercava Becky... è innamorata di Luke!».

Non ce la faccio più.

Ho bisogno di vedere Suze.

12

Siamo d'accordo di trovarci in Sloane Square per un tè. Quando arrivo, trovo la piazza invasa dai turisti e per un attimo non riesco a vederla. Poi la folla si disperde, ed eccola lì, seduta vicino alla fontana, i lunghi capelli biondi illuminati dalla luce del sole, e il pancione più grosso che si sia mai visto.

Come la vedo, sto per correre da lei, dicendo: "Oh, Suze, che incubo!" e raccontarle ogni cosa.

Ma poi mi blocco. Sembra un angelo, lì seduta. Un angelo in stato interessante.

O magari la Vergine Maria. Bella, serena, perfetta.

Di fronte a lei, d'un tratto, mi sento incasinata e stupida. Avevo intenzione di confidarle tutti i miei guai, come sempre, e aspettare che lei trovi una soluzione. Ma questa volta non posso. Ha un'espressione così serena e felice che sarebbe come scaricare dei rifiuti tossici in un mare limpido e incontaminato.

«Ciao, Bex!» Come mi vede si alza in piedi e io resto ancora più scioccata nel vedere le sue dimensioni.

«Suze!» Corro verso di lei e l'abbraccio. «Sei splendida!»

«Mi sento benissimo!» dice lei. «E tu? Come va il matrimonio?»

«Oh... io sto bene!» rispondo, dopo un attimo di incertezza. «Va tutto bene. Su, vieni, andiamo a prendere un tè.»

Non ho intenzione di dirglielo. Punto. Per una volta nella vita risolverò da sola i miei problemi.

Andiamo da Oriel e ci sediamo a un tavolino vicino alla vetrina. Io ordino una cioccolata; Suze invece tira fuori una bustina di tè e la porge al cameriere.

«È un infuso di foglie di lampone» spiega. «Rinforza l'utero. Per il travaglio.»
«Ah, il travaglio. Certo.»
Avverto un brivido alla base della schiena e mi affretto a sorridere.
Dentro di me, non sono del tutto convinta di questa faccenda del parto. Voglio dire, se consideriamo le dimensioni della pancia di Suze, e quelle di un bambino formato, come si può pensare che passi attraverso...
Voglio dire, la teoria la conosco. È solo che... a essere sinceri non so davvero come possa funzionare.
«Quand'è previsto il parto?» chiedo, fissandole la pancia.
«Tra quattro settimane esatte.»
«Quindi dovrebbe crescere ancora?»
«Oh, sì!» Suze si dà un colpetto affettuoso alla pancia. «E di parecchio, credo.»
«Bene» dico poco convinta, mentre un cameriere mi posa davanti una tazzona di cioccolata calda. «Benissimo. E Tarquin come sta?»
«Sta bene» dice lei. «Al momento è a Craie. Sai, la sua isola in Scozia? È il periodo della nascita degli agnelli, e ha pensato di recarmi là a dare una mano. Prima che arrivi il bambino.»
«Ah, bene. E come mai non sei andata su con lui?»
«Be', sarebbe stato un po' rischioso.» Suze gira il suo infuso con aria pensierosa. «E poi non sono così interessata alle pecore. Voglio dire, sono animali davvero interessanti» si corregge, «ma dopo che ne hai viste mille...»
«Ma tornerà in tempo, vero?»
«Oh, sì! Non sta più nella pelle! È venuto a tutte le lezioni del corso preparto insieme a me.»
Dio, non riesco a credere che fra quattro settimane Suze avrà un bambino. E io non ci sarò.
«Posso toccarlo?» chiedo, e poso delicatamente la mano sul pancione. «Io non sento niente.»
«È tutto a posto» dice Suze. «Si vede che adesso sta dormendo.»
«Sai se è un maschio o una femmina?»
«Non lo so» risponde Suze, sporgendosi in avanti, «ma deve essere una femmina perché nei negozi mi sento attratta dai

vestitini rosa. Sai, è come una specie di voglia. Sui libri dicono che è il tuo corpo a dirti ciò di cui ha bisogno. Quindi, forse è un segnale.»

«Allora come la chiamerai?»

«Non abbiamo ancora deciso. È così difficile! Abbiamo comprato dei libri, ma sono pieni di nomi assurdi...» Si interrompe per bere un sorso di infuso. «Tu come la chiameresti?»

«Ooh! Non lo so! Forse Lauren, come Ralph Lauren.» Rifletto per un istante. «O magari Dolce.»

«Dolce Cleath-Stuart» dice Suze riflettendo. «Non mi dispiace. E potremmo abbreviarlo in Dolly.»

«Oppure Vera. Come Vera Wang.»

«*Vera?*» Suze mi guarda, inorridita. «Non ho nessuna intenzione di chiamare Vera mia figlia.»

«Ma non stiamo parlando di tua figlia» ribatto. «Stiamo parlando della mia. Vera Lauren Comme des Brandon. Suona bene.»

«Vera Brandon mi fa pensare al personaggio di una soap opera. Ma Dolce mi piace. E se fosse un maschio?»

«Harvey. O Barney» rispondo, dopo un attimo di riflessione. «Dipende se nasce a Londra o a New York.»

Bevo un sorso di cioccolata, poi alzo lo sguardo e vedo che Suze mi sta guardando con espressione seria.

«Ma tu non faresti mai nascere il tuo bambino in America, vero, Bex?»

«Non lo so. Chi può dirlo? Probabilmente passeranno anni prima che abbiamo dei bambini.»

«Sai, sentiamo tutti la tua mancanza.»

«Oh, Suze, non ti ci mettere anche tu» dico, con una risatina. «Oggi la mamma voleva che andassi ad abitare a Oxshott.»

«Be'... proprio l'altro giorno Tarkie stava dicendo che Londra non è più la stessa senza di te.»

«Davvero?» La guardo, provando un'assurda commozione.

«E tua madre continua a chiedermi se penso che resterai a New York per sempre... non ci resterai, vero?»

«Sinceramente non lo so» rispondo, smarrita. «Dipende tutto da Luke... dal suo lavoro.»

«Ma lui non è il tuo capo! Anche tu potrai dire la tua, no? Vuoi restare là?»

«Non lo so.» Faccio una smorfia, cercando di spiegarmi. «A

volte penso di sì. Quando sono a New York, mi sembra il posto più importante del mondo. Ho un lavoro fantastico, la gente è straordinaria, tutto è meraviglioso. Poi torno qui e penso: un momento, questa è casa mia. Il mio posto è qui.» Prendo una bustina di zucchero e comincio a farla a pezzetti. «È che non so se sono pronta a tornare a casa.»

«Dài, torna in Inghilterra e fai un bel bambino!» dice Suze, implorante. «Faremo le mamme assieme.»

«Suze, ti prego!» Bevo un altro sorso di cioccolata, levando gli occhi al cielo. «Come se fossi pronta ad avere un bambino!» Mi alzo per andare in bagno prima che lei possa aggiungere altro.

D'altro canto... non ha tutti i torti. Perché non dovrei avere un bambino? Le altre persone lo fanno, quindi... perché io no? Voglio dire, se riuscissi in qualche modo a evitare la parte in cui lo si partorisce. Magari potrei farmi fare una di quelle operazioni in cui ti addormentano e tu non senti nulla, e quando ti svegli il bambino è lì, bell'e fatto...

Mi passa davanti agli occhi un'immagine di me e Suze che passeggiamo insieme, spingendo le carrozzine. In effetti potrebbe essere divertente. Voglio dire, oggi si possono comprare un sacco di cose fantastiche per i bambini. Cappellini, minuscole giacche di jeans e... sbaglio o Gucci ha fatto un bellissimo porte-enfant?

Potremmo andare a bere un cappuccino insieme, e poi in giro per negozi e... in fondo, non è questo che fanno le mamme? Dio, ora che ci penso, sarei perfetta!

Devo assolutamente parlarne con Luke.

Quando stiamo per uscire da Oriel, Suze mi dice: «Allora, Bex, non mi hai ancora raccontato nulla del tuo matrimonio!».

Provo un improvviso senso di vuoto allo stomaco e mi volto dall'altra parte con la scusa di infilare la giacca.

Ero quasi riuscita a dimenticarmene.

«Già. Be', va... va tutto bene.»

Non ho intenzione di tediare Suze con i miei problemi. Assolutamente no.

«Luke ha fatto storie per il fatto di sposarsi in Inghilterra?» mi chiede, con espressione preoccupata. «Voglio dire, non ci sono state discussioni tra voi?»

«No. Sinceramente no.»

Tengo la porta aperta per farla passare e usciamo in Sloane Square. Una fila di bambini delle elementari in calzoni alla zuava di velluto a coste occupa tutto il marciapiede e ci facciamo da parte per farli passare.

«Sai, hai preso la decisione giusta» dice Suze stringendomi il braccio. «Ero così preoccupata che scegliessi New York. Cosa ti ha fatto decidere?»

«Ehm... varie cose. A proposito... hai letto di quella proposta di privatizzare l'acquedotto?»

Suze non mi dà retta. Possibile che le notizie di attualità la interessino così poco?

«E cosa ha detto Elinor quando hai disdetto il Plaza?»

«Ha detto... be'... ovviamente non è stata contenta. Ha detto che era molto seccata e...»

«Molto seccata?» ripete Suze inarcando le sopracciglia. «Tutto lì? Avrei detto che sarebbe andata su tutte le furie.»

«In effetti è così» dico, affrettandomi a correggere il tiro. «Era così furiosa che le è scoppiato un capillare.»

«Le è scoppiato un capillare? E dove?»

«Ah... sul mento.»

Segue un attimo di silenzio. Suze resta immobile e vedo la sua espressione cambiare lentamente.

«Bex...»

«Andiamo a vedere qualche vestitino!» suggerisco. «C'è un bellissimo negozio proprio...»

«Bex, cosa sta succedendo?»

«Niente!»

«Tu mi stai nascondendo qualcosa. L'ho capito benissimo.»

«Ma no!»

«Hai annullato il matrimonio in America, vero?»

«Ecco...»

«Bex?» Non le ho mai sentito usare un tono così severo. «Dimmi la verità.»

Oh, Dio. Non posso più mentire.

«Ho intenzione di farlo.»

«Hai intenzione di farlo?» La voce di Suze si fa più forte per lo sconcerto. «*Hai intenzione di farlo?*»

«Suze...»

«Avrei dovuto immaginarlo! Avrei dovuto capirlo! Ma ho dato per scontato che tu l'avessi annullato perché tua madre continuava con i preparativi a Oxshott, e nessuno diceva niente a proposito di New York, e così ho pensato: Bex deve aver deciso di sposarsi a casa...»

«Suze, ti prego, non ti preoccupare» dico. «Resta calma... respira a fondo.»

«Come posso non preoccuparmi?» esclama Suze. «Come posso non preoccuparmi? Bex, tu mi avevi promesso che avresti sistemato tutto, settimane fa! Me l'avevi promesso!»

«Lo so. E ho intenzione di farlo. È solo che... è così difficile decidersi. Tutti e due sembrano il matrimonio perfetto, anche se sono così diversi...»

«Bex, un matrimonio non è una borsetta» ribatte Suze, incredula. «Non puoi decidere di prenderli tutti e due!»

«Lo so, lo so! Sistemerò tutto...»

«Perché non me l'hai detto prima?»

«Perché mi sembravi così tranquilla e serena» rispondo con un gemito. «E non volevo rovinare tutto con i miei stupidi problemi.»

«Oh, Bex...» Suze mi guarda in silenzio e poi mi mette un braccio sulle spalle. «Allora... cos'hai intenzione di fare?»

Inspiro a fondo.

«Dirò a Elinor che il matrimonio di New York è annullato. E mi sposerò qui in Inghilterra.»

«Davvero? Sei sicura?»

«Sì. Sono sicura. Dopo aver visto i miei genitori... la mamma è così carina e non ha la minima idea di quello che stavo progettando alle sue spalle...» Mi interrompo per scacciare il magone. «E poco fa, mentre stavo per uscire, papà mi ha detto senza farsi sentire che è rimasta molto turbata quando le ho parlato dell'ipotesi di sposarmi negli Stati Uniti. Voglio dire, per lei questo matrimonio è tutto. Oh, Dio, Suze, mi sento così stupida. Non so cosa mi sia preso. Io non voglio sposarmi al Plaza, voglio sposarmi a casa mia.»

«Non cambierai di nuovo idea?»

«No. Questa volta no. Sinceramente, Suze. Ho deciso.»

«E Luke?»

«A lui non interessa. L'ha sempre detto che sta a me decidere.»

Suze resta in silenzio per qualche istante. Poi infila la mano nella borsa, tira fuori il telefono cellulare e me lo passa.

«Va bene. Se davvero hai intenzione di farlo, devi farlo adesso. Componi il numero.»

«Non posso. Elinor è in una clinica in Svizzera. Avevo intenzione di scriverle una lettera.»

«No» dice Suze scuotendo decisa la testa. «Lo fai adesso. Deve pur esserci qualcuno che puoi chiamare. Chiama quella wedding planner, Robyn, e dille che non se ne fa più niente. Bex, non puoi permetterti di aspettare ancora.»

«Okay» dico, ignorando l'apprensione che sento dentro. «Okay, lo farò. Adesso la chiamo. Conosco il suo numero a memoria.»

Faccio per digitare il numero ma poi mi fermo. Un conto è prendere la decisione nella mia testa, un altro è fare la telefonata. Intendo davvero annullare il matrimonio a New York? E Robyn cosa dirà? Cosa diranno tutti? Dio, vorrei tanto avere un po' di tempo per pensare a cosa dire esattamente...

«Su, avanti! Fallo!» insiste Suze.

«Va bene!»

Con mano tremante digito il prefisso per l'America, ma il display rimane vuoto.

«Oh!» esclamo, cercando di sembrare dispiaciuta. «Non riesco a prendere il segnale. Be', chiamerò più tardi.»

«No. Non lo farai. Continueremo a spostarci finché non trovi il segnale. Avanti!» Suze si incammina a passo di carica in direzione di King's Road e io la seguo trotterellando nervosamente.

«Riprova» dice quando arriviamo al primo passaggio pedonale.

«Niente» annuncio con un filo di voce. Dio, Suze sembra la prua di una nave. I capelli biondi al vento, il viso rosso per la determinazione. Da dove le viene tutta questa energia? Credevo che le donne incinte dovessero prendersela comoda.

«Riprova!» mi ordina ogni trecento metri. «Riprova! Non ho intenzione di fermarmi finché non hai fatto questa telefonata!»

«Non c'è campo!»

«Sei sicura?»

«Sì!» Premo freneticamente i tasti, inutilmente. «Guarda!»

«Continua a provare. Avanti!»

«Ci sto provando!»

«Oh, mio Dio!» D'un tratto Suze lancia un urlo e io sobbalzo, terrorizzata.

«Ci sto provando! Davvero, Suze. Sto facendo il possibile...»

«No! Guarda!»

Mi fermo e mi volto verso di lei. Suze è ferma sul marciapiede, a una decina di metri da me. Ai suoi piedi c'è una pozza d'acqua.

«Suze, non ti preoccupare. Non lo dirò a nessuno» dico, imbarazzata.

«Ma no! Non capisci? Non è...» Mi guarda stravolta. «Credo che si siano rotte le acque!»

«Le cosa?» Mi sento invadere dal terrore. «Oh, mio Dio! Significa che stai per...»

Non è possibile.

«Non lo so» dice lei, in preda al panico. «Voglio dire, è possibile... ma sono in anticipo di quattro settimane. È troppo presto! Tarkie non c'è e non ho ancora preparato niente... Oh, Dio...»

Non ho mai visto Suze così spaventata prima d'ora. Provo una crescente sensazione di sgomento e mi sforzo di non scoppiare in lacrime. Cos'ho fatto? Oltre a tutto il resto, ho provocato il parto prematuro della mia migliore amica.

«Suze, mi dispiace» dico, soffocando un singhiozzo.

«Non essere stupida. Non è colpa tua!»

«Invece sì. Eri così serena e felice, e poi hai visto me. Dovrei stare alla larga dalle donne incinte.»

«Devo andare all'ospedale.» Suze è pallidissima. «Tutte le Cleath-Stuart partoriscono in fretta. La mamma mi ha avuto in mezz'ora.»

«Mezz'ora?» Per poco non lascio cadere il telefono. «Be', allora andiamo!»

«Ma non ho la mia borsa. Non ho niente. Ci sono un sacco di cose che devo portare...» Si morde le labbra, preoccupata. «Cosa dici, passiamo prima da casa?»

«Non c'è tempo!» rispondo, in preda al panico. «Di cosa hai bisogno?»

«Tutine, pannolini, cose del genere...»

«Dove si comprano queste cose?» Mi guardo intorno, disperata, e poi, all'improvviso vedo l'insegna di Peter Jones.

«Okay» dico, afferrandola per un braccio. «Andiamo.»

Entriamo e cerco subito una commessa. Grazie al cielo si avvicina una signora di mezz'età, col rossetto rosso e gli occhiali dalla montatura dorata appesi al collo.

«La mia amica ha bisogno di un'ambulanza» dico, senza fiato.

«È sufficiente un taxi, davvero» dice Suze. «È solo che mi si sono rotte le acque, e quindi dovrei andare subito in ospedale.»

«Bontà divina!» esclama la donna. «Venga a sedersi, mia cara. Le chiamo subito un taxi.»

Facciamo sedere Suze su una sedia accanto alla cassa e una commessa più giovane le porta un bicchiere d'acqua.

«Bene. Di cosa hai bisogno?» le dico.

«Non me lo ricordo esattamente» risponde lei con aria confusa. «Ci hanno dato un elenco... forse al reparto prima infanzia lo sanno.»

«Posso lasciarti sola?»

«Certo.»

«Sei sicura?» insisto, lanciando un'occhiata ansiosa alla sua pancia.

«Bex, vai!»

Insomma, perché devono mettere il reparto bambini così lontano dall'ingresso? Voglio dire, a cosa servono tutti questi stupidi piani di borse, vestiti e cosmetici che non interessano a nessuno? Dopo aver salito e sceso di corsa almeno sei scale mobili, finalmente lo trovo e lì mi fermo, ansimante.

Mi guardo intorno, confusa dai nomi di tutti questi oggetti che non ho mai sentito.

Copertina per neonato?

Tettarelle anticolica?

Oh, al diavolo! Comprerò un po' di tutto. Mi dirigo in fretta verso il primo espositore e comincio ad afferrare oggetti a casaccio. Tutine, calzette, un cappello... un orsacchiotto, una copertina da culla... cos'altro? Una cesta... pannolini... piccoli pupazzetti da infilare sulle dita caso mai il bambino si annoiasse... una deliziosa giacchetta di Christian Dior... chissà se la fanno anche nelle taglie per adulti?

Sbatto tutto sul banco accanto alla cassa e tiro fuori la Visa.

«È per la mia amica» spiego, senza fiato. «È entrata in travaglio. C'è tutto quello che le serve?»

«Non saprei, cara» risponde la commessa, passando un termometro sul lettore.

«Io ho un elenco» dice una donna, in tuta premaman e Birkenstock. «Qui c'è tutto quello che raccomandano di portare al reparto maternità.»

«Oh, grazie!»

Mi porge un foglio e io scorro velocemente il lunghissimo elenco dattiloscritto. Sono allibita. Credevo di essermela cavata egregiamente e invece non ho preso neppure la metà delle cose necessarie. Se mai dimenticassi qualcosa, sono certa che sarebbe qualcosa di molto importante, senza la quale l'esperienza del parto per Suze potrebbe trasformarsi in un disastro e io non potrei mai perdonarmelo.

Magliette larghe... candele profumate... vaporizzatore per le piante...

Ma è l'elenco giusto?

«Vaporizzatore per le piante?» dico, perplessa.

«Per spruzzare il viso della partoriente» mi spiega la donna in tuta. «Fa molto caldo in ospedale.»

«Per quello deve andare al reparto casalinghi» interviene la commessa.

«Ah, grazie.»

Registratore... nastri rilassanti... pallone gonfiabile...

«Pallone gonfiabile? Ma il bambino non è un po' troppo piccolo per giocare a palla?»

«È per la madre. Per appoggiarsi» mi spiega la donna, paziente. «Per alleviare i dolori. In alternativa potrebbe usare una di quelle poltroncine gonfiabili da letto.»

I dolori? Oh, Dio. Il solo pensiero di Suze che soffre mi fa star male.

«Prenderò il pallone e la poltroncina», dico, in fretta. «E magari qualche aspirina. Doppio dosaggio.»

Alla fine torno barcollando al piano terra, rossa in faccia e ansimante. Spero solo di aver fatto bene. Non sono riuscita a trovare un solo pallone in tutto il negozio e così alla fine ho preso una canoa gonfiabile e ho chiesto all'uomo di riempirla d'aria. Ora la tengo sotto il braccio, insieme a una poltroncina gonfiabile e una cesta sotto l'altro, e almeno sei borse stracolme che mi tagliano i polsi.

Guardo l'orologio e, con orrore, mi rendo conto che sono passati venticinque minuti. Mi aspetto quasi di trovare Suze con un bambino tra le braccia.

E invece eccola lì, senza bambino, ma in preda agli spasimi.

«Bex! Finalmente! Credo che siano iniziate le contrazioni.»

«Scusa se ci ho messo così tanto» dico, senza fiato, «ma ho voluto prendere tutto quello che ti poteva servire.» Da una delle borse cade la scatola dello Scarabeo. Mi chino a raccoglierla. «Questa è per quando ti fanno l'epidurale» spiego.

«È arrivato il taxi» ci interrompe la signora con gli occhiali dorati. «Avete bisogno di una mano per quella roba?»

Mentre ci avviamo lentamente verso il taxi che attende col motore acceso, Suze fissa i miei acquisti con espressione incredula.

«Bex... perché hai comprato una canoa gonfiabile?»

«È per trovare la posizione giusta.»

«E l'annaffiatoio?»

«Non sono riuscita a trovare il vaporizzatore per le piante.» Comincio a infilare tutto dentro il taxi.

«Ma perché cercavi un vaporizzatore per le piante?»

«Senti, non è stata un'idea mia, d'accordo?» rispondo, sulla difensiva. «Su, avanti, andiamo!»

In un modo o nell'altro riusciamo a far entrare tutto nell'abitacolo. Quando chiudiamo la portiera cade una pagaia, ma non perdo tempo a raccoglierla. Voglio dire, tanto Suze non ha in programma di partorire nell'acqua.

«L'amministratore di Tarkie sta cercando di mettersi in contatto con lui» dice Suze mentre sfrecciamo lungo King's Road, «ma anche se saltasse immediatamente su un aereo non arriverebbe mai in tempo.»

«Chissà» dico, cercando di farle coraggio. «Non si può mai dire.»

«È così.» Sgomenta, sento che la sua voce comincia a incrinarsi. «Perderà la nascita del suo primo figlio. Dopo aver aspettato tutto questo tempo, ed essere venuto al corso, e tutto il resto... Era così bravo nella respirazione a cagnolino. L'insegnante gliel'ha fatta ripetere davanti a tutti, tanto era bravo.»

«Oh, Suze!» Sento che sto per piangere. «Forse ti ci vorranno ore e ore, e magari lui arriverà in tempo.»

«Resterai con me, vero?» dice lei, all'improvviso. «Non mi lascerai sola, vero?»

«Certo che no!» rispondo, atterrita. «Resterò con te tutto il tempo, Suze.» Le prendo le mani e le stringo forte. «Lo faremo insieme.»

«Tu sai niente di parto?»

«Mmm... sì» rispondo, mentendo spudoratamente. «Un sacco di cose.»

«Tipo?»

«Tipo... che servono degli asciugamani caldi... e...» Di colpo mi cade l'occhio su un cartone di latte per neonati che spunta da una borsa «... e che a volte i bambini dopo la nascita hanno bisogno di un'iniezione di vitamina K».

Suze mi fissa, colpita.

«Accidenti. E come fai a sapere tutte queste cose?»

«Le so e basta» rispondo, spingendo il cartone di latte col piede in modo da nasconderlo. «Vedi? Andrà tutto bene.»

Okay. Posso farcela. Posso aiutare Suze. Devo solo restare calma e non farmi prendere dal panico.

Voglio dire, milioni di persone partoriscono ogni giorno, no? Probabilmente è una di quelle cose che sembrano terrificanti ma che poi, al dunque, sono facilissime. Come l'esame di guida.

«Oh, Dio.» Il viso di Suze si contrae per il dolore. «Eccolo che arriva di nuovo.»

«Okay! Tieni duro!» Agitata, frugo dentro una delle borse di plastica. «Eccolo qui!» Suze apre gli occhi e mi vede prendere una scatola elegante avvolta nel cellophane.

«Bex, perché mi dai il profumo?»

«Mi hanno detto che l'olio di gelsomino aiuta ad alleviare il dolore» dico, senza fiato. «Ma non sono riuscita a trovarlo e allora ho preso una boccetta di Romance di Ralph Lauren. Ha delle sfumature di gelsomino.» Strappo l'involucro e gliene spruzzo un po' addosso. «Funziona?»

«Non molto» risponde lei. «Ma ha un buon odore.»

«Sì, è vero» convengo, soddisfatta. «E siccome ho speso più

di trenta sterline mi hanno dato anche una borsetta in omaggio con un guanto esfoliante per il corpo e...»

«St Christopher's Hospital» annuncia il tassista, fermandosi davanti a un grosso edificio di mattoni rossi. Ci irrigidiamo, spaventate, scambiandoci un'occhiata.

«Okay» dico. «Mantieniti calma, Suze. Niente panico. Tu aspettami qua.»

Spalanco la portiera del taxi, corro verso l'ingresso con il cartello MATERNITÀ, e mi ritrovo in una sala arredata con poltroncine blu imbottite. Un paio di donne in vestaglia alzano lo sguardo dalla rivista che stanno leggendo ma, a parte questo, non c'è alcun segno di vita.

Oh, Dio! Dove sono finiti tutti quanti?

«La mia amica sta per avere un bambino!» urlo. «Presto! Una barella! Un'ostetrica!»

«Si sente bene?» mi chiede una donna in uniforme bianca, spuntando dal nulla. «Io sono un'ostetrica. Cosa succede?»

«La mia amica è in travaglio! Ha immediatamente bisogno d'aiuto!»

«Dov'è?»

«Sono qui» risponde Suze varcando faticosamente la soglia con tre borse sotto il braccio.

«Suze!» esclamo, inorridita. «Non ti muovere. Dovresti restare sdraiata! Datele qualcosa» dico, rivolta all'ostetrica. «Ha bisogno di un'epidurale, e di un'anestesia totale, e magari un po' di gas esilarante... insomma, tutto quello che avete...»

«Sto bene» dice Suze. «Davvero.»

«Okay» dice l'ostetrica. «Ora la sistemiamo in una stanza. Poi la visitiamo e facciamo la cartella.»

«Io prendo il resto della roba» dico, andando verso l'ingresso. «Suze, non ti preoccupare, torno subito. Vai con l'ostetrica e poi io ti trovo.»

«Aspetta» dice Suze, agitata. «Aspetta, Bex!»

«Cosa c'è?»

«Non hai più fatto quella telefonata. Non hai annullato il matrimonio di New York.»

«Lo farò dopo» dico. «Ora vai. Va' con l'ostetrica.»

«Fallo adesso.»

«Adesso?» dico, fissandola.

«Se non lo fai adesso non lo farai mai più. Ti conosco, Bex.»
«Suze, non essere sciocca! Stai per partorire. Cerchiamo di darci delle priorità.»
«Partorirò dopo che tu avrai fatto quella telefonata!» ribatte Suze, ostinata.
«Okay» dice calma l'ostetrica. «Ora respiri e cerchi di rilassarsi...»
«Non posso rilassarmi finché la mia amica non ha annullato il suo matrimonio! Se non lo fa adesso, continuerà a rimandare. La conosco!»
«Non lo farò.»
«Lo farai, Bex. Sono mesi che aspetti.»
«Dev'essere proprio una birichina, eh?» dice l'ostetrica. «Dovrebbe dare ascolto alla sua amica» aggiunge, rivolta a me. «Sembra che la sua amica sappia di cosa sta parlando.»
«Ah, le amiche sanno subito quando è l'uomo sbagliato» commenta la donna con la vestaglia rosa.
«Ma lui non è quello sbagliato!» ribatto, indignata. «Suze, ti prego, calmati! Vai con l'ostetrica. Fatti dare qualcosa!»
«Fa' quella telefonata» risponde lei, il volto contratto per il dolore. «E poi vado. Su, avanti. Telefona.»
«Se vuole che questo bambino nasca come si deve» dice l'ostetrica, rivolta a me, «faccia quella telefonata.»
«Su, fai quella telefonata, tesoro» si intromette la donna con la vestaglia rosa.
«Okay. Okay.» Cerco il cellulare e digito il numero. «Sto chiamando. Adesso vai, Suze.»
«Non me ne vado finché non ti ho sentito pronunciare le parole.»
«Respiri seguendo le fitte...»
«Salve!» cinguetta la voce di Robyn al mio orecchio. «Sono campane da sposa quelle che sento?»
«Non c'è nessuno» dico, alzando lo sguardo.
«Allora lascia un messaggio» mi ordina Suze stringendo i denti.
«Un altro bel respiro profondo, adesso...»
«La vostra telefonata è molto importante per me...»
«Avanti, Bex!»
«D'accordo! Adesso lo faccio.» Respiro a fondo mentre parte

il segnale acustico. «Robyn, sono Becky Bloomwood... voglio annullare il matrimonio. Ripeto: voglio annullare il matrimonio. Sono desolata per gli inconvenienti che questo causerà. So quante energie mi hai dedicato e posso solo immaginare quanto sarà furiosa Elinor...» Mi interrompo per deglutire. «Ma ho preso la mia decisione... e voglio sposarmi in Inghilterra. Se vuoi discutere con me di questo, lasciami un messaggio al numero di casa e ti richiamerò. Altrimenti, ti saluto e ti ringrazio. È stato bello finché è durato.»

Interrompo la telefonata e resto a fissare il cellulare che ho in mano.

L'ho fatto.

«Brava» dice l'ostetrica a Suze. «È stata dura!»

«Brava, Bex!» dice Suze, tutta rossa in volto. Mi stringe forte la mano e mi rivolge un sorriso tirato. «Hai fatto la cosa giusta» dice, poi si rivolge all'ostetrica: «Okay. Andiamo».

«Io... vado a recuperare le altre cose» dico, e mi avvio lentamente verso l'ingresso.

Uscendo all'aria aperta non riesco a reprimere un brivido. Dunque è fatta. Niente matrimonio al Plaza. Niente foresta incantata. Niente torta spettacolare. Niente fantasie.

Non riesco a credere che sia tutto finito.

Ma se proprio devo essere sincera, è sempre stata solo un'illusione, no? Non mi è mai sembrata una cosa reale.

La vita reale è questa.

Per qualche istante resto lì, immobile, persa nei miei pensieri, finché la sirena di un'ambulanza mi riporta al presente. In fretta scarico tutto dal taxi, pago l'autista e resto a guardare la montagna di roba nei sacchetti, chiedendomi come farò a portarla dentro. C'era proprio bisogno di comprare un box pieghevole?

«Scusi, lei è Becky Bloomwood?» Una voce interrompe le mie riflessioni e io alzo lo sguardo. Vedo una giovane ostetrica sulla soglia.

«Sì» rispondo, allarmata. «Suze sta bene?»

«Sta bene, ma le contrazioni stanno aumentando e stiamo ancora aspettando che arrivi l'anestesista... e lei continua a dire che vorrebbe provare a usare...» mi guarda con aria perplessa «una canoa?»

Oh, mio Dio.

Oh, mio Dio.

Non so neppure da che parte cominciare per...

Sono le nove di sera e sono distrutta. Non ho mai visto niente di simile in vita mia. Non avevo idea che fosse così...

Che Suze sarebbe stata così...

In tutto ci sono volute sei ore, e qui dicono che ci ha messo poco. Be', posso solo dire che non vorrei essere una di quelle che ci mettono tanto.

Non ci posso credere. Suze ha un maschietto. Un maschietto piccolo, rosa, tutto da coccolare... Ha solo un'ora.

L'hanno pesato, misurato, vestito con un delizioso pagliaccetto bianco e blu e avvolto in una copertina bianca, e ora sta tra le braccia di Suze, il visetto tutto raggrinzito, e i ciuffetti di capelli scuri che spuntano da dietro le orecchie. Il bambino di Suze e Tarquin. Mi viene quasi da piangere... ma sono anche così felice. È una sensazione stranissima.

Incrocio lo sguardo di Suze e lei mi rivolge un sorriso estatico. Non ha mai smesso di sorridere da quando il piccolo è venuto al mondo e mi chiedo se per caso non le abbiano somministrato troppo gas esilarante.

«Non è perfetto?»

«È perfetto.» Gli sfioro un'unghia piccolissima. E pensare che per tutto questo tempo è cresciuto dentro la pancia di Suze.

«Gradisce una tazza di tè?» chiede un'infermiera, entrando nella stanza calda e piena di luce. «Deve essere esausta.»

«La ringrazio molto» rispondo, allungando una mano.

«Dicevo alla mamma» ribatte l'infermiera, lanciandomi un'occhiata strana.

«Oh, certo. Mi scusi» dico, arrossendo.

«Non c'è problema» dice Suze. «La dia a Bex. Se l'è meritata.» Poi mi rivolge un sorriso turbato. «Scusa se mi sono arrabbiata con te.»

«Figurati» rispondo, mordendomi le labbra. «Scusami tu, per aver continuato a chiederti se ti faceva male.»

«No, sei stata fantastica. Sul serio, Bex. Non so come avrei fatto senza di te.»

«Sono arrivati dei fiori» dice un'ostetrica, entrando nella stanza. «E anche un messaggio da parte di suo marito. È bloccato sull'isola per via del cattivo tempo, ma partirà appena possibile.»

«Grazie» dice Suze, con un sorriso. «Benissimo.»

Ma, quando l'ostetrica esce, comincia a tremarle il labbro.

«Bex, cosa faccio se Tarkie non riesce a tornare? La mamma è a Ulan Bator, papà non sa neanche come siano fatti i bambini... sono completamente sola...»

«No. Non sei sola» dico, abbracciandola. «Ci sono io.»

«Ma non devi tornare in America?»

«Non devo andare da nessuna parte. Cambierò la prenotazione e prenderò ancora qualche giorno di ferie.» La stringo forte. «Resterò qui finché avrai bisogno di me, Suze.»

«E il matrimonio?»

«Non devo più preoccuparmi del matrimonio. Resto qui con te e basta.»

«Davvero?» la voce di Suze si incrina. «Grazie, Bex.» Poi sposta il bambino con dolcezza e lui fa un respiro rumoroso. «Tu sai niente di bambini piccoli?»

«Ma non c'è molto da sapere!» ribatto, baldanzosa. «Basta solo allattarli, vestirli bene e portarli in giro in carrozzina per negozi.»

«Non so se...»

«E comunque, guardalo, il piccolo Armani.» Allungo la mano verso quel fagottino avvolto nella coperta e gli sfioro con delicatezza la guancia.

«Non lo chiameremo Armani. Smettila di chiamarlo così.»

«Be', comunque sia è un angelo. Sono sicura che è uno di quei bambini che non danno problemi.»

«È bravo, vero?» dice Suze, felice. «Non ha ancora pianto una volta!»

«Davvero, Suze, non c'è motivo di preoccuparsi.» Bevo un sorso di tè e le sorrido. «Sarà uno spasso!»

FINERMAN WALLSTEIN
Studio legale
Finerman House
1398 Avenue of the Americas
New York, NY 10105

Rebecca Bloomwood
Appartamento B
251 W 11th Street
New York
NY 10014

6 maggio 2002

Gentile signorina Bloomwood,

la ringrazio per il suo messaggio del 30 aprile e le confermo che sotto la seconda clausola, ho aggiunto la sezione (f) "lascio al mio splendido figlioccio Ernest la somma di mille dollari".

Desidero richiamare la sua attenzione sul fatto che questa è la settima modifica apportata al testamento dalla sua prima stesura, avvenuta un mese fa.

Distinti saluti

Jane Cardozo

13

Salgo incespicando le scale di casa. Ondeggio leggermente mentre prendo la chiave e, al terzo tentativo, riesco a infilarla nella toppa.

Di nuovo a casa.

Di nuovo tranquilla.

«Becky? Sei tu?» Sento la voce di Danny, subito seguita dal rumore dei suoi passi sulle scale.

Lo guardo con occhi annebbiati, incapace di mettere a fuoco. Mi sento come se avessi corso una maratona. No, facciamo sei maratone. Le ultime due settimane sono state un susseguirsi confuso di giorni e di notti senza tregua. Solo io, Suze, il piccolo Ernest e le sue urla.

Non fraintendetemi. Adoro il piccolo Ernie. Sarò la sua madrina di battesimo eccetera eccetera.

Ma... Dio, quanto grida!

Non avevo idea che avere un bambino fosse così. Io credevo che fosse *divertente*.

Non sapevo che Suze dovesse allattarlo ogni ora. Non sapevo che si sarebbe rifiutato di dormire. O che avrebbe odiato la sua culla. Voglio dire, l'abbiamo presa da Conran Shop! Tutta di faggio, con splendidi paracolpi bianchi. Pensavo che gli sarebbe piaciuta moltissimo, e invece, quando ce l'abbiamo messo dentro, non ha fatto altro che agitarsi e urlare.

Allora ho tentato di portarlo a fare shopping, e all'inizio è andato tutto bene. La gente sorrideva vedendo la carrozzina, poi sorrideva a me, e io stavo cominciando a sentirmi molto orgogliosa. Alla fine siamo entrati da Karen Millen e mentre mi provavo un paio di calzoni di pelle lui ha cominciato a urlare. Non un piagnucolio garbato. Non un tenero vagito. Ma uno strillo a pieni polmoni, lacerante, del tipo "chiamate la polizia, questa donna mi ha rapito".

Con me non avevo nulla, né biberon né pannolini e sono stata costretta a farmi tutta Fulham Road di corsa. Quando sono arrivata a casa, ero ansimante e rossa in faccia, Suze piangeva ed Ernest mi guardava come se fossi un'assassina o qualcosa del genere.

E poi, anche dopo aver mangiato, ha continuato a urlare per tutta la serata.

«Gesù!» esclama Danny arrivando nell'ingresso. «Cosa ti è successo?»

Lancio un'occhiata nello specchio e resto sconvolta. Sono pallida per la stanchezza, ho i capelli afflosciati, lo sguardo spiritato. Non ha aiutato il fatto che, quando finalmente sono salita sull'aereo che mi riportava a casa, ho scoperto di essere capitata accanto a una donna con due gemelli di sei mesi.

«La mia amica Suze ha avuto un bambino» dico, esausta, «suo marito era bloccato su un'isola e così le ho dato una mano io.»

«Luke ha detto che eri in vacanza» ribatte Danny, fissandomi inorridito. «Ha detto che ti stavi riposando!»

«Luke... non ha idea.»

Ogni volta che Luke ha chiamato, o stavo cambiando il pannolino al piccolo Ernie, o lo stavo consolando, o consolavo Suze che piangeva, oppure ero in coma che dormivo. C'è stata una sola breve e sconnessa conversazione, ma alla fine Luke mi ha suggerito di andare a sdraiarmi perché quello che dicevo non aveva molto senso.

A parte questo, non ho parlato con nessuno. La mamma mi ha telefonato per informarmi che Robyn aveva lasciato un messaggio dicendo di richiamarla subito. Avevo intenzione di farlo, ma ogni volta che avevo cinque minuti liberi... non riuscivo a prendere il telefono. Non ho idea di cosa sia successo, di quali discussioni o rotture ci siano state, ma so che Elinor dev'essere furibonda. E che probabilmente mi aspetta la madre di tutte le liti.

Ma non m'importa. L'unica cosa che mi interessa al momento è infilarmi a letto.

«Ehi, sono arrivati un bel po' di pacchi da QVC» dice Danny, guardandomi con curiosità. «Hai ordinato un set di bambole di Marie Osmond?»

«Non lo so» rispondo. «Forse. Ho ordinato praticamente tutto quello che avevano.»

Ho un vago ricordo di me che alle tre del mattino cullo Ernest tenendolo in grembo, in modo che Suze potesse dormire un poco, e fisso intontita lo schermo.

«Hai idea dei programmi orrendi che ci sono alla televisione inglese alle tre del mattino? Ed è inutile guardare un film, perché appena arrivi sul più bello il bimbo si mette a piangere e tu devi alzarti in piedi e camminare avanti e indietro cantando "*Nella vecchia fattoria-ia-ia-oh...*" e lui ancora non la smette. Allora devi attaccare con "*What a beautiful morning*", e neanche quella funziona...»

«D'accordo» dice Danny, facendo un passo indietro. «Ti credo sulla parola. Becky, penso che dovresti fare un riposino.»

«Già. Lo credo anch'io. Ci vediamo.»

Entro in casa barcollando, lancio la posta sul divano e mi dirigo verso la camera da letto, determinata come un tossico che vuole farsi un buco.

Dormire. Ho bisogno di dormire.

Una lucina lampeggia sulla segreteria telefonica. Mentre mi sdraio allungo automaticamente la mano e premo il pulsante.

«Ciao Becky! Sono Robyn. Volevo solo avvertirti che l'appuntamento con Sheldon Lloyd per discutere dei centritavola è stato spostato a martedì prossimo, il ventuno, alle quattordici e trenta. Ciao!»

Ho solo il tempo di pensare "Che strano" prima che la mia testa tocchi il cuscino e io cada in un sonno profondo e senza sogni.

Otto ore dopo mi sveglio e mi metto a sedere.

Cos'era?

Allungo una mano verso la segreteria telefonica e premo un tasto per riascoltare i messaggi. La voce cinguettante di Robyn ripete lo stesso messaggio lasciato ieri.

Ma non ha senso. Il matrimonio a New York è stato annullato.

Disorientata, mi guardo attorno nella luce fioca dell'appartamento. Il mio orologio biologico è così scombussolato che potrebbe essere qualsiasi ora. A piedi nudi vado in cucina per bere un bicchiere d'acqua e guardo fuori dalla finestra il murale con i ballerini dipinto sulla casa di fronte.

Io ho annullato il matrimonio. C'erano dei testimoni. Perché Robyn mi parla ancora dei centritavola? Voglio dire, mi sembra di essere stata chiara.

Cos'è successo?

Bevo l'acqua, ne verso un altro bicchiere e vado in soggiorno. Secondo l'orologio del videoregistratore sono le quattro del pomeriggio, quindi c'è ancora tempo per chiamarla e scoprire cosa sta succedendo.

«Pronto? Wedding Events Inc.» dice una giovane voce di donna che non conosco. «In cosa posso esserle utile?»

«Salve. Mi scusi, sono Rebecca Bloomwood. Voi state... state organizzando un matrimonio per me...»

«Oh, salve Becky! Sono Kirsten, l'assistente di Robyn. Posso dirle che la sua idea della Bella Addormentata nel bosco è davvero geniale? Ne ho parlato alle mie amiche e tutte dicono: "Oh, io adoro la Bella Addormentata! La voglio anch'io quando mi sposo".»

«Mmm, grazie. Senta, Kirsten, potrà sembrarle una domanda strana, ma...»

Come faccio? Non posso chiederle se il mio matrimonio è ancora in programma, no?

«Il mio matrimonio è... ancora in programma?»

«Credo proprio di sì!» risponde Kirsten con una risata. «A meno che lei non abbia litigato con Luke!» Il suo tono cambia bruscamente. «Per caso ha litigato con Luke? Perché esiste una procedura...»

«No! Non abbiamo litigato. È solo che... non avete ricevuto il mio messaggio?»

«Quale messaggio?» ribatte Kirsten, tutta allegra.

«Il messaggio che ho lasciato circa due settimane fa!»

«Oh, mi dispiace, dev'essere stato durante l'allagamento...»

«Allagamento?» Fisso il telefono, allibita. «C'è stato un allagamento?»

«Sono sicura che Robyn l'ha chiamata in Inghilterra per dirglielo: ma è tutto a posto, non è annegato nessuno. L'ufficio però è rimasto inagibile per qualche giorno e alcune apparecchiature si sono rovinate... purtroppo anche un antico cuscino per anelli di una nostra cliente.»

«Quindi non avete ricevuto il mio messaggio?»

«Era a proposito degli antipasti?» dice Kirsten, meditabonda.

Deglutisco più volte. Mi gira la testa.

«Becky, è appena arrivata Robyn» sta dicendo Kirsten, «se vuole parlare con lei...»

Neanche per sogno. Non mi fido più dei telefoni.

«Può dirle che sto venendo lì?» dico, cercando di mantenermi calma. «Le dica di aspettare. Arrivo al più presto.»

«È urgente?»

«Sì. Molto urgente.»

Gli uffici di Robyn si trovano in un elegante edificio sulla Novantaseiesima. Come busso alla porta sento la sua risata garrula. Apro con discrezione e la trovo seduta alla scrivania, un bicchiere di champagne in una mano, il telefono nell'altra, una scatola di cioccolatini aperta davanti a sé. Nell'angolo, una ragazza con la coda scrive al computer. Dev'essere Kirsten.

«Becky!» esclama Robyn. «Entra. Ho subito finito! Jennifer, credo che dovremmo optare per il raso dévoré. Sì? D'accordo. Ci vediamo presto.» Riattacca e mi rivolge un sorriso raggiante. «Becky, cara, come stai? Com'è andata in Inghilterra?»

«Bene, grazie. Robyn...»

«Sono appena tornata da un magnifico pranzo di ringraziamento offertomi dalla signora Herman Winkler al Carlton. Che matrimonio favoloso è stato, quello! All'altare lo sposo ha consegnato alla sposa un cucciolo di schnauzer. Semplicemente adorabile...» Si interrompe, aggrottando la fronte. «Cosa volevo dire? Ah, sì! La figlia e il novello genero sono appena partiti per l'Inghilterra in viaggio di nozze. Chissà, forse incontreranno Becky Bloomwood, le ho detto.»

«Robyn, ho bisogno di parlarti.»

«Certo. Se si tratta dei piatti per il dessert, ho parlato con quelli del Plaza...»

«Non si tratta dei piatti!» esclamo. «Robyn, ascoltami! Mentre ero in Inghilterra ho annullato il matrimonio. Ti ho lasciato un messaggio, ma tu non l'hai ricevuto.»

Nella stanza scende il silenzio. Poi Robyn scoppia in una risata.

«Hahaha! Becky, sei impareggiabile! Non è impareggiabile, Kirsten?»

«Robyn, sto dicendo sul serio. Voglio annullare tutto. Voglio sposarmi in Inghilterra. Mia madre ha organizzato il matrimonio là, è già tutto pronto...»

«Ma te l'immagini se facessi una cosa simile?» prosegue Robyn con un gorgoglio. «Be', ovviamente non potresti, per via del contratto prematrimoniale. Se cancellassi adesso, dovresti sborsare un sacco di soldi!» E si fa un'altra bella risata. «Gradisci un po' di champagne?»

La fisso, momentaneamente spiazzata.

«Di cosa stai parlando?»

«Del contratto che hai firmato, tesoro.» Mi porge un bicchiere di champagne, che le mie dita stringono automaticamente.

«Ma... Luke non l'ha firmato. Ha detto che non era valido se lui non avesse firmato.»

«Non fra te e Luke! Fra te e me! O meglio fra te e la Wedding Events Inc.»

«Cosa?» dico, deglutendo. «Robyn, di cosa stai parlando? Io non ho firmato nulla!»

«Ma certo che l'hai fatto. Tutte le mie spose lo fanno. L'ho dato a Elinor perché te lo passasse, e lei me l'ha restituito... devo averne una copia qui da qualche parte!» Beve un sorso di champagne, si volta con la poltroncina girevole e fruga dentro un elegante schedario di legno.

«Eccolo qui!» Mi porge la fotocopia di un documento. «L'originale ce l'ha il mio avvocato.»

Fisso la pagina, col cuore che mi batte all'impazzata. È un foglio dattiloscritto, intitolato TERMINI DEL CONTRATTO. Scendo con lo sguardo alla riga di puntini verso il fondo della pagina, e trovo la mia firma.

Con la mente vado a quella serata buia e piovosa nell'appartamento di Elinor quando, fuori di me, ho firmato ogni pagina che avevo davanti senza neppure darmi la pena di leggere cosa c'era scritto.

Oh, Dio. Cos'ho mai fatto?

Cos'ho firmato?

Scorro il contratto con occhi febbrili, afferrando solo in parte il significato dei termini legali.

> La consulente preparerà un programma completo... limite di tempo da concordarsi in comune... il cliente verrà consultato su ogni questione... in sinergia con i fornitori di servizi... il limite di spesa verrà concordato... decisioni finali spetteranno al cliente... qualsiasi interruzione o annullamento per qualsivoglia motivo... rimborso... trenta giorni... pagamento completo e finale... Inoltre...

Quando leggo le parole che seguono, mi vengono i brividi.

> Inoltre, in caso di annullamento, se il cliente dovesse sposarsi entro un anno dalla data di cancellazione, lo stesso sarà soggetto al pagamento di una penale di centomila dollari a favore della Wedding Events Inc.

Una penale di centomila dollari.

E io ho firmato.

«Centomila dollari?» dico, alla fine. «Mi sembra... mi sembrano un sacco di soldi.»

«Quello vale solo per le sciocche che fingono di annullare il matrimonio e poi si sposano comunque» ribatte Robyn, leggera.

«Ma perché...»

«Becky, se io organizzo un matrimonio, voglio che quel matrimonio si faccia. Mi è già capitato che alcune ragazze si tirino indietro.» La sua voce si fa dura. «Ragazze che decidono di fare di testa loro, di sfruttare le mie idee, i miei contatti. Ragazze che pensano di potersi servire della mia esperienza e passarla liscia.» Si sporge in avanti verso di me con occhi scintillanti e io mi ritraggo, spaventata. «Becky, non vorrai essere una di quelle ragazze, vero?»

È pazza. Questa donna è pazza.

«O-ottima idea» mi affretto a rispondere. «Devi tutelarti.»

«Ovviamente Elinor avrebbe potuto firmarlo lei stessa, ma abbiamo convenuto che in questo modo anche lei avrebbe protetto il suo investimento! È un bell'accordo» conclude, con un sorriso.

«Molto ingegnoso!» esclamo con una risata stridula e bevo un sorso di champagne.

E adesso cosa faccio? Dev'esserci una via d'uscita. Deve esserci. La gente non può essere costretta a sposarsi. Non è morale.

«Su, animo, Becky!» Robyn torna ai suoi modi allegri e spumeggianti. «È tutto sotto controllo. Mentre tu eri in Inghilterra noi ci siamo occupati di tutto. In questo momento stanno stampando gli inviti...»

«Gli inviti?» dico, ulteriormente sconvolta. «Ma non può essere. Non abbiamo neanche fatto l'elenco degli invitati!»

«Ma certo che l'avete fatto. E questo cos'è, sciocchina?»

Preme un paio di tasti sul computer e sullo schermo compare un elenco. Lo fisso a bocca aperta. Nomi e indirizzi familiari stanno scorrendo sullo schermo, uno dopo l'altro. Nomi dei miei cugini. Nomi di vecchie compagne di scuola. Con un tuffo al cuore vedo anche "Janice e Martin Webster, The Oaks, 41 Elton Road, Oxshott".

Questa vicenda sta diventando un incubo. Come fa Robyn a sapere dell'esistenza di Janice e Martin? Mi sembra di essere entrata nel covo dei cattivi. Da un momento all'altro si solleverà un pannello nascosto e vedrò papà e mamma imbavagliati e legati a una sedia.

«Dove... dove hai preso quei nomi?» chiedo, cercando di farla sembrare una domanda innocua.

«Ce li ha dati Luke. Gli ho fatto un po' di pressioni e lui ha dato un'occhiata in giro a casa vostra. Mi ha raccontato di averla trovata sotto il letto o in qualche altro strano posto. Probabilmente era il luogo più sicuro dove metterla, gli ho detto io.»

Mi porge un foglio di carta e io lo guardo, incredula.

È la scrittura della mamma.

La lista degli invitati che mi aveva faxato settimane fa. I nomi e gli indirizzi di tutti i parenti e gli amici che saranno invitati al matrimonio. Il matrimonio in Inghilterra.

Robyn sta per invitare le stesse persone che inviterà la mamma.

«E gli inviti... sono già partiti?» chiedo, con una voce che non riconosco come mia.

«No» risponde lei, agitando un dito in segno di rimprovero. «Quelli di Elinor sono partiti la settimana scorsa. Ma il tuo elenco ci è arrivato così tardi che temo che i tuoi siano ancora in tipografia. Dovrebbero spedirli appena finiscono di...»

«Fermali» dico, disperata. «Devi fermarli!»

«Come?» Robyn mi guarda sorpresa, e vedo che Kirsten ha sollevato la testa, incuriosita. «Perché, tesoro?»

«Devo... devo imbucarli io personalmente» dico. «È... una tradizione di famiglia. È la sposa che spedisce i suoi inviti.»

Mi passo una mano sul volto accaldato, cercando di restare calma. Dio, ora penseranno che non mi fido di nessuno, ma non mi importa. Devo impedire che quegli inviti partano.

«Che usanza insolita» osserva Robyn. «Non ho mai sentito una cosa del genere prima d'ora.»

«Stai dicendo che me la sono inventata?»

«No! Certo che no! Avverto subito Judith» dice Robyn, sollevando il ricevitore mentre cerca il numero sulla rubrica. Io mi lascio cadere nella poltrona, col fiato corto.

Mi gira la testa. Stanno accadendo troppe cose. Mentre io ero chiusa in casa con Suze e Ernie, tutto è andato avanti senza che io me ne rendessi conto e ora ho completamente perso il controllo della situazione. È come se questo matrimonio fosse un grosso cavallo bianco che prima trottava tranquillo e poi, con un'impennata improvvisa, è partito al galoppo lasciandomi a terra.

Non credo che Robyn potrebbe davvero farmi causa. Oppure sì?

«Pronto, Judith? Sono Robyn. Hai già... ah, sì? Be', hai fatto in fretta!» Robyn alza lo sguardo verso di me. «Non ci crederai, ma li hanno già terminati!»

«Cosa?!» esclamo, inorridita.

«La ragazza è già alla buca delle lettere. Non è un...»

«Fermala!» strillo. «Fermala!»

«Judith, Judith fermati. La sposa è molto pignola. Vuole spedire gli inviti di persona. Una tradizione di famiglia» aggiunge a voce bassa. «Inglese. Sì. No, non la conoscevo neanch'io.»

Alza lo sguardo e mi rivolge un sorriso prudente, come se fossi una bambina capricciosa di tre anni.

«Becky, purtroppo qualcuno è già andato. Ma potrai spedire tutti gli altri.»

«Qualcuno?» ripeto, agitata. «Quanti?»

«Quanti, Judith?» chiede Robyn, e poi si volta verso di me. «Tre, crede.»

«Tre? Be'... non può infilare una mano e recuperarli?»

«Non credo.»

«Non può trovare un bastone... o qualcosa?»

Robyn mi guarda in silenzio per qualche istante, poi si volta verso il telefono.

«Judith, dammi l'esatta posizione della buca delle lettere.» Prende nota su un pezzo di carta, poi mi guarda. «Sai, Becky, credo che la cosa migliore sia che tu vada là e faccia... tutto quello che devi fare.»

«Okay. Grazie.»

Mentre indosso la giacca, vedo Robyn e Kirsten scambiarsi un'occhiata.

«Sai, Becky, sarebbe meglio che ti dessi una calmata» osserva Robyn. «È tutto sotto controllo. Non devi preoccuparti di nulla.» Si sporge in avanti e mi dice con aria complice: «Come dico sempre alle mie spose quando si fanno prendere dall'agitazione: in fondo, è solo un matrimonio!».

Non riesco neppure a rispondere.

La buca delle lettere si trova all'incrocio tra la Novantatreesima e la Lexington. Svoltando nella strada vedo una donna con una giacca a vento nera che dev'essere Judith, appoggiata alla parete di un edificio. Mentre corro verso di lei, noto che guarda l'orologio e, con un gesto di impazienza, si dirige verso la cassetta della posta, con una pila di buste in mano.

«Ferma!» urlo, correndo verso di lei. «Non le imbuchi!»

Quando la raggiungo, ansimo così forte che non riesco neppure a parlare.

«Mi dia quegli inviti» dico, boccheggiando. «Sono la sposa. Becky Bloomwood.»

«Ah, eccola qui» dice lei. «Alcuni sono già andati, ma sa, nessuno mi aveva avvertito di non spedirli» aggiunge, sulla difensiva.

«Capisco. Mi dispiace.»

«Se Robyn non mi avesse chiamato in quel preciso momento... sarebbero partiti tutti. Tutti quanti!»

«La ringrazio.»

Scorro le spesse buste color tortora, un po' colpita nel vedere gli stessi nomi che comparivano sulla lista della mamma vergati in eleganti caratteri gotici.

«Allora, vuole spedirli?»

«Certo.» Di colpo mi rendo conto che Judith sta aspettando che lo faccia. «Ma non deve vedermi nessuno» aggiungo in fretta. «È una faccenda molto riservata. Devo... recitare una poesia e baciarli uno per uno.»

«Come vuole lei» dice Judith, alzando lo sguardo al cielo.

Si allontana in direzione dell'incrocio e io resto immobile come una roccia finché lei non scompare. Poi, stringendo al petto la pila di inviti, corro all'angolo, alzo una mano e chiamo un taxi per farmi portare a casa.

Quando arrivo a casa Luke non è ancora rientrato, e l'appartamento è buio e silenzioso come quando sono uscita. Aperta per terra c'è la mia valigia: dentro ci sono gli inviti per il matrimonio di Oxshott che la mamma mi ha dato perché li passi a Elinor.

Prendo gli inviti della tipografia e guardo ora gli uni ora gli altri. Un mazzo di buste bianche. Un mazzo di buste color tortora. Due matrimoni. Lo stesso giorno. Tra meno di sei settimane.

Se scelgo l'uno, la mamma non mi parlerà mai più.

Se scelgo l'altro, mi chiederanno centomila dollari di danni.

Okay, l'importante è restare calmi. Riflettere razionalmente. Dev'esserci una via d'uscita. Deve esserci. Basta non perdere la testa e non ficcarsi in qualche...

D'un tratto sento il rumore della porta d'ingresso che si apre. «Becky?» dice la voce di Luke. «Sei tu?»

Oh, merda!

In preda al panico più totale, apro il mobile bar, ci infilo tutti gli inviti, lo richiudo e mi volto appena in tempo per veder entrare Luke.

«Tesoro!» esclama, lasciando cadere a terra la valigetta, e il suo viso si illumina. «Bentornata! Mi sei mancata da morire!» Mi abbraccia forte, poi si ritrae e mi osserva con aria preoccupata. «Becky? Va tutto bene?»

«Benissimo! Davvero, va tutto splendidamente bene. Sono solo un po' stanca.»

«Hai un'aria stravolta. Ti preparo un tè mentre mi racconti tutto di Suze.»

Esce dal soggiorno e io crollo sul divano.

E adesso cosa faccio?

The Pines
43 Elton Road
Oxshott
Surrey

MESSAGGIO FAX

A: BECKY BLOOMWOOD
DA: MAMMA

20 maggio 2002

Becky, tesoro,

non voglio allarmarti, ma pare che quella squilibrata di cui ci hai parlato abbia fatto un ulteriore passo avanti, arrivando a far stampare delle partecipazioni. La zia Irene ci ha telefonato oggi per dirci di aver ricevuto per posta uno strano invito per il Plaza Hotel, proprio come avevi detto tu.

Pare che il biglietto sia tutto bronzo e beige, molto strano e per niente simile a una partecipazione di nozze.

La cosa migliore con queste persone è ignorarle, quindi le ho detto di gettare il biglietto nella spazzatura e di non pensarci più. E tu devi fare esattamente lo stesso, tesoro.

Ma ho pensato che fosse meglio avvertirti.

Ci sentiamo presto.
Baci.

Mamma

FINERMAN WALLSTEIN
Studio legale
Finerman House
1398 Avenue of the Americas
New York, NY 10105

Rebecca Bloomwood
Appartamento B
251 W 11th Street
New York
NY 10014

FATTURA N. 10956

3 aprile	Nuova stesura del testamento	$ 150
6 aprile	Ulteriore nuova stesura del testamento	$ 150
11 aprile	Ulteriori modifiche al testamento	$ 150
17 aprile	Nuova stesura del testamento	$ 150
19 aprile	Ulteriori modifiche al testamento	$ 150
24 aprile	Nuova stesura del testamento	$ 150
30 aprile	Ulteriori modifiche al testamento	$ 150

TOTALE **$ 1050**

Distinti saluti

14

Okay. La cosa fondamentale è non perdere il senso delle proporzioni. Insomma, diciamolo, ogni matrimonio presenta qualche inconveniente. Non si può pretendere che vada tutto liscio. Ho appena comprato un libro, che si intitola *La sposa realista*, e che trovo di molto conforto. Dedica un lungo capitolo ai contrattempi e dice: «Per quanto il problema possa sembrare insormontabile, una soluzione si trova sempre. Non disperare mai!».

Peccato che porti l'esempio di una sposa che perde una scarpa di raso mentre sta andando al rinfresco, non di una che ha organizzato due matrimoni diversi in due continenti diversi lo stesso giorno, nascosto metà delle partecipazioni di nozze in un mobile bar e scoperto che la sua consulente di nozze è una pazza litigiosa.

Però sono certa che il principio sia fondamentalmente lo stesso.

L'altra cosa che mi aiuta a non dar fuori di matto è un consiglio preziosissimo che mi sento di dare a tutte le future spose. Anzi, mi sorprende che non compaia sulle riviste del settore. È quello di tenere una bottiglietta di vodka nella borsetta e di berne un sorso ogni volta che qualcuno pronuncia la parola *matrimonio*.

Ormai è una settimana che sono tornata a New York e ho già consultato almeno diciassette avvocati in merito al contratto di Robyn. Tutti e diciassette l'hanno esaminato attentamente per poi rispondermi che purtroppo è ineccepibile, consigliandomi per il futuro di leggere ogni documento prima di firmarlo.

Veramente, non è proprio così. Un avvocato si è limitato a dire: «Mi spiace, signorina, ma non possiamo farci niente» appena ha sentito che il contratto era con Robyn de Bendern. Un altro mi ha detto: «Ragazza, lei è nei guai fino al collo» e ha subito riattaccato.

Tant'è, non posso credere che non esista una soluzione. Come ultimo tentativo l'ho mandato a Garson Low, l'avvocato più caro di Manhattan. Ho scoperto della sua esistenza sulla rivista "People", che lo definiva la mente più brillante dei tribunali americani. A leggere l'articolo, pare che sia in grado di trovare un cavillo anche in un blocco di cemento, ed è venerato da tutti. E così ho riposto tutte le mie speranze in lui, e nel frattempo mi sforzo di comportarmi normalmente e di non impazzire.

«Oggi pranzo con Michael» dice Luke, entrando in cucina con un paio di scatole. «Pare che si trovi bene, nella nuova casa.»

Michael ha fatto il grande passo e si è trasferito a New York, il che per noi è fantastico. Lavora part-time come consulente per la Brandon Communications, e il resto del tempo lo dedica a riappropriarsi della sua vita, come dice lui. Ha cominciato a dipingere, si è iscritto a un gruppo sportivo che organizza uscite a piedi a Central Park e l'ultima volta che l'abbiamo visto stava pensando di iscriversi a un corso di cucina italiana.

«Bene!»

«Ha detto che dobbiamo andare a trovarlo...» Luke si interrompe e mi scruta. «Becky, ti senti bene?»

Di colpo mi rendo conto che sto tamburellando con la matita sul tavolo della cucina con una tale forza che ho lasciato dei segni sul ripiano.

«Benissimo» rispondo, con un sorriso esagerato. «Perché?»

A Luke non ho detto una sola parola dei miei problemi. Nella *Sposa realista* dicono che l'unico modo per non annoiare a morte il proprio fidanzato è informarlo solo delle cose più importanti.

E, tutto sommato, non ritengo che Luke debba essere informato di nulla, almeno per il momento.

«Sono arrivati altri due regali di nozze» dice, posando i pacchi sul piano di lavoro. «Il grande giorno si sta avvicinando, eh?» aggiunge, sorridendo.

«Già!» faccio io, tentando di sorridere.

«Un altro tostapane... questo viene da Bloomingdale. Becky, quante liste di nozze abbiamo fatto?» mi chiede, aggrottando la fronte.

«Qualcuna. Non ricordo esattamente.»

«Credevo che lo scopo della lista di nozze fosse quello di non ritrovarsi con sette tostapane.»

«Ma noi non abbiamo sette tostapane! Quello è un *fornetto per le brioches*» dico, indicando la scatola.

«E poi abbiamo... una borsa di Gucci.» Mi guarda con aria perplessa. «Una borsa di Gucci come regalo di nozze?»

«È il bagaglio lui e lei!» ribatto, sulla difensiva. «Per te ho scelto una ventiquattrore.»

«Che nessuno mi ha comprato.»

«Non è colpa mia! Non sono io a scegliere!»

Luke scuote la testa, incredulo. «Hai messo nella lista anche dei Jimmy Choo lui e lei?»

«Qualcuno ha preso i Jimmy Choo?» dico, felice, ma subito mi fermo, vedendo la sua faccia. «Stavo scherzando.» Mi schiarisco la gola. «Tieni, guarda il bambino di Suze.»

Ho appena fatto sviluppare tre rullini, quasi tutte foto di Suze ed Ernie.

«Questo è Ernie che fa il bagnetto...» spiego, passandogli le foto. «Questo è Ernie che dorme... Suze che dorme... No, aspetta un momento.» Faccio scorrere in fretta quelle di Suze che allatta il bimbo in mutande. A dire il vero, aveva comprato per corrispondenza un top speciale per l'allattamento, che prometteva "comodità e discrezione a casa e in pubblico". Ma si è così stufata di quella stupida cerniera nascosta che l'ha buttato via dopo un giorno. «Guarda! Questo è il giorno in cui l'abbiamo portato a casa!»

Luke si siede al tavolo e, mentre guarda le foto, sul suo viso compare una strana espressione.

«Ha un'aria così beata» osserva.

«Davvero» convengo. «Lo adora. Anche quando urla.»

«Sembrano già molto legati» dice, osservando una foto di Suze che ride mentre Ernie le tira i capelli.

«Oh, lo sono. Quando sono partita, lui ha pianto perché cercavo di staccarlo da lei per prenderlo in braccio.»

Guardo Luke, commossa. È totalmente affascinato da queste foto, e la cosa mi sorprende perché non avevo mai pensato che gli piacessero i bambini. Voglio dire, la maggior parte degli uomini, se gli mostri un pacco di foto di bimbi...

«Io non ho foto di me da piccolo» dice, passando a un'inquadratura di Ernie che dorme pacifico tra le braccia di Suze.

«No? Oh, be'...»

«Mia madre se l'è portate via tutte.»

La sua espressione è indecifrabile. Nella mia mente suona un campanello d'allarme.

«Davvero?» dico, disinvolta.

«Forse voleva averle sempre sotto gli occhi.»

«Già» dico, dubbiosa. «Forse è così.»

Oh, Dio. Avrei dovuto immaginare che queste foto lo avrebbero spinto a rimuginare di nuovo sulla madre.

Non so cosa sia accaduto esattamente tra loro mentre ero via. So solo che alla fine Luke è riuscito a mettersi in contatto con lei in clinica. E a quanto pare lei ha trovato una giustificazione alquanto improbabile sul motivo per cui il giornale non parlava di lui, tipo che al giornalista non interessava o qualcosa del genere.

Non so se Luke le abbia creduto. Non so se l'abbia perdonata o no. A essere sincera, non credo che lo sappia neanche lui. Ma ogni tanto assume un'espressione assorta e remota, e io capisco che sta pensando a questo.

Una parte di me vorrebbe dirgli: "Senti, Luke, dimenticatene. È una stronza patentata, non ti vuole bene e tu stai meglio senza di lei".

Ma poi mi viene in mente ciò che ha detto Annabel, la sua matrigna, quando abbiamo avuto quella conversazione, tanti mesi fa. Mentre ci stavamo salutando mi aveva detto: «Per quanto ti possa sembrare strano, Luke ha bisogno di Elinor».

«No, non è vero» avevo risposto, indignata. «Ha te, ha suo padre, ha me...»

Ma Annabel ha scosso la testa.

«Tu non capisci. Fin da piccolo ha sempre avuto una grande nostalgia di Elinor. È questo che lo ha spinto a lavorare così tanto, a trasferirsi in America. Lei fa parte di lui, un po' come un rampicante attorcigliato attorno a un melo.» Poi, con un'occhiata penetrante, aveva aggiunto: «Stai attenta, Becky. Non cercare di tagliarla fuori dalla sua vita, perché faresti del male anche a lui».

Come ha fatto a leggermi nel pensiero? Come ha fatto a capire che nella mia mente passava proprio l'immagine di Elinor e di me, con un'accetta...

Guardo Luke che sta fissando affascinato una foto di Suze che bacia Ernie sul pancino.

«E comunque» dico, raccogliendo le foto per rimetterle nelle buste, «il legame fra Tarquin ed Ernie è altrettanto forte. Voglio dire, l'amore del padre è importante quanto quello della madre. Specialmente al giorno d'oggi. Spesso mi trovo a pensare che l'amore materno sia sopravvalutato...»

Oh, è inutile. Luke non mi sta neppure ascoltando.

Squilla il telefono, ma Luke non accenna a muoversi, così vado in soggiorno a rispondere.

«Pronto?»

«Pronto? Parlo con Rebecca Bloomwood?» dice una voce maschile che non conosco.

«Sì, sono io» rispondo, e mi cade l'occhio su un nuovo catalogo di Pottery Barn posato sul tavolino. Forse dovrei fare una lista anche da loro. «Chi parla?»

«Sono Garson Low, dello studio Low and Associates.»

Il mio corpo si irrigidisce. Garson Low in persona? Che mi telefona a casa?

«Mi scuso per aver chiamato con tanto ritardo» dice.

«No! Ma si figuri!» rispondo io, riscuotendomi, e do un calcio alla porta in modo che Luke non possa sentire. «È stato gentile a chiamare.»

Grazie al cielo! Deve aver deciso che ho qualche possibilità di vincere. Vorrà aiutarmi a sfidare Robyn. Probabilmente stabiliremo un precedente nella storia legale, o qualcosa del genere, e quando usciremo sulla scalinata del palazzo di Giustizia ci sarà una folla di fotografi e giornalisti ad attenderci, come in *Erin Brockovitch*!

«Ho ricevuto la sua lettera ieri» dice Garson Low, «e la sua situazione mi è parsa molto interessante. Si è messa proprio in un bel pasticcio.»

«Lo so. È per questo che mi sono rivolta a lei.»

«Il suo fidanzato è al corrente della situazione?»

«Non ancora» rispondo, e poi, abbassando la voce, aggiungo: «Spero di riuscire a trovare una soluzione, prima, e dirglielo solo in seguito. Lei mi capisce, signor Low».

«Certamente.»

«Bene. Si vede subito che ci capiamo.»

«Allora veniamo al dunque» dice Garson Low.

«Assolutamente.» Provo un'ondata di sollievo. Visto, questo è ciò che si ottiene rivolgendosi all'avvocato più caro di Manhattan. Risultati. E subito.

«Innanzitutto, il contratto è stato stilato con molta abilità» osserva Garson Low.

«Certo» dico annuendo.

«Ci sono parecchie clausole veramente ingegnose, che coprono ogni eventualità.»

«Capisco.»

«L'ho esaminato a fondo, e da quanto ho potuto vedere non c'è modo che lei possa sposarsi in Inghilterra senza incorrere nella penale.»

«Giusto» dico, annuendo.

Segue qualche istante di silenzio.

«Allora, dov'è la scappatoia?» chiedo, alla fine.

«Non c'è nessuna scappatoia. Le cose stanno così. Punto.»

«Cosa?» Fisso il telefono, sconcertata. «Lei non mi ha chiamato per dirmi che ha trovato una scappatoia? Per dirmi che possiamo vincere?»

«No, signorina Bloomwood. L'ho chiamata per dirle che, se fossi in lei, comincerei a darmi da fare per annullare il matrimonio in Inghilterra.»

È una pugnalata.

«Ma... ma io non posso. È questo il punto. Mia mamma ha fatto ristrutturare la casa, e tutto il resto. Questa cosa la ucciderebbe.»

«Allora, temo che dovrà pagare alla Wedding Events Inc. l'intera penale.»

«Ma...» Ho un nodo alla gola. «Non posso! Io non ho centomila dollari! Dev'esserci un altro modo!»

«Temo proprio...»

«Dev'esserci una soluzione!» Mi tiro indietro i capelli, cercando di non farmi prendere dal panico. «Insomma, lei dovrebbe essere la mente più acuta d'America! Dev'essere in grado di trovare una via d'uscita, no?»

«Signorina Bloomwood, le assicuro che ho considerato la situazione sotto ogni punto di vista, e non esiste via d'uscita» risponde Garson Low con un sospiro. «Posso darle tre piccoli consigli?»

«Quali sono?» dico, con un barlume di speranza.

«Primo, mai firmare un documento senza averlo letto.»

«Lo so già!» esclamo, prima di riuscire a trattenermi. «A cosa serve che me lo dicano tutti, adesso?»

«Secondo, che le suggerisco caldamente di parlarne col suo fidanzato.»

«E il terzo?»

«Incroci le dita.»

È tutto qui quello che mi sa dire un avvocato da un milione di dollari? Ne parli col suo fidanzato e incroci le dita? Maledetto stupido imbroglione succhiasoldi.

Okay, manteniamo la calma. Io sono più intelligente di lui e qualcosa riuscirò a trovare. So di poterlo fare. Lo so.

Un momento.

Mi avvio disinvolta verso la cucina, dove Luke è ancora seduto a fissare il vuoto.

«Ciao» dico, sfiorando con la mano la spalliera della sua sedia. «Ehi, Luke, tu hai un sacco di soldi, vero?»

«No.»

«Come sarebbe a dire, no?» ribatto, leggermente offesa. «Certo che li hai!»

«Ho dei beni, ho la mia società. Ma questo non significa necessariamente che io abbia tanti soldi.»

«Comunque sia» proseguo, impaziente, «visto che stiamo per sposarci, sai no, "... in ricchezza e povertà" eccetera eccetera... in un certo senso i tuoi beni sono anche miei, giusto?»

«Sì. Dove vuoi arrivare?»

«Quindi... se io ti chiedessi dei soldi, tu me li daresti?»

«Immagino di sì. Quanto?»

«Mmm... centomila dollari» rispondo, disinvolta.

Luke solleva la testa di scatto.

«Centomila dollari?»
«Sì! Voglio dire, non è poi quella gran cifra...»
Luke sospira.
«Coraggio, Becky, cos'hai visto, ancora? Perché se si tratta di un'altra giacca di pelle fatta su misura...»
«Non è una giacca! È... una sorpresa.»
«Una sorpresa da centomila dollari.»
«Sì» ribatto dopo una pausa, ma anch'io non sembro tanto convinta.
Forse, dopotutto, non è una gran soluzione.
«Becky, centomila dollari sono una grossa cifra. Sono un sacco di soldi.»
«Lo so» dico. «Lo so. Okay, senti... non ha importanza.» E corro via prima che possa farmi altre domande.

D'accordo, lasciamo perdere gli avvocati. Lasciamo perdere i soldi. Dev'esserci un'altra soluzione. È solo questione di cambiare approccio.
Voglio dire, potremmo sempre fuggire. Sposarci su una spiaggia deserta, cambiare nome e non vedere mai più le nostre famiglie.
No. Ecco la soluzione. Io vado al matrimonio a Oxshott, Luke a quello di New York. Fingiamo tutti e due di essere stati piantati all'ultimo momento e poi ci incontriamo in segreto...
No! Ci sono! Ingaggiamo dei sosia. Colpo di genio!
Sono nell'ascensore di Barneys quando mi viene questa idea e ne sono così conquistata che quasi dimentico di scendere al mio piano. Trovato. Assumeremo delle comparse che andranno al Plaza al posto nostro. Non se ne accorgerà nessuno. Voglio dire, tutti gli invitati sono amici di Elinor, persone che Luke e io conosciamo appena. Potremmo far indossare alla mia sosia un velo molto pesante... e il sosia di Luke potrebbe dire di essersi tagliato facendosi la barba e avere il viso bendato, e nel frattempo noi saremmo già in Inghilterra...
«Attenta, Becky!» dice Christina con un sorriso. Alzo lo sguardo, trasalendo. Oh, Dio, stavo per urtare un manichino.
«Stai pensando al matrimonio?» aggiunge, mentre entriamo in reparto.

«Già» rispondo, tutta allegra.

«Sai, mi sembri molto più rilassata» dice lei con aria soddisfatta. «Le ferie ti hanno fatto un gran bene. Vedere tua madre... stare un po' a casa tua...»

«Già, è stato fantastico.»

«Sai, la tua calma è davvero ammirevole» prosegue Christina bevendo un sorso di caffè. «Da quando sei tornata non ti ho sentito una sola volta parlare delle nozze. Anzi, sembra quasi che tu voglia evitare l'argomento!»

«No, non lo sto evitando» rispondo, con un sorriso ingessato. «Perché dovrei?»

Voglio la mia vodka. Porto la mano alla borsetta. Devo fermarmi.

«Alcune ragazze sembrano dare così tanta importanza ai preparativi per il matrimonio. Pare quasi che si impadroniscano della loro vita. Nel tuo caso, invece, sembra che tu abbia tutto sotto controllo...»

«Assolutamente» dico, ancora più allegra. «Ora, se vuoi scusarmi, vado a prepararmi per la prima cliente.»

«Ah, ho dovuto invertire i tuoi appuntamenti» dice Christina quando apro la porta del mio salottino di prova. «Hai una cliente nuova alle dieci. Amy Forrester.»

«Bene! Grazie.»

Chiudo la porta, mi lascio cadere sulla poltroncina, afferro la bottiglietta di Smirnoff e ne bevo una bella sorsata.

Così va meglio.

Allora, ho tempo di chiamare un'agenzia di comparse prima che arrivi Amy Forrester?

D'accordo, col senno di poi, forse avrei dovuto riflettere prima di telefonare.

E forse avrei dovuto pensare che era improbabile che io assomigliassi ai sosia delle celebrità dell'agenzia Stars U Like.

Anche se, devo dire, sono stati molto gentili. Hanno detto che, se volevo, potevo mandare una foto e loro avrebbero controllato nei loro archivi. Poi, accorgendosi del mio accento britannico, mi hanno chiesto se per caso non assomigliassi a Elizabeth Hurley, perché allora avrebbero avuto una sosia perfetta.

Già, figuriamoci.

Comunque non si può mai dire. Manderò una foto, caso mai. Magari verrà fuori che sono la copia perfetta del loro vicino di casa, o qualcosa del genere.

«Non mi piace il giallo, e neppure l'arancione» blatera Amy Forrester. «E quando dico elegante, intendo non troppo elegante. Leggermente formale, sì, ma sexy. Capisce cosa voglio dire?» Fa esplodere una bolla di chewing-gum e mi guarda, in attesa di una risposta.

«Mmm... certo!» rispondo. Non ho la minima idea di cosa abbia detto. Dio, non ricordo neppure cosa vuole. Su, Becky, concentrati.

«Allora, tanto per ricapitolare, lei sta cercando... un abito da sera?» azzardo, fingendo di prendere appunti sul mio taccuino.

«O un tailleur pantalone. Qualunque cosa. Posso indossare praticamente tutto quello che voglio.» Amy Forrester si guarda allo specchio, soddisfatta, e io le faccio una furtiva radiografia newyorchese, prendendo nota del top aderente lilla e dei pantacollant turchesi. Sembra la modella degli spot di attrezzature sportive da camera. Stessa volgare capigliatura bionda, stesso tutto.

«Ha un bellissimo fisico!» dico, rendendomi conto un po' in ritardo che sta aspettando un complimento.

«Grazie! Faccio del mio meglio.»

Con l'aiuto di un Rotolo Magico! E il grasso rotola via...

«Ho già acquistato il guardaroba per le vacanze» annuncia, facendo scoppiare un'altra bolla. «Ma poi il mio fidanzato ha detto: "Perché non ti compri ancora qualcosina?". Lui adora farmi dei regali. È un uomo meraviglioso. Allora... ha qualche idea?»

«Sì» rispondo, alla fine, cercando disperatamente di concentrarmi. «Sì. Vado subito a prendere qualche capo che potrebbe essere perfetto per lei.»

Esco dal salottino e comincio a radunare degli abiti. Gradualmente, passando di espositore in espositore, comincio a rilassarmi. È un sollievo concentrarmi su qualcosa che non sia il matrimonio.

«Ciao, Becky» mi dice Erin passandomi accanto con la signora Zaleskie, una delle sue clienti abituali. «Stavo giusto dicendo a Christina che dobbiamo organizzare una festa per te!»

Oh, Dio.

«Sa, mia figlia lavora al Plaza» si intromette la signora Zaleskie. «Dice che non si parla che del suo matrimonio.»

«Davvero?» dico, dopo un attimo di esitazione. «Be', non è poi questa gran cosa...»

«Vuole scherzare? I camerieri litigano su chi dovrà servire! Tutti vogliono vedere la foresta incantata!» Mi scruta attraverso gli occhiali. «È vero che ci sarà un'orchestra d'archi, un DJ e un complesso di dieci elementi?»

«Mmm... sì.»

«Le mie amiche sono così invidiose che io sia tra gli invitati» dice Erin, il volto illuminato dalla gioia. «Continuano a dirmi: "Devi mostrarci le foto!". È permesso fare foto, vero?»

«Io... non lo so, ma credo proprio di sì.»

«Lei è una ragazza fortunata» osserva la signora Zaleskie.

«Lo so.»

Non resisto. Ho bisogno della mia vodka.

«Devo andare» borbotto e torno velocemente nel mio reparto.

Non posso farcela. Qualunque cosa io faccia, sono destinata a deludere un sacco di persone.

Mentre Amy si infila nel primo abito, io resto lì impalata a fissare il pavimento, col cuore che mi batte forte. Mi sono già trovata nei guai prima d'ora. Mi sono già comportata da stupida altre volte. Ma mai a questi livelli, così macroscopici, così costosi, importanti...

«Questo mi piace» dice Amy, osservandosi con occhio critico, «ma sarà abbastanza scollato?»

«Mmm...» È un abito di chiffon nero, aperto praticamente fino all'ombelico. «Direi di sì. Ma potremmo sempre farlo modificare.»

«Oh, non c'è tempo!» risponde Amy. «Resterò a New York ancora un giorno. Domani partiamo per le vacanze e poi ci trasferiamo ad Atlanta. È per questo che sono uscita a fare acquisti. In casa ci sono gli uomini dei traslochi e mi fanno diventare pazza.»

«Capisco» dico distrattamente.

«Il mio fidanzato adora il mio corpo» prosegue lei, compiaciuta, togliendosi il vestito nero. «Sua moglie non ha mai curato il proprio aspetto. La sua ex moglie, dovrei dire. Stanno divorziando.»

«Ah» faccio io, educatamente, porgendole un abito aderente bianco e argento.

«Non riesco a capire come abbia fatto a sopportarla per così tanto tempo. È una bisbetica, pazza di gelosia. Pensi che sono stata costretta a citarla in tribunale!» Amy si infila l'abito a guaina. «Insomma, non può impedirmi di perseguire il mio piacere, no? È un atteggiamento egoistico. Lo sa che mi ha fisicamente aggredito per strada? Sulla Madison!»

Madison? Mi ricorda qualcosa. Alzo lo sguardo, mentre il mio cervello si mette in moto.

«E le ha fatto male?»

«Oh, mio Dio, certo! Mi ha quasi cavato un occhio! Mi ha accusato di cose pazzesche, davanti a tutta la gente che guardava... io credo che a volte queste donne in carriera perdano un po' la testa quando passano i quaranta. Potrebbe alzarmi la cerniera?»

Non può trattarsi della stessa persona. Voglio dire, a New York devono esserci almeno un migliaio di amanti bionde che sono state aggredite in Madison Avenue da ex mogli inferocite.

«Come ha detto che si chiama il suo fidanzato?» chiedo con naturalezza.

«William. Ma lei lo chiama Bill» aggiunge con espressione di scherno.

Oh mio Dio.

È lei. È la stagista bionda. È qui, davanti a me.

Okay. Continua a sorridere. Fa' in modo che non sospetti nulla.

Ma, dentro di me, ribollo di indignazione. Questa sarebbe la donna per cui Laurel è stata messa da parte? Questo essere stupido e volgare?

«È per questo che ci trasferiamo ad Atlanta» prosegue Amy, guardandosi compiaciuta allo specchio. «Vogliamo iniziare una nuova vita insieme, e William ha chiesto il trasferimento alla sua ditta. Ma con discrezione. Non vogliamo che quella vecchia megera ci perseguiti anche là.» Si guarda meglio, aggrottando la fronte. «Questo mi piace di più.»

Si china e io mi irrigidisco. Un momento. Indossa un ciondolo. Un ciondolo con... quella pietra verde è per caso uno smeraldo?

«Amy, devo fare una telefonata» le dico, «ma lei continui pure a provare quei vestiti!» Così dicendo, scivolo fuori.

Quando finalmente riesco a parlare con l'ufficio di Laurel, Gina, la sua segretaria, mi dice che è in riunione con la American Airlines e che non può essere disturbata.

«Ti prego. Chiamala. È importante.»

«Anche la American Airlines lo è» ribatte Gina. «Dovrai aspettare.»

«Ma non capisci! È una questione di vitale importanza!»

«Becky, la lunghezza delle nuove gonne di Prada non è una cosa di vitale importanza» risponde Gina. «Per lo meno non nel mondo dell'aviazione privata.»

«Non si tratta di vestiti» dico, indignata e poi esito un istante, chiedendomi fino a che punto Laurel si sia confidata con Gina. «Si tratta di Amy Forrester» aggiungo infine, abbassando la voce. «Tu sai di chi parlo?»

«Sì, lo so benissimo» risponde Gina con un tono che mi fa pensare che ne sappia ancora più di me. «Cosa c'è?»

«Ce l'ho qui.»

«Ce l'hai lì? Cosa vuoi...»

«Si trova nel mio salottino di prova in questo preciso istante!» Mi volto per accertarmi che nessuno possa sentire quello che dico. «Gina, indossa un ciondolo con uno smeraldo! Sono sicura che è quello della nonna di Laurel! Sai, quello che la polizia non è riuscita a trovare?»

Segue una lunga pausa.

«Okay» dice Gina alla fine. «Io chiamo Laurel. Probabilmente vorrà venire subito lì. Tu trattieni quell'altra.»

«Puoi contarci. Grazie, Gina.»

Riattacco e per un attimo resto immobile, a riflettere. Poi torno nel mio salottino di prova, cercando di sembrare assolutamente naturale.

«Allora!» dico, entrando. «Torniamo ai nostri vestiti! E ricordi, Amy, si prenda tutto il tempo che vuole. Non abbiamo nessuna fretta. Possiamo metterci anche tutto il giorno, se necessario...»

«Oh, non è necessario che ne provi altri» risponde lei, voltandosi verso di me vestita con un abito rosso aderente incrostato di paillette. «Prendo questo.»

«Cosa?»

«È fantastico. Guardi, mi sta alla perfezione.» Esegue una piccola giravolta, ammirandosi allo specchio.

«Ma non abbiamo neppure cominciato!»

«E con questo? Io ho già deciso. Voglio questo.»

Guarda l'orologio. «E poi, ho una certa fretta. Potrebbe aiutarmi con la cerniera, per favore?»

«Amy...» dico, sforzandomi di sorridere. «Sono convinta che dovrebbe provarne qualcun altro prima di prendere una decisione.»

«Non ce n'è bisogno. Lei ha davvero occhio.»

«No, invece. Le sta malissimo!» esclamo senza riflettere, mentre lei mi rivolge una strana occhiata. «Voglio dire, c'era uno splendido abito rosa che volevo farle provare... cerchi di immaginarlo addosso a lei! Oppure... questo legato dietro...» Amy Forrester mi guarda spazientita.

«Prendo questo. Vuole aiutarmi a toglierlo?»

Oh, Dio. Cosa posso fare? Non posso costringerla a restare.

Lancio un'occhiata furtiva all'orologio. L'ufficio di Laurel si trova a soli due isolati da qui. Dovrebbe arrivare da un momento all'altro.

«Allora, vuole aiutarmi a toglierlo, sì o no?» ripete lei, seccata.

«Sì, certo» rispondo, col cuore in gola.

Allungo una mano verso la linguetta della cerniera e mentre sto per abbassarla, mi viene un'idea.

«Veramente sarebbe più comodo se lo togliesse dalla testa...»

«D'accordo» risponde Amy Forrester al limite della sopportazione. «Come vuole lei.»

Faccio scendere un po' la lampo, quindi tiro su il vestito facendolo passare oltre la testa.

Voilà! È in trappola! Il tessuto rigido le copre completamente la faccia, lasciandola in mutandine, reggiseno e tacchi alti. Sembra un incrocio tra una Barbie e un petardo di Natale.

«Ehi, si è incastrato» protesta lei, agitando inutilmente un braccio, che le resta imprigionato vicino alla testa.

«Davvero?» esclamo con aria innocente. «Oh, povera me. A volte succede.»

«Be', mi aiuti a uscire!» Muove un paio di passi e io arretro nel timore che possa afferrarmi per il braccio. Mi sento come una bambina di sei anni che gioca a mosca cieca a una festa di compleanno.

«Dov'è finita?» dice con voce smorzata ma furiosa. «Mi faccia uscire!»

«Ci sto provando...» Con cautela do un piccolo strattone al vestito. «È proprio bloccato» dico, con aria di scusa. «Forse se lei si chinasse e si muovesse un po'...»

Su, Laurel! Dove sei finita? Apro la porta del salottino e lancio un'occhiata fuori, ma non si vede nessuno.

«Okay! Forse ce l'ho fatta!»

Mi volto e, con mia grande delusione, vedo che Amy è riuscita a tirar fuori la mano e ad afferrare la linguetta della zip con le unghie perfettamente smaltate. «Può darmi una mano ad abbassare la cerniera?»

«Mmm... ci posso provare...»

Afferro la linguetta e la tiro nella direzione opposta.

«È bloccata!» dice Amy, spazientita.

«Lo so. Sto cercando di liberarlo.»

«Un momento.» La sua voce d'un tratto è sospettosa. «Ma lei da che parte sta tirando?»

«Mmm... dalla stessa in cui tirava lei...»

«Ciao, Laurel» dice la voce di Christina. «Tutto bene? Avevi un appuntamento?»

«No. Ma credo che Becky abbia qualcosa per me.»

«Qui!» dico, correndo alla porta e guardando fuori. Ed ecco Laurel, tutta accaldata, con la nuova gonna di Michael Kors abbinata a un blazer blu scuro che ci sta malissimo.

Quante volte gliel'ho detto? Lo so, dovrei tenere più d'occhio le mie clienti. Chi può sapere cosa indossano quando io non le vedo?

«Eccola qui» dico, indicando con la testa l'ibrido Barbie-petardo di Natale, che sta ancora cercando di liberarsi dal suo vestito.

«Bene» dice Laurel entrando nel salottino di prova. «Ora lascia fare a me.»

«Come? Chi c'è?» Nell'udire la voce di Laurel, Amy solleva la testa di scatto, disorientata. «Oh, Gesù! No. Non può essere...»

«E invece sì, sono proprio io» dice Laurel, chiudendo la porta.

Resto davanti al salottino, cercando di ignorare le voci concitate provenienti dall'interno. Dopo qualche minuto, Christina esce dal suo ufficio e viene da me.

«Becky, cosa sta succedendo?»

«Mmm... Laurel ha incontrato una sua conoscente. Ho pensato di lasciarle un po' tranquille.» Da dentro proviene un tonfo sordo che mi affretto a mascherare con un colpo di tosse. «Credo che stiano... chiacchierando.»

«Chiacchierando» ripete Christina lanciandomi un'occhiata severa.

«Sì, chiacchierando.»

La porta si spalanca di colpo e Laurel esce con un mazzo di chiavi in mano.

«Becky, io devo fare un salto nell'appartamento di Amy, e lei gradirebbe restare qui finché non torno. Non è così, Amy?»

Lancio un'occhiata nel salottino. Amy è seduta in un angolo, in mutandine e reggiseno, ma senza il ciondolo e con un'aria stravolta. Annuisce senza dire una parola.

Mentre Laurel si allontana a passo di carica, Christina mi guarda, incredula.

«Becky...»

«Allora!» dico ad Amy, con una professionalità all'altezza di Barneys. «Mentre aspettiamo, gradisce provare qualcos'altro?»

Quaranta minuti più tardi Laurel è di ritorno, raggiante.

«Hai trovato il resto?» le chiedo, impaziente.

«Ho trovato tutto.»

Christina, dall'altro lato del reparto, si volta verso di noi, ma subito distoglie lo sguardo. Mi ha detto che l'unico modo per non licenziarmi è non sapere ciò che ho fatto.

Quindi, abbiamo concordato che lei non sa niente.

«Toh» dice Laurel lanciando le chiavi ad Amy. «Ora puoi andare. Salutami Bill. Si merita proprio una come te.»

Amy, ormai completamente vestita, si alza senza dire una parola.

«Aspetta» dice Laurel. «Hai ringraziato Becky?»

«Mmm... io...» Amy lancia un'occhiata nervosa in direzione di Laurel. «Grazie, Becky.»

«Di niente» rispondo, un po' imbarazzata.

Amy corre via barcollando sui tacchi verso le scale mobili e Laurel mi abbraccia.

«Becky, sei un angelo» mi dice. «Non so proprio come sdebitarmi con te. Qualsiasi cosa desideri, è tua.»

«Non essere sciocca! Volevo solo aiutarti.»

«Dico sul serio.»

«Laurel...»

«Insisto. Tu dimmi cosa vuoi, e l'avrai. In tempo per il tuo matrimonio.»

Il mio matrimonio.

È come se qualcuno avesse aperto una finestra, facendo entrare una folata di aria gelida.

Nella concitazione del momento, ero riuscita per un attimo a dimenticarmene. Ora, tutto mi ripiomba addosso.

I miei due matrimoni. I miei due fiaschi.

Come due treni, che vengono verso di me da due direzioni opposte. Sempre più veloci, sempre più vicini, anche se io non li guardo. Sempre più pericolosi. Se anche riesco a evitarne uno, sarà solo per essere travolta dall'altro.

Vedendo l'espressione affabile di Laurel mi viene voglia di lasciarmi andare e chiederle, piangendo, di mettere ordine nella mia vita.

«Tutto quello che vuoi» dice Laurel stringendomi per le spalle.

Mentre torno lentamente verso il mio salottino di prova, sento che l'effetto dell'adrenalina è finito, e sta tornando la familiare e logorante ansia. È passato un altro giorno senza che abbia trovato una soluzione. Non ho idea di cosa fare. E il tempo passa.

Forse la verità è che non sono in grado di risolvere la questione da sola, penso, lasciandomi cadere sulla poltroncina. Forse ho bisogno d'aiuto. Dei pompieri. Di una squadra di pronto intervento della polizia.

O forse, anche solo di Luke.

15

Quando rientro a casa sono sorprendentemente calma. Anzi, quasi sollevata. Le ho provate tutte e ora sono arrivata in fondo. Non mi resta altro che confessare ogni cosa a Luke. Resterà scioccato. Si arrabbierà. Ma, se non altro, saprà.

Strada facendo mi sono fermata in un bar a bere un paio di drink e ho riflettuto attentamente su come glielo dirò. Perché, si sa, tutto dipende dal modo in cui si dicono le cose. Quando il presidente sta per aumentare le tasse non dice: "Ho intenzione di aumentare le tasse", ma: "Tutti i cittadini americani conoscono il valore dell'istruzione". E così mi sono preparata un bel discorsetto, un po' come quello sullo Stato dell'Unione, e l'ho imparato a memoria, prevedendo anche delle pause per le esclamazioni di Luke. (O per gli applausi, anche se è un po' improbabile.) Finché mi attengo al testo e nessuno tira in ballo la questione dell'Uganda, dovrei cavarmela.

Mentre salgo le scale, mi tremano leggermente le gambe, anche se so che Luke non è ancora rientrato. Ho ancora tempo per prepararmi. Invece, quando apro la porta, resto di stucco: eccolo lì, seduto al tavolo con una pila di documenti davanti.

Okay, Becky. Avanti. Signore e signori del Congresso. Ottantasette anni or sono eccetera eccetera. Lascio che la porta si richiuda alle mie spalle, tiro fuori gli appunti e faccio un respiro profondo.

«Luke» attacco, con voce grave e matura. «C'è una cosa che devo dirti a proposito del matrimonio. È un problema piuttosto serio, a cui non è facile trovare soluzione. Ma, se una soluzione esiste, saprò trovarla soltanto col tuo aiuto. Ed è per questo che voglio parlartene ora, chiedendoti di ascoltarmi con mente aperta.»

Finora tutto bene. A dire il vero sono piuttosto orgogliosa di questa parte. L'espressione "ascoltarmi con mente aperta", poi, è particolarmente indovinata, perché significa che non può urlarmi dietro.

«Per capire la difficile situazione in cui mi trovo al momento» proseguo, «occorre tornare indietro nel tempo. Agli inizi. E con questo non intendo la creazione della Terra. E neppure il Big Bang. Intendo dire quel pomeriggio al Claridges.»

Faccio una pausa, ma Luke continua ad ascoltarmi, in silenzio. Forse andrà tutto bene.

«È stato lì, al Claridges, che sono cominciati i miei problemi. Mi è stato affidato un compito impossibile. Mi sono sentita, se mi passi l'analogia, come quel dio greco costretto a scegliere fra tre mele. Solo che nel mio caso erano solo due... e non erano mele.» Qui faccio una pausa densa di significato. «Erano matrimoni.»

Finalmente Luke si volta. Ha gli occhi rossi e una strana espressione sul viso. Provo una fitta di apprensione.

«Becky» dice, come se parlare gli costasse un'enorme fatica.

«Sì?»

«Tu credi che mia madre mi ami davvero?»

«Come?» dico, colta in contropiede.

«Rispondimi sinceramente. Tu pensi che mia madre mi voglia bene?»

Un momento. Ma ha ascoltato una sola parola di ciò che ho detto?

«Mmm... ma certo!» rispondo. «E a proposito di madri, è proprio da questo che, in un certo senso, ha origine il mio problema...»

«Sono stato uno sciocco.» Luke prende il bicchiere e beve una lunga sorsata di un liquido che ha tutta l'aria di essere whisky. «Si è servita di me fin dall'inizio, non è vero?»

Lo fisso, confusa, poi mi cade l'occhio sulla bottiglia mezzo vuota posata sul tavolo. Da quanto tempo se ne sta lì, seduto a bere? Osservo di nuovo la sua espressione, tesa e vulnerabile, e rinuncio a certe cose che mi verrebbe da dire sul conto di Elinor.

«Ma certo che ti vuole bene!» Metto da parte il mio discorso e vado verso di lui. «Ne sono sicura. Voglio dire, si vede dal modo in cui... dal...» Mi interrompo, a corto di argomenti.

E ora cosa dovrei dire? Dal modo in cui sfrutta i tuoi collaboratori e non ti dice nemmeno grazie? Dal modo in cui ti frega e poi scompare in Svizzera?

«Cosa... perché mi stai... È successo qualcosa?» chiedo, esitante.

«Che stupido!» dice, scuotendo la testa. «Sai, poco fa ho trovato una cosa...» Fa un respiro profondo e prosegue. «Ero andato nel suo appartamento per prendere dei documenti della fondazione. E non so perché – forse è stato dopo aver visto quelle foto di Suze e Ernie, stamattina – ma mi sono ritrovato nel suo studio a cercare vecchie foto. Foto di me da piccolo. Foto di noi. Non so cosa stessi cercando esattamente... qualcosa... qualsiasi cosa, suppongo.»

«E cosa hai trovato?»

Luke fa un gesto in direzione delle carte sparse sul tavolo. Le guardo meglio, stringendo gli occhi. «Cosa sono?»

«Lettere. Lettere di mio padre. Lettere che lui scrisse a mia madre dopo che si erano separati, quindici, vent'anni fa. In cui la implorava di incontrarmi.» Il suo tono è inespressivo e io lo guardo, senza capire.

«Cosa intendi dire?»

«Intendo dire che lui la implorava di lasciarmi venire qui a trovarla» risponde lui, calmissimo. «Si offriva di pagare l'albergo, di accompagnarmi. Glielo ha chiesto mille volte... ma io non l'ho mai saputo.» Prende un paio di fogli e me li porge. «Guarda, leggi.»

Cercando di nascondere il mio sconcerto, scorro le lettere con gli occhi, cogliendo qualche frase qua e là.

Luke desidera disperatamente vedere sua madre... non riesco a capire il tuo atteggiamento...

«Queste lettere spiegano un sacco di cose. E si capisce che il nuovo marito non era per nulla contrario al fatto che lei mi prendesse con sé. Anzi, sembrerebbe un tipo a posto. Era d'accordo con mio padre sul fatto che io venissi a far visita a mia madre. Ma a lei non interessava.» Si stringe nelle spalle. «E in fondo, perché avrebbe dovuto?»

... un ragazzo affettuoso e intelligente... lasciarsi sfuggire una magnifica occasione...

«Luke, è terribile» dico, senza convinzione.

«La cosa peggiore è che da adolescente io davo la colpa ai miei. Me la prendevo con loro.»

Mi passa davanti agli occhi l'immagine di Annabel, del suo viso dolce e gentile, del padre di Luke che scrive queste lettere in segreto, e sento un acuto risentimento nei confronti di Elinor. Lei non merita Luke. Non merita una famiglia.

Nella stanza c'è silenzio, rotto solo dal ticchettio della pioggia. Afferro la mano di Luke e la stringo, cercando di comunicargli tutto il mio amore, tutto il mio calore.

«Luke, sono sicura che i tuoi capivano e...» Evito tutte le cattiverie che vorrei dire sul conto di Elinor. «E sono sicura che Elinor in fondo ti avrebbe voluto con sé. Forse, per lei era un periodo difficile, o forse spesso era via...»

«C'è una cosa che non ti ho mai detto» mi interrompe Luke. «Né a te né a nessun altro.» Solleva il capo. «Una volta, quando avevo quattordici anni, sono venuto a trovare mia madre.»

«Cosa?» Lo guardo, meravigliata. «Ma mi pareva che avessi detto...»

«La scuola aveva organizzato una gita a New York. E io feci fuoco e fiamme per parteciparvi. Mamma e papà erano contrari, ovviamente, ma alla fine cedettero. E mi dissero che mia madre era via, altrimenti, le sarebbe tanto piaciuto vedermi.»

Luke prende la bottiglia e si versa un altro bicchiere di whisky. «Ma io non seppi resistere. Dovevo fare un tentativo, caso mai si fossero sbagliati.» Guarda fisso davanti a sé, sfiorando il bordo del bicchiere con la punta del dito. «Verso la fine della gita, ci diedero una giornata libera. Tutti gli altri andarono a visitare l'Empire State Building, ma io mi defilai. Avevo il suo indirizzo e andai ad appostarmi davanti a casa sua. Allora non viveva nel palazzo in cui sta ora, ma in uno più a nord, lungo Park Avenue. Mi sedetti su un gradino ad aspettare. La gente che passava mi guardava incuriosita, ma io non ci facevo caso.»

Beve un sorso di whisky e io lo osservo, immobile. Non oso dire nulla, non ho quasi il coraggio di respirare.

«E poi, verso mezzogiorno, uscì una donna. Aveva i capelli scuri e un bellissimo cappotto. Riconobbi la faccia dalle fotografie. Era mia madre.» Luke resta in silenzio per qualche secondo. «Allora mi alzai in piedi. Lei sollevò lo sguardo e mi vide. Mi fissò per cinque secondi al massimo e si voltò dall'altra parte, come se non mi avesse visto. Poi salì su un taxi e si allontanò. Fine della storia.» Luke chiude gli occhi per un istante. «Non ebbi neppure la possibilità di fare un passo verso di lei.»

«Dopo cosa... cosa hai fatto?» chiedo.

«Me ne andai. Girai per la città. E mi convinsi che non mi aveva riconosciuto. Mi dissi che non poteva avere la minima idea di chi fossi. Che non poteva saperlo.»

«Be', forse è proprio così!» rispondo con enfasi. «Come avrebbe potuto sapere...»

Mi interrompo quando lui prende una lettera azzurro sbiadito con qualcosa pinzato in cima.

«Questa è la lettera che mio padre le scrisse per informarla del mio viaggio» dice. La solleva e io sento una leggera scossa. «E questo sono io.»

Vedo un adolescente, Luke, di quattordici anni. Indossa l'uniforme della scuola e ha un orribile taglio di capelli; in realtà è quasi irriconoscibile. Ma quelli sono i suoi inconfondibili occhi scuri che guardano il mondo con un misto di determinazione e speranza.

Non ho niente da dire. Vedendo quel viso dall'espressione goffa e impacciata, mi viene solo voglia di piangere.

«Hai avuto ragione fin dal primo momento, Becky. Io sono venuto a New York per far colpo su mia madre. Volevo che si bloccasse all'improvviso in mezzo alla strada, si voltasse a guardarmi e... si sentisse orgogliosa di me.»

«Ma lei è orgogliosa di te!»

«No» ribatte lui con un sorriso mesto. «Farei meglio a rassegnarmi.»

«Ma no» dico, senza troppa convinzione. Poso una mano sul braccio di Luke, sentendomi del tutto impotente. In confronto a lui, io sono cresciuta protetta e viziata, nella certezza che i miei genitori mi consideravano la cosa più bella del mondo, che mi amavano e mi avrebbero sempre amato, qualunque cosa io avessi fatto. E da allora sono sempre stata avvolta dalla stessa sensazione di sicurezza.

«Scusami» dice Luke alla fine. «Questa storia è andata avanti già per troppo tempo. Dimentichiamola. Cos'è che mi volevi dire?»

«Niente. Non era una cosa importante. Può aspettare.»

All'improvviso il matrimonio sembra lontano mille miglia. Accartoccio il foglio degli appunti e lo getto nella spazzatura. Poi mi guardo intorno. Nella stanza c'è un disordine pazzesco: lettere sparse sul tavolo, regali di nozze ammassati in un angolo, roba ovunque. È impossibile sfuggire alla propria vita quando si abita in un appartamento a Manhattan.

«Andiamo a cena fuori» dico, alzandomi di scatto. «E poi andiamo al cinema o da qualche parte.»

«Non ho fame» ribatte Luke.

«Non importa. Questo posto è soffocante.» Prendo Luke per la mano e lo trascino. «Su, usciamo. E dimentichiamoci di tutto.»

Usciamo e arriviamo fino al cinema a braccetto, dove ci immergiamo in un film di mafia. Dopo, ce ne andiamo in un ristorantino che conosciamo bene, a due isolati da lì, e ordiniamo risotto e vino rosso.

Non nominiamo Elinor neppure una volta. Parliamo dell'infanzia di Luke nel Devon. Mi racconta dei picnic sulla spiaggia, della casetta che suo padre aveva costruito per lui sull'albero in giardino, e della sua sorellastra minore Zoe, che gli andava sempre dietro con tutte le sue amichette facendolo impazzire. E poi mi parla di Annabel, di quanto sia stata fantastica con lui, di come sia gentile con tutti, e di non aver mai avuto l'impressione che lei lo amasse meno di Zoe, che era la sua vera figlia.

Poi, un po' titubanti, affrontiamo argomenti che non abbiamo mai neppure sfiorato. Tipo avere dei bambini. Luke ne vuole tre. Io... be', dopo aver assistito al parto di Suze, non credo di volerne, ma non glielo dico. Quando dice «magari anche quattro» mi limito ad annuire e mi chiedo se non sia possibile fingere di essere incinta e poi adottarli in segreto.

Alla fine della serata mi sembra che Luke stia molto meglio. Torniamo a casa, andiamo dritti a letto e ci addormentiamo subito. Durante la notte mi sveglio e mi pare di vedere Luke in piedi accanto alla finestra, che guarda fuori nella notte, ma, prima di capire se è proprio lui o si tratta di un sogno, mi riaddormento.

La mattina seguente mi sveglio con la bocca secca e un mal di testa feroce. Luke si è già alzato e lo sento trafficare in cucina. Forse mi sta preparando la colazione. Mmm, mi farebbe proprio piacere un bel caffè e magari un po' di pane tostato, e poi...

Sento il solito nodo allo stomaco. Devo farmi forza e confessargli ogni cosa a proposito dei due matrimoni.

Ieri sera era ieri sera. Ma adesso è mattina e non posso aspettare oltre. So che non è il momento adatto e so che è l'ultima cosa che vorrebbe sentirsi dire, ma devo farlo.

Lo sento avanzare in corridoio e faccio un respiro profondo nel tentativo di calmarmi.

«Luke, ascolta» dico, quando la porta si apre. «So che non è il momento adatto, ma devo parlarti. Abbiamo un problema.»

«Che problema?» dice Robyn, entrando nella stanza. «Niente che riguardi il matrimonio, spero!» Indossa un tailleur azzurro polvere e scarpe col tacco di vernice nera, in mano regge un vassoio con tutto l'occorrente per la colazione. «Ecco, cara. Un bel caffè ti aiuterà a svegliarti.»

Sto sognando? Cosa ci fa Robyn nella mia camera da letto?

«Vado a prendere i muffin» dice, e scompare. Mi abbandono contro il cuscino, senza forze, con la testa che mi pulsa, cercando di capire perché si trova in casa nostra.

All'improvviso mi torna in mente il film di mafia che abbiamo visto ieri sera e mi sento assalire dal terrore. Oh, mio Dio! Adesso è chiaro!

Robyn ricompare sulla porta con un cestino colmo di muffin. Li posa sorridendomi. Io la guardo, paralizzata dalla paura.

«Robyn!» dico, con voce roca. «Non mi aspettavo di vederti. Non è un tantino presto?»

«Quando si tratta delle mie clienti, il concetto di "un tantino presto" non esiste» risponde Robyn facendomi l'occhiolino. «Io sono al tuo servizio, giorno e notte.» Si siede sulla poltroncina accanto al letto e mi versa una tazza di caffè.

«Ma come hai fatto a entrare?»

«Ho scassinato la serratura. No, scherzo! Mi ha fatto entrare Luke mentre usciva.»

Oh, Dio. Sono sola in casa con lei. Sono in trappola.

«Luke è già andato a lavorare?»

«Non sono certa che stesse andando a lavorare.» Robyn fa una pausa, e riflette. «Sembrava piuttosto che stesse andando a fare jogging.»

«Jogging?»

Luke non va mai a correre.

«Su, ora bevi il tuo caffè che poi ti mostro quello che aspetti da tempo. Quello che tutti noi aspettiamo da tempo.» Lancia un'occhiata all'orologio. «Guarda che fra venti minuti devo andare.»

La fisso in silenzio.

«Becky, ti senti bene? Ricordi che avevamo un appuntamento, vero?»

Nella mia mente comincia a farsi strada un vago ricordo, come un'ombra attraverso un velo. Robyn. Appuntamento per colazione. Ma sì.

Perché ho accettato di vederla a colazione?

«Ma certo che me lo ricordo!» dico alla fine. «Sono solo un tantino... sai, un po' stordita dal vino.»

«Non mi devi nessuna spiegazione!» dice lei, tutta allegra. «Un bel succo d'arancia è quel che ci vuole. E poi una bella colazione. Lo dico sempre alle mie spose: dovete prendervi cura di voi stesse! È inutile fare la fame per poi svenire sull'altare. Tieni, prendi un muffin.» Poi si mette a frugare dentro la borsa. «Guarda! Finalmente è arrivato!»

Fisso senza capire il ritaglio di stoffa argentata che mi sta porgendo.

«Cos'è?»

«È la stoffa per i cuscini!» risponde Robyn. «Quella che abbiamo fatto arrivare appositamente dalla Cina e per la quale abbiamo avuto tutti quei problemi con la dogana. Non te ne sarai già dimenticata, vero?»

«Oh! No, certo che no!» mi affretto a rispondere. «È bella. Proprio bella.»

«Ora, Becky, c'è un'altra cosa...» prosegue Robyn, posando il ritaglio di stoffa e guardandomi con aria grave. «Il fatto è che... sono un po' preoccupata.»

Il nodo allo stomaco si stringe sempre di più, e bevo un sorso di caffè per cercare di allontanarlo.

«Davvero? E cos'è che ti preoccupa?»

«Non abbiamo ancora ricevuto una sola risposta dai tuoi invitati inglesi. Non lo trovi strano?»

Per un attimo non riesco neanche a parlare.

«Mmm... sì, molto strano» mi sforzo di dire, alla fine.

«A parte i genitori di Luke, che hanno già risposto parecchio tempo fa. Ovviamente, loro erano sulla lista degli invitati di Elinor, quindi hanno ricevuto le partecipazioni molto prima, ma anche così...» Allunga una mano verso la mia tazza di caffè e ne beve un sorso. «Mmm. Che buono! Anche se non dovrei essere io a dirlo. Ora, non voglio accusare nessuno di mancanza di buone maniere, ma dobbiamo cominciare a ragionare in termini di presenze. Ti va bene se faccio qualche telefonata in Inghilterra per sondare il terreno? Ho tutti i numeri sul mio database...»

«No!» esclamo, improvvisamente sveglia. «Non chiamare nessuno! Voglio dire... ti assicuro che avrai le risposte.»

«Però è strano» riflette Robyn a voce alta. «Neppure una... hanno ricevuto tutti l'invito, vero?»

«Certo. Sono sicura che si tratta di una dimenticanza.» Comincio a tormentare il lenzuolo. «Ti garantisco che entro una settimana cominceranno a rispondere.»

«Be', lo spero tanto. Perché il tempo stringe. Mancano solo quattro settimane!»

«Lo so» ribatto con voce stridula, e bevo un altro sorso di caffè, desiderando che sia vodka.

Quattro settimane.

Oh, Dio.

«Posso versarti dell'altro caffè, cara?» Robyn si alza, ma subito si china, incuriosita. «Cos'è questo?» chiede, raccogliendo da terra un foglio di carta. «È un menu?»

Alzo lo sguardo e il mio cuore si ferma. Ha in mano uno dei menu faxati da mia madre.

Un menu per l'altro matrimonio.

È tutto lì, nascosto sotto il letto. Se Robyn si mette a curiosare...

«Niente!» esclamo, strappandoglielo di mano. «È solo... il menu per... una festa.»

«Avete intenzione di dare una festa?»

«Ci stiamo pensando.»

«Be', se vuoi una mano a organizzarla, non hai che da dirlo!» Robyn abbassa la voce in tono confidenziale. «E posso darti un piccolo consiglio?» prosegue, facendo un gesto verso il menu della mamma. «I fagottini di pasta filo sono un po' passati di moda.»

«Ah... grazie.»

Devo far uscire questa donna da casa mia. Immediatamente. Prima che scopra qualcos'altro.

Di colpo scosto le coperte e mi alzo da letto.

«A dire il vero, Robyn, non mi sento molto bene. Potremmo rimandare il resto a un altro momento?»

«Capisco» risponde lei, dandomi un colpetto sulla spalla. «Ti lascerò in pace.»

«A proposito» dico, con naturalezza, quando arriviamo davanti alla porta. «Mi stavo chiedendo... sai quella clausola della penale, sul tuo contratto?»

«Sì?» risponde Robyn con un gran sorriso.

«Così, per curiosità» e qui faccio una risatina, «l'hai mai riscossa?»

«Oh, poche volte.» Resta in silenzio, abbandonandosi ai ricordi. «Una volta una cretina ha tentato di fuggire in Polonia, ma alla fine l'abbiamo trovata. Ci vediamo, Becky!»

«Ci vediamo» rispondo con tono altrettanto spensierato, e chiudo la porta. Il cuore mi batte forte.

Mi prenderà in castagna, lo so. È solo questione di tempo.

Come arrivo al lavoro, chiamo l'ufficio di Luke e mi risponde Julia, la sua segretaria.

«Ciao, posso parlare con Luke?»

«Luke ha telefonato dicendo che sta male» risponde lei, sorpresa. «Non lo sapevi?»

Fisso il ricevitore, presa alla sprovvista. Luke sta male?

Accidenti. Si vede che la sua sbronza era anche peggiore della mia.

Merda, e per poco io non l'ho tradito.

«Ma certo! Adesso che me lo dici... certo che lo sapevo! A dire il vero sta malissimo. Ha una febbre da cavallo. E lo stomaco, poi... è solo che per un attimo me n'ero dimenticata.»

«Be', digli che gli auguriamo tutti una pronta guarigione.»

«Lo farò.»

Riattaccando, mi rendo conto di aver reagito in maniera sproporzionata. Non è che qualcuno lo possa licenziare, no? In fondo, la società è la sua.

In realtà sono contenta che si sia preso un giorno di libertà.

Però. Luke che si dà malato... lui non si ammala mai.

Come, del resto, non va mai a correre. Cosa sta succedendo?

Dopo il lavoro dovrei andare a bere qualcosa con Erin, ma invento una scusa e corro a casa. Quando entro, trovo l'appartamento avvolto nella penombra e per un attimo penso che Luke non sia ancora rientrato. Ma poi lo vedo, seduto al tavolo, con indosso i pantaloni della tuta e una vecchia felpa.

Finalmente abbiamo una serata tutta per noi. Okay, è venuto il momento. Finalmente gli dirò tutto.

«Ciao» dico, sedendomi accanto a lui. «Ti senti meglio? Ho chiamato il tuo ufficio e mi hanno detto che non stavi bene.»

Silenzio.

«Non ero dell'umore adatto per andare a lavorare» risponde lui, alla fine.

«Cos'hai fatto tutto il giorno? Sei davvero andato a correre?»

«Ho fatto una lunga passeggiata» risponde lui. «E ho riflettuto. Ho riflettuto molto.»

«Su tua madre?» chiedo, incerta.

«Sì. Su mia madre. E su un sacco di altre cose.» Si volta verso di me e vedo, con mia grande sorpresa, che non si è fatto la barba. Mmm. A dire il vero, non mi dispiace affatto.

«Ma stai bene?»

«Bella domanda» risponde lui, dopo una pausa. «Sto bene?»

«Probabilmente ieri sera abbiamo bevuto troppo.» Mi tolgo

la giacca, e scelgo con cura le parole. «Luke, ascoltami. C'è una cosa molto importante che devo dirti. Sono settimane che rimando...»

«Becky, hai mai pensato alla topografia di Manhattan?» dice lui, interrompendomi. «Ci hai mai pensato veramente?»

«Mmm... no» rispondo, perplessa. «Non posso dire d'averlo mai fatto.»

«È come... una metafora della vita. Tu pensi di avere la libertà di andare ovunque desideri, ma in realtà...» Traccia una linea sul tavolo col dito. «Hai dei confini molto rigidi. Su o giù. Destra o sinistra. Niente vie di mezzo. Nessuna possibilità intermedia.»

«È vero» dico, dopo una pausa. «Verissimo. Il fatto è che...»

«La vita dovrebbe essere uno spazio aperto, Becky. Si dovrebbe essere liberi di camminare in qualsiasi direzione.»

«Suppongo di sì.»

«Oggi sono andato da un capo all'altro della città.»

«Davvero? E perché?»

«A un certo punto ho alzato lo sguardo ed ero circondato da interi isolati di uffici. La luce del sole si rifletteva sui vetri delle finestre. Rimbalzava da un edificio all'altro.»

«Bello» commento io, del tutto fuori luogo.

«Capisci cosa sto dicendo?» Mi fissa con uno sguardo intenso e all'improvviso noto le ombre scure sotto i suoi occhi. Dio, sembra proprio esausto. «La luce entra a Manhattan e resta intrappolata. Intrappolata nel suo stesso mondo, costretta a rimbalzare da un edificio all'altro senza una via di fuga.»

«Be'... sì, suppongo sia così. Solo che... a volte però piove, no?»

«E alle persone succede la stessa cosa.»

«Davvero?»

«Questo è il mondo in cui viviamo oggi. Un mondo che si specchia in se stesso. Ossessionato dalla propria immagine. Inutile, in ultima analisi. Prendi quel tizio all'ospedale. Trentatré anni e ha avuto un infarto. E se fosse morto? Avrebbe avuto una vita piena e soddisfacente?

«Be'...»

«E io? La mia vita si può dire piena e soddisfacente? Sii sincera, Becky. Guardami e rispondi.»

«Be'... mmm... certo che lo è!»
«Stronzate.» Luke prende un comunicato stampa della Brandon Communications lì vicino e lo fissa. «Ecco cos'è la mia vita. Una serie di comunicazioni prive di significato.» Con mia grande sorpresa inizia a strapparlo. «Fottuti pezzi di carta privi di significato.»
All'improvviso mi accorgo che sta strappando anche il nostro estratto conto.
«Luke! Quello è l'estratto conto della banca!»
«E allora? Che importanza ha? Sono solo numeri. Segni senza significato. Chi se ne frega?»
«Ma... ma...»
Qui c'è qualcosa che non va.
«Che importanza ha tutto questo?» Luke getta a terra i pezzetti di carta, e io mi sforzo di non chinarmi a raccoglierli. «Oh, Becky, tu hai proprio ragione!»
«Ho ragione?» ripeto, allarmata.
Qui c'è *davvero* qualcosa che non va.
«Siamo tutti spinti dal materialismo. Ossessionati dal successo. Dal denaro. Dal desiderio di fare impressione su chi comunque resterà indifferente, qualunque cosa tu faccia.» Si interrompe, il respiro affannato. «Ma è l'umanità che conta. Noi dovremmo avere per amici dei barboni, dovremmo conoscere dei contadini boliviani.»
«Be', certo» dico, dopo una pausa. «Ma...»
«Per tutto il giorno non ho fatto altro che pensare a una cosa che tu hai detto tempo fa e che non riesco a dimenticare.»
«Cosa?» chiedo, preoccupata.
«Hai detto...» Si interrompe, come se cercasse le parole esatte. «Hai detto che siamo su questa Terra per un tempo troppo breve. E alla fine della giornata, cos'è più importante? Sapere che alcuni conti senza valore tornano, o sapere che sei la persona che volevi essere?»
Lo guardo a bocca aperta.
«Ma... ma quelle sono parole che mi sono inventata lì per lì. Non dicevo sul serio.»
«Io non sono la persona che voglio essere, Becky. Non credo di esserlo mai stato. Avevo il paraocchi. Ero ossessionato dai valori sbagliati...»

«Su!» dico, stringendogli la mano per fargli coraggio. «Tu sei Luke Brandon! Sei un uomo bello, ricco, di successo...»

«Non sono la persona che sarei dovuto diventare. Il problema è che ora non so più chi è quella persona. Non so chi voglio essere... cosa fare della mia vita... che strada intraprendere...» Si lascia cadere sul tavolo, e nasconde la testa tra le mani. «Becky, io ho bisogno di risposte.»

Non posso crederci. Luke è entrato in una crisi esistenziale.

SECOND UNION BANK
300 Wall Street
NEW YORK NY 10005

Rebecca Bloomwood
Appartamento B
251 W 11th Street
New York
NY 10014

23 maggio 2002

Gentile signorina Bloomwood,

la ringrazio per la sua lettera del 21 maggio u.s. Sono lieto che lei cominci a pensare a me come a un buon amico, e, per rispondere alla sua domanda, il mio compleanno cade il 31 ottobre.

Mi rendo pienamente conto che i matrimoni sono faccende costose.
Purtroppo, però, non sono al momento in grado di estendere il suo limite di credito da 5.000 $ a 105.000 $.

Posso però aumentare il suo fido a 6.000 $ nella speranza che questo possa in qualche modo esserle d'aiuto.

Distinti saluti

Walt Pitman
responsabile rapporti con la clientela

STARS U LIKE
Agenzia di sosia di celebrità
152 West 24th Street
New York NY 10011

Rebecca Bloomwood
Appartamento B
251 W 11th Street
New York
NY 10014

28 maggio 2002

Cara Rebecca,

ti ringraziamo per la tua lettera e le fotografie. Mi dispiace molto, ma non siamo stati in grado di trovare un sosia né per te né per il tuo fidanzato. Inoltre, devo farti presente che quasi nessuno dei nostri clienti sarebbe disposto a sposarne un altro, neppure per una "considerevole somma", come la definisci tu.

Tuttavia ci sono delle eccezioni, e posso dirti che il nostro sosia di Al Gore sarebbe disposto a sposare la nostra sosia di Charlene Tilton se le condizioni fossero favorevoli.

Ti preghiamo di farci sapere se questo può esserti utile.

Cordiali saluti

Candy Blumenkrantz
direttore

49 Drakeford Road
Potters Bar
Hertfordshire

27 maggio 2002

Il signor Malcolm Bloomwood ringrazia la signora Elinor Sherman per il gentile invito al matrimonio di Becky e Luke al Plaza Hotel il 22 giugno, invito che si vede purtroppo costretto a declinare poiché si è rotto una gamba.

The Oaks
41 Elton Road
Oxshott
Surrey

27 maggio 2002

Il signor Martin Webster e signora ringraziano la signora Elinor Sherman per il gentile invito al matrimonio di Becky e Luke al Plaza Hotel il 22 giugno, invito che si vedono purtroppo costretti a declinare poiché hanno entrambi contratto la mononucleosi.

9 Foxtrot Way
Reigate
Surrey

27 maggio 2002

Il signor Tom Webster e signora ringraziano la signora Elinor Sherman per il gentile invito al matrimonio di Becky e Luke al Plaza Hotel il 22 giugno, invito che si vedono purtroppo costretti a declinare a causa della recente dipartita del loro cane.

16

Qui la cosa si fa seria. Luke non va a lavorare da più di una settimana. Non si rade più. Esce di casa e vaga per la città, Dio solo sa dove, e ritorna a casa a notte fonda, quasi sempre ubriaco. Ieri, quando sono rientrata dal lavoro, ho scoperto che aveva dato via tutte le sue scarpe a dei poveracci incontrati per strada.

Mi sento impotente. Niente di ciò che faccio pare funzionare. Ho provato a preparargli delle belle minestre nutrienti e genuine (almeno, sulla scatola c'è scritto che sono nutrienti e genuine). Ho provato a far l'amore con lui con dolcezza e tenerezza, ed è stato fantastico, finché è durato (e devo dire che è durato piuttosto a lungo). Ma non è servito a cambiare le cose. Dopo, è tornato a essere quello di prima, cupo e assente.

Ma ciò che ho tentato di più è di sedermi accanto a lui e parlargli. A volte sono quasi sicura di essere riuscita a catturare la sua attenzione, ma poi ricade nella depressione oppure mi risponde con un "a che pro?" ed esce di casa. Il vero problema è che niente di ciò che dice sembra avere senso. Prima afferma di voler lasciare la sua azienda e darsi alla politica, l'unica cosa che gli è sempre stata a cuore e a cui non avrebbe dovuto rinunciare. (La politica? Non me ne ha mai parlato prima.) Un attimo dopo dice che l'unica cosa che conta per lui è la paternità, che se facciamo sei bambini lui si metterà a fare l'uomo di casa.

Nel frattempo la sua segretaria chiama ogni giorno per vedere se sta meglio, e io sono costretta a inventare dettagli sempre più raccapriccianti. Praticamente, a questo punto Luke ha la peste bubbonica.

Sono così disperata che ieri ho telefonato a Michael e lui mi ha promesso che farà un salto da noi per vedere se può aiutarci. Se c'è una persona che può veramente fare qualcosa, quella persona è lui.

Per quanto riguarda il matrimonio...

Ogni volta che ci penso mi sento male. Mancano solo tre settimane. E non ho ancora trovato una soluzione.

La mamma mi chiama ogni mattina e in un modo o nell'altro riesco a parlare con lei in modo perfettamente normale. Robyn mi chiama ogni pomeriggio e riesco a parlare normalmente anche con lei. Di recente ho fatto perfino una battuta sul fatto di non presentarmi. Ci siamo fatte una bella risata e poi Robyn ha concluso «Ti faccio causa!» e io sono riuscita a stento a non scoppiare in un pianto isterico.

Mi sento in caduta libera. Sto precipitando senza paracadute.

Non so come riesco a tirare avanti. Mi sembra di essere scivolata in una nuova dimensione, oltre il normale panico, oltre le normali soluzioni. Ci vorrebbe un miracolo per salvarmi.

Ed è essenzialmente in questo che al momento ripongo le mie speranze. Ho acceso cinquanta candele nella chiesa di St Thomas e altre cinquanta in quella di St Patrick, ho affisso una supplica sulla lavagna delle preghiere nella sinagoga della Cinquantacinquesima e ho portato dei fiori alla dea indù Ganesh. Inoltre un gruppo di persone dell'Ohio, che ho scoperto su Internet, sta pregando intensamente per me.

Per lo meno, stanno pregando perché io ritrovi la pace dopo la mia battaglia contro l'alcolismo. Non me la sono sentita di spiegare la storia dei due matrimoni a padre Gilbert, specialmente dopo aver letto il suo sermone sul fatto che l'inganno causa tanto dolore al Signore quanto il demonio che cava gli occhi ai giusti. E così ho optato per l'alcolismo, visto che avevano già una pagina su quello. (E poi, ormai viaggio a tre mignonnette di vodka al giorno, quindi praticamente sono lì lì.)

Non c'è tregua. Neppure a casa riesco a rilassarmi. Ho l'impressione che l'appartamento stia diventando sempre più piccolo e soffocante. In ogni stanza ci sono regali di nozze chiusi in grandi scatole di cartone. La mamma mi manda circa cinquanta fax al giorno, Robyn ha preso l'abitudine di passare da casa mia ogni volta che le pare, e il soggiorno è invaso da un assortimento di veli e acconciature che Dream Dress mi ha mandato senza neppure chiedermi se li volevo.

«Becky?» Alzo lo sguardo dalla mia tazza di caffè e vedo Danny entrare in cucina. «La porta era aperta. Non vai a lavorare?»

«Mi sono presa una giornata libera.»

«Ah.» Prende un pezzo di pane tostato alla cannella e stacca un boccone. «Allora, come sta il paziente?»

«Molto divertente.»

«No, dico sul serio.» Per un attimo Danny sembra sinceramente preoccupato, e io mi rilasso un poco. «Luke si è ripreso?»

«No» ammetto, ma vedo che il suo sguardo si illumina.

«Quindi, distribuisce ancora capi di vestiario?»

«No!» rispondo, indignata. «Non ce ne sono più. E non credo che tu possa tenerti quelle scarpe.»

«Quelle di Prada nuove di zecca? Stai scherzando! Ormai sono mie. Luke me le ha date. Se non le vuole più...»

«Le vuole. Le vorrà. È solo... un po' stressato, in questo momento. Succede a tante persone. Ma questo non significa che gli si possano portare via le scarpe.»

«Tante persone sono stressate, ma non distribuiscono banconote da cento dollari agli estranei.»

«Davvero? Ha fatto anche questo?» chiedo, agitata.

«L'ho visto coi miei occhi, in metropolitana. C'era un tizio, coi capelli lunghi e una chitarra... Luke gli si è avvicinato e gli ha dato una manciata di banconote. Il tizio non stava neppure chiedendo l'elemosina. Anzi, mi è sembrato piuttosto offeso.»

«Oh, Dio...»

«Vuoi sapere la mia opinione? Luke ha solo bisogno di una bella luna di miele, lunga e rilassante. Dove andate?»

Oh, no. Sono di nuovo in caduta libera. La luna di miele. Non ho ancora prenotato nulla. E come potrei? Non so neppure da che maledetto aeroporto dovremmo partire.

«Andiamo... è una sorpresa» rispondo, alla fine. «Lo annunceremo il giorno stesso.»

«Cosa stai cucinando di buono?» Danny guarda il fornello, dove bolle una pentola. «Ramoscelli? Mmm, buoni.»

«Sono erbe cinesi. Contro lo stress. Si fanno bollire e poi si beve l'infuso.»

«E pensi davvero che riuscirai a farlo bere a Luke?» chiede Danny, girando la mistura con un cucchiaio.

«Non sono per Luke. Sono per me.»

«Per te? E cos'hai da essere stressata?» Suonano al citofono. Danny allunga una mano e preme il pulsante di apertura senza neppure chiedere chi è.

«Aspetti qualcuno?» dice, posando il ricevitore.

«Oh, solo un serial killer che mi sta dando la caccia da qualche giorno» rispondo, sarcastica.

«Fantastico.» Danny prende un altro boccone di pane alla cannella. «Ho sempre desiderato assistere a un omicidio.»

Bussano alla porta e io mi alzo per andare ad aprire.

«Io mi metterei qualcosa di più elegante» dice Danny. «Tutto il tribunale vedrà le tue foto con quella roba indosso. Non vuoi apparire al tuo meglio?»

Apro la porta, aspettando di trovarmi davanti l'ennesimo fattorino e invece è Michael, che esibisce un maglione di cashmere giallo e un gran sorriso. Al solo vederlo, mi si apre il cuore.

«Michael!» Lo abbraccio. «Grazie per essere venuto.»

«Figurati. Sarei venuto prima se avessi saputo.» Inarca le sopracciglia. «Ieri ero negli uffici della Brandon Communications e ho sentito che Luke non stava bene. Ma non avevo idea...»

«Be', sai, non è che abbia dato tanta pubblicità alla cosa. Pensavo che tutto si sarebbe risolto in un paio di giorni.»

«Luke è qui?» chiede Michael sbirciando nell'appartamento.

«No. È uscito questa mattina presto, ma non so dove sia andato» rispondo stringendomi nelle spalle, impotente.

«Salutamelo, quando torna» dice Danny, uscendo. «E, ricordati, mi sono già prenotato per la sua giacca di Ralph Lauren.»

Preparo il caffè (decaffeinato, perché Michael può bere solo quello) e rimesto le mie erbe con aria perplessa, quindi ci facciamo strada attraverso la confusione che regna in soggiorno, diretti al divano.

«Allora» dice lui, spostando una pila di riviste per sedersi,

«Luke sta patendo la tensione del momento.» Mi osserva versare il latte con mano tremante. «E, a quanto pare, anche tu.»

«Io sto bene» rispondo pronta. «Si tratta di Luke. È completamente cambiato, nel giro di una notte. Prima stava bene, un attimo dopo ha cominciato a dire "ho bisogno di risposte", "qual è lo scopo della vita?" e "dove stiamo andando?". È così depresso che non va nemmeno più a lavorare. Non so più cosa fare.»

«Sai, in fondo me l'aspettavo» dice Michael prendendo la tazza di caffè che gli sto porgendo. «Quell'uomo lavora troppo. L'ha sempre fatto. Chiunque lavori con quel ritmo e così a lungo...» Si stringe nelle spalle con aria mesta e si dà un colpetto sul petto. «Chi può saperlo meglio di me? Prima o poi qualcosa cede.»

«Non si tratta solo del lavoro, è cambiato in tutto.» Mi mordo le labbra, imbarazzata. «Credo che quella tua cosa cardiaca l'abbia turbato più di quanto credesse.»

«Episodio cardiaco.»

«Proprio così. Voi due avevate litigato e... è stato un tale colpo per lui. Ha cominciato a riflettere su... sai, sulla vita, sulle cose... e poi c'è quell'altro problema con sua madre.»

«Già» fa lui, annuendo. «So che Luke si era arrabbiato per quell'articolo sul "New York Times". È comprensibile.»

«Quello non è niente. Da allora le cose sono ulteriormente peggiorate.»

Gli spiego che Luke ha trovato le lettere scritte da suo padre e vedo che Michael è molto colpito.

«Ah» dice, girando il caffè con aria pensierosa. «Ora capisco. Sua madre è stata la motivazione di molti dei suoi successi. E noi tutti lo apprezziamo, credo.»

«È come se all'improvviso non sapesse più perché sta facendo quello che fa. E così ha smesso di farlo. Non vuole andare a lavorare, non vuole neppure parlarne. Elinor è ancora in Svizzera, e i suoi colleghi continuano a telefonare per chiedere come sta, e io non posso rispondere: "Veramente Luke non può venire al telefono perché è in una crisi esistenziale...".»

«Non preoccuparti. Oggi andrò in ufficio e cercherò di inventarmi una scusa a proposito di un periodo sabbatico. Gary Sheperd può sostituirlo per qualche tempo, è molto competente.

«Ma sarà il caso?» dico, ansiosa. «Poi non farà le scarpe a Luke?»

L'ultima volta che Luke si è distratto dal lavoro per più di tre minuti, quella stronza di Alicia Billington ha cercato di fregargli tutti i clienti e di sabotare la società. E per poco non è stata la fine della Brandon Communications.

«Gary è uno a posto» risponde Michael rassicurandomi. «E poi ora non ho molti impegni. Posso tener d'occhio le cose io.»

«No!» esclamo, inorridita. «Tu non puoi stancarti. Devi stare tranquillo.»

«Becky, non sono un invalido» ribatte Michael, leggermente seccato. «Sei quasi peggio di mia figlia.»

Squilla il telefono, ma io lascio scattare la segreteria.

«Allora, come vanno i preparativi per il matrimonio?» chiede Michael, guardandosi attorno.

«Oh, bene. Grazie» rispondo con un sorriso.

«Ho ricevuto una telefonata dalla tua wedding planner per la cena di prova. Mi ha detto che i tuoi non potranno essere presenti.»

«No» dico, dopo un attimo di esitazione.

«Peccato. Che giorno arrivano qui?»

«Mmm...» Bevo un sorso di caffè, evitando il suo sguardo. «Non so ancora il giorno esatto...»

«Becky?» La voce della mamma risuona nella stanza dalla segreteria, e io balzo in piedi, rovesciando un po' di caffè sul divano. «Becky, tesoro, ho bisogno di parlarti a proposito del complesso. Dicono che non sono in grado di fare *Rock DJ* perché il loro bassista conosce solo quattro accordi. Così mi hanno mandato un elenco delle canzoni che possono eseguire...»

Oh, merda. Mi lancio verso il telefono e alzo il ricevitore.

«Mamma!» dico, senza fiato. «Ciao, senti, in questo momento sono impegnata. Posso richiamarti?»

«Ma tesoro, devi dare la tua approvazione alla lista delle canzoni! Ti mando un fax, va bene?»

«Sì, fai così.»

Sbatto giù il telefono e torno al divano, cercando di apparire serena e rilassata.

«Tua madre si è fatta coinvolgere nei preparativi, eh?» dice Michael con un sorriso.

«Mmm, sì. Sì.»

Il telefono riprende a squillare e io lo ignoro.

«Sai, ho sempre voluto chiederti una cosa. Non le dispiace che vi sposiate negli Stati Uniti?»

«No!» rispondo, tormentandomi le dita. «Perché dovrebbe dispiacerle?»

«So come sono fatte le madri quando si tratta di matrimoni...»

«Scusa, tesoro, solo una cosa veloce veloce» dice di nuovo la voce della mamma. «Janice voleva sapere come vorresti i tovaglioli. Piegati a cappello di vescovo o a cigno?»

Risollevo la cornetta.

«Mamma, senti, ho gente!»

«Non ti preoccupare per me, ti prego» dice Michael dal divano. «Se è importante...»

«Non è importante! Non me ne frega un accidente di come sono piegati i tovaglioli! Tanto durano due secondi...»

«Becky!» esclama la mamma, sconvolta. «Come puoi parlare così? Janice ha frequentato un corso di piegatura di tovaglioli appositamente per il tuo matrimonio! Le è costato quarantacinque sterline e si è dovuta pure portare da mangiare...»

Il rimorso mi assale.

«Scusami, mamma. Ascolta. Sono solo un po' preoccupata. Vada per i cappelli di vescovo. E di' a Janice che le sono davvero grata per il suo aiuto.» Riattacco e nello stesso istante suonano alla porta.

«Janice è la wedding planner?» chiede Michael, incuriosito.

«No, quella è Robyn.»

«C'è posta per te!» cantilena il computer da un angolo della stanza.

È troppo.

Spalanco la porta, senza fiato, e vedo un fattorino che regge un'enorme scatola di cartone.

«Pacco per Bloomwood. Molto fragile.»

«Grazie» rispondo, prendendolo con gesto goffo.

«Firmi qui, per favore...» Mi porge una penna e poi annusa l'aria. «Sta bruciando qualcosa in cucina?»

Oh, merda. Le erbe cinesi!

Corro in cucina e spengo il fuoco, poi torno dal fattorino e prendo la penna. Il telefono squilla di nuovo. Perché non mi lasciano in pace?

«Anche qui...»

Scarabocchio la mia firma alla bell'e meglio e l'uomo la scruta con faccia sospettosa. «Cosa c'è scritto?»

«Bloomwood! C'è scritto Bloomwood!»

«Pronto» sento dire da Michael. «No, è la casa di Becky. Io sono Michael Ellis, un amico.»

«Bisogna che firmi di nuovo, signorina. Una firma leggibile.»

«Sì, sono il testimone di Luke. Oh, salve! Non vedo l'ora di conoscerla!»

«Va bene così?» dico, dopo aver praticamente inciso il foglio. «È soddisfatto, ora?»

«Cerchi di calmarsi!» dice il fattorino, sollevando le mani mentre si allontana. Chiudo la porta col piede e torno in soggiorno, giusto in tempo per sentire Michael che dice: «Ho sentito parlare della cerimonia. Dovrebbe essere davvero spettacolare!».

«Chi è?» gli chiedo, a voce bassa.

«Tua madre» risponde lui, a fior di labbra, e sorride.

Per poco non lascio cadere la scatola.

«Sono sicuro che il giorno fatidico andrà tutto liscio» sta dicendo Michael, rassicurante. «Stavo giusto dicendo a Becky che ammiro il suo coinvolgimento nei preparativi. Non dev'essere stato facile!»

No. Ti prego. No.

«Be'» dice Michael, perplesso. «Volevo dire, dev'essere stato difficile. Con lei in Inghilterra e Becky e Luke che si sposano a...»

«Michael!» esclamo, disperata, e lui alza lo sguardo, sorpreso. «Fermati!»

Copre il ricevitore con una mano.

«Fermati, cosa?»

«Mia madre non lo sa.»

«Non sa cosa?»

Lo guardo, combattuta. Alla fine lui si volta e conclude. «Signora Bloomwood, ora devo andare. C'è un po' da fare, qui, ma è stato un piacere parlarle... ci vediamo al matrimonio. Certo, anche a lei.»

Riattacca e segue un silenzio terrificante.

«Becky, cos'è che tua madre non sa?» dice infine.

«Non... non importa.»

«Chissà perché, ma ho l'impressione che invece importi, eccome.» Mi rivolge uno sguardo inquisitore. «Ho l'impressione che ci sia qualcosa che non va.»

«No... niente. Davvero.»

Poi sento un ronzio provenire dall'angolo. È il fax della mamma. Poso la scatola sul divano e mi precipito verso l'apparecchio.

Ma Michael mi batte sul tempo. Stacca il foglio e comincia a leggerlo.

«"Elenco delle canzoni per il matrimonio di Luke e Rebecca. Data: 22 giugno. Luogo: The Pines, 43 Elton Road... Oxshott..."» Alza lo sguardo verso di me, la fronte aggrottata. «Becky? Cos'è questo? Tu e Luke vi sposate al Plaza, giusto?»

Non posso rispondere. Il sangue mi pulsa nella testa con una violenza che mi assorda.

«Giusto?» ripete Michael, e la sua voce si fa più severa.

«Non lo so» rispondo alla fine, con una voce piccola piccola.

«Com'è possibile che tu non sappia dove vi sposate?»

Esamina nuovamente il fax e vedo che comincia a capire.

«Oh, Cristo!» esclama, alzando lo sguardo. «Tua madre sta organizzando un matrimonio in Inghilterra. È così?»

Lo fisso in silenzio, angosciata. È anche peggio di quando l'ha scoperto Suze. Voglio dire, lei mi conosce da un sacco di tempo, sa quanto sono stupida e mi perdona sempre. Ma Michael... Deglutisco a fatica. Michael mi ha sempre trattata con rispetto, una volta mi ha detto che ero perspicace e dotata di intuito. Mi ha persino offerto un lavoro nella sua società. Non sopporto l'idea che abbia scoperto il casino in cui mi sono cacciata.

«Tua madre sa qualcosa del Plaza?»

Scuoto la testa, lentamente.

«La madre di Luke è a conoscenza di questo?» chiede, indicando il fax.

Scuoto di nuovo la testa.

«Qualcuno ne è al corrente? Luke lo sa?»

«Non lo sa nessuno» dico, alla fine, ritrovando la voce. «E tu devi promettermi di non dirlo a nessuno.»

«Come, non dirlo a nessuno? Stai scherzando?» Muove la testa con aria incredula. «Becky, come hai potuto permettere che succedesse tutto questo?»

«Non lo so. Non lo so. Io non avevo intenzione che succedesse...»

«Non era tua intenzione ingannare due famiglie? Per non parlare dei costi, dell'impegno... ti rendi conto che sei nei guai grossi, vero?»

«Si risolverà tutto» ribatto, disperata.

«E come? Becky, non stiamo parlando di un doppio invito a cena. Stiamo parlando di centinaia di invitati!»

«Ding-dong, ding-dong!» L'orologio del conto alla rovescia batte le ore dalla libreria. «Ding-dong, ding-dong! Mancano solo ventidue giorni al grande evento!»

«Sta' zitto!» dico, secca.

«Ding-dong, ding...»

«Sta' zitto!» urlo, scagliandolo a terra, e il quadrante va in mille pezzi.

«Ventidue giorni?» dice Michael. «Ma Becky, sono solo tre settimane!»

«Qualcosa penserò. Possono succedere un sacco di cose in tre settimane.»

«Penserai a qualcosa? È questa la tua risposta?»

«Potrebbe succedere un miracolo.»

Cerco di sorridere, ma l'espressione di Michael non cambia. Continua a essere sconcertato. Arrabbiato.

Sento dentro un improvviso dolore. Non sopporto l'idea che Michael sia arrabbiato con me. Mi pulsa la testa e le lacrime premono per uscire. Afferro borsetta e giacca con mani tremanti.

«Cosa vuoi fare?» La voce di Michael è tagliente. «Dove stai andando?»

Lo guardo mentre il mio cervello rimugina febbrile. Devo fuggire. Da questo appartamento, dalla mia vita, da questo orribile casino. Ho bisogno di un luogo di pace, di un rifugio, un luogo dove trovare conforto.

«Vado da Tiffany» rispondo, trattenendo i singhiozzi, e mi chiudo la porta alle spalle.

Cinque secondi dopo aver varcato la soglia di Tiffany mi sento già meglio. Il mio battito comincia a rallentare. La mente gira meno vorticosa. Mi è bastato guardare le teche piene di gioielli scintillanti e mi sono sentita rappacificata. Audrey Hepburn aveva ragione: da Tiffany non può succedere niente di brutto.

Percorro il pian terreno fino al fondo, scartando turisti e guardando collier di diamanti. Una ragazza più o meno della mia età sta provando un anello di fidanzamento grosso come una noce e io sento una fitta di nostalgia.

Sembrano passati milioni di anni da quando Luke e io ci siamo fidanzati. Mi sento una persona diversa. Ah, se solo potessi tornare indietro! Se mi fosse data di nuovo quella possibilità! Farei tutto in maniera diversa.

Ma ormai non ha senso torturarsi col pensiero di ciò che avrebbe potuto essere. Questo è ciò che ho fatto e così stanno le cose.

Entro in ascensore e salgo al terzo piano. Uscendo, mi sento ancora più rilassata. Questo è davvero un altro mondo. È diverso dal piano inferiore, affollato di turisti. È un paradiso.

Il reparto è tranquillo e spazioso, con argenteria, porcellane e cristallerie esposte su vetrine dai ripiani a specchio. È un mondo di sobria opulenza. Un mondo di persone eleganti e colte che non hanno preoccupazioni. Vedo una ragazza elegantissima in blu scuro esaminare un candelabro di vetro. Un'altra, agli ultimi mesi di gravidanza, sta guardando un sonaglino in argento. Nessuno ha l'aria preoccupata. Qui il problema maggiore è scegliere il servizio di piatti col bordo in oro o quello col bordo in platino.

Finché resto qui sono salva.

«Becky? Sei tu?» Il mio cuore ha un fremito. Mi volto e vedo Eileen Morgan che mi guarda sorridente. Eileen mi ha aiutato a scegliere gli articoli da mettere nella lista di nozze. È una signora anziana, coi capelli raccolti in uno chignon, e mi ricorda l'insegnante di danza di quand'ero piccola.

«Salve, Eileen. Come sta?»

«Bene. E ho delle buone notizie per lei.»

«Buone notizie?» ripeto, stupidamente.

Non ricordo quand'è stata l'ultima volta che ho ricevuto delle buone notizie.

«La sua lista sta andando molto bene.»

«Davvero?» Mio malgrado provo lo stesso orgoglio di quando Miss Phipps diceva che i miei plié erano molto buoni.

«Davvero molto bene. Anzi, avevo intenzione di chiamarla. Credo che sia venuto il momento...» e qui Eileen fa una pausa a effetto «... di inserire qualche articolo più impegnativo. Che so, un vassoio d'argento. Un piatto. Qualche pezzo antico.»

La guardo, incredula. In termini di lista di nozze è come se mi avesse detto che dovrei provare a entrare nel Royal Ballet.

«Pensa sinceramente che sia a questo livello?»

«Becky, il successo della sua lista è stato sorprendente. Lei è arrivata ai livelli massimi, insieme ad alcune delle nostre spose più importanti.»

«Io... non so proprio cosa dire. Non ho mai pensato che...»

«Mai sottovalutarsi!» ribatte Eileen con un sorriso cordiale, e con un gesto mi indica il piano. «Guardi liberamente e poi mi faccia sapere cosa le farebbe piacere aggiungere. Se ha bisogno d'aiuto, sa dove trovarmi.» E poi, stringendomi appena il braccio aggiunge: «Brava, Becky».

Mentre si allontana mi accorgo di avere le lacrime agli occhi. C'è qualcuno che non mi considera un completo disastro. C'è qualcuno che non pensa che io abbia rovinato ogni cosa. In questo campo, se non altro, sono un successo.

Vado verso la teca degli oggetti antichi e, emozionata, osservo un vassoio d'argento. Non deluderò Eileen. Metterò in lista il miglior pezzo d'antiquariato del negozio. E anche una teiera, e una zuccheriera...

«Rebecca.»

«Sì?» dico, voltandomi. «Non ho ancora deciso...»

E poi mi blocco, con le parole che mi muoiono sulle labbra. Non è Eileen.

È Alicia la Stronza dalle Gambe Lunghe.

Si è materializzata dal nulla, come una strega cattiva. Indossa un tailleur rosa e regge un sacchetto di Tiffany. L'ostilità che emana è palpabile.

Proprio adesso.

«Allora, Becky, immagino che sarai soddisfatta di te stessa, vero?»

«Mmm, veramente no.»

«La sposa dell'anno. La principessa della fottutissima foresta incantata.»

La guardo, perplessa. So bene che Alicia e io non siamo quel che si dice amiche del cuore, ma... non sta un po' esagerando?

«Alicia? Cosa c'è che non va?»

«Cosa c'è che non va?» La sua voce si fa stridula. «Cosa potrebbe esserci che non va? Forse il fatto che la mia wedding planner mi ha piantato in asso senza alcun preavviso. Forse sarà questo che mi infastidisce un pochino.»

«Come?»

«E perché mi ha piantato in asso? Per potersi concentrare sulla sua cliente più importante, quella del matrimonio al Plaza. La sua cliente speciale, che non bada a spese, la signorina Becky Bloomwood.»

La guardo, inorridita.

«Alicia, io non avevo idea...»

«Il mio matrimonio è rovinato. Non sono riuscita a trovare un'altra wedding planner perché lei ha parlato male di me a tutta la città. A quanto pare, ha messo in giro la voce che sono una persona "difficile". "Difficile" un corno! Le ditte che organizzano rinfreschi non rispondono più al telefono, il mio vestito è troppo corto, il fioraio è un idiota...»

«Mi dispiace» dico, impotente. «Sinceramente non sapevo...»

«Oh, ma certo che non lo sapevi. Ma certo che non te ne stavi a ridacchiare nell'ufficio di Robyn mentre lei mi faceva quella telefonata.»

«Non c'ero! Non lo farei mai! Guarda, sono sicura che si risolverà tutto.» Faccio un respiro profondo. «A essere sincera, anche il mio matrimonio non sta andando benissimo...»

«Fammi il piacere! So tutto del tuo matrimonio. Non c'è persona al mondo che non lo sappia.» Poi si volta e se ne va, mentre io resto a guardarla, scossa.

Non ho soltanto rovinato il mio matrimonio. Ho rovinato anche quello di Alicia. Quante altre vite ho incasinato? Quanti drammi ho causato senza saperlo?

Cerco di riportare la mia attenzione alla teca degli oggetti antichi, ma sono ancora sconvolta. Su, avanti, smettila. Scegliamo qualche pezzo. Forse servirà a tirarmi un po' su. Un colino per il tè del diciannovesimo secolo. E una zuccheriera con intarsi di madreperla. Sono oggetti che possono sempre venir buoni, no?

Guarda quella teiera d'argento! Solo cinquemila dollari. La segno sulla mia lista e mi guardo intorno per vedere se per caso c'è anche la lattiera coordinata. Una giovane coppia in jeans e maglietta si è avvicinata alla teca e mi accorgo che sta guardando la stessa teiera.

«Guarda» dice la ragazza. «Una teiera da cinquemila dollari. E chi se la compra?»

«Perché, non ti piace il tè?» ribatte il ragazzo ridendo.

«Certo! Ma se avessi cinquemila dollari, li spenderesti per una teiera?»

«Quando avrò cinquemila dollari te lo dirò» risponde il ragazzo. Poi scoppiano a ridere e si allontanano, mano nella mano, felici e spensierati.

All'improvviso, lì, davanti a quella teca, mi sento ridicola come una bambina che gioca con i vestiti dei grandi. Cosa me ne faccio di una teiera da cinquemila dollari?

Non so cosa ci faccio qui. Non so cosa sto facendo.

Voglio Luke.

La rivelazione mi colpisce come un'onda di marea, che travolge ogni cosa e porta via tutti gli oggetti e la spazzatura che trova sul suo cammino.

È questa l'unica cosa che voglio. Luke normale e felice.

Noi due normali e felici. Su una spiaggia deserta, al tramonto. Niente bagagli. Niente confusione. Solo noi due. Insieme.

Per qualche motivo ho perso di vista ciò che conta realmente. Sono stata distratta dalle frivolezze: il vestito, la torta, i regali. E invece l'unica cosa che conta realmente è che Luke voglia stare con me e io con lui. Oh Dio, che sciocca sono stata...

Squilla il cellulare e io frugo dentro la borsa, colta da una speranza improvvisa.

«Luke?»

«Becky! Cosa diavolo sta succedendo?» La voce di Suze mi

urla così forte nelle orecchie che per poco non lascio cadere il telefono, spaventata. «Ho appena ricevuto una telefonata da Michael Ellis! Dice che hai ancora intenzione di sposarti a New York! Bex, non ci posso credere!»

«Non urlare così. Sono da Tiffany!»

«Cosa diavolo ci fai da Tiffany? Dovresti darti da fare per risolvere questo casino! Bex, tu non ti sposerai in America. Non puoi! Tua madre morirebbe di crepacuore.»

«Lo so e non lo farò. Almeno...» Mi passo una mano tra i capelli, turbata. «Oh, Suze, tu non hai idea di quello che sta succedendo. Luke ha una crisi esistenziale, la wedding planner ha minacciato di farmi causa... e io mi sento così sola...»

Con mio grande orrore, gli occhi mi si riempiono di lacrime. Giro intorno alla teca e mi siedo a terra, sulla moquette, in un angolo dove nessuno può vedermi.

«Mi ritrovo con due cerimonie organizzate e non posso partecipare a nessuna delle due! In un modo o nell'altro, qualcuno sarà furibondo con me. In un modo o nell'altro sarà un disastro. Dovrebbe essere il giorno più felice della mia vita, ma so già che sarà il peggiore. Il peggiore in assoluto!»

«Senti, Bex, ora non farti prendere dalla disperazione» dice lei, ammorbidendosi un po'. «Hai davvero preso in considerazione tutte le possibilità?»

«Le ho pensate tutte. Ho pensato di diventare bigama, ho pensato di assumere dei sosia...»

«Non è una brutta idea» dice Suze, riflettendo.

«Sai cosa vorrei fare realmente?» dico, con la gola stretta per l'emozione. «Vorrei scappare da tutto e da tutti e sposarmi su una spiaggia. Noi due, un pastore e i gabbiani. Voglio dire, è questo ciò che conta, no? Il fatto che io amo Luke e lui ama me e vogliamo stare insieme per sempre.» Mi scorrono davanti agli occhi le immagini di Luke che mi bacia sullo sfondo di un tramonto caraibico, e sento le lacrime tornare. «Chi se ne importa di avere un vestito da sogno? Chi se ne importa di un rinfresco grandioso e di un sacco di regali? Niente di tutto questo è importante! Indosserei un semplice pareo, passeggeremmo sulla spiaggia a piedi nudi e sarebbe tutto così romantico...»

«Bex!» Sobbalzo, spaventata dal tono di Suze. Non l'ho mai

sentita così arrabbiata. «Ora basta! Basta! Dio, a volte sei proprio una grande egoista.»

«Cosa intendi dire?» rispondo, balbettando. «Volevo solo dire che la cerimonia non è importante...»

«Invece è importante. C'è chi ha fatto un sacco di sacrifici per quella cerimonia! Ti hanno organizzato due matrimoni per cui molte sarebbero disposte a uccidere. D'accordo, non puoi essere presente a tutti e due, ma a uno sì. E se non partecipi almeno a uno, vuol dire che non te li meriti. Non ti meriti nulla di tutto questo. Bex, questi matrimoni non riguardano soltanto te. Riguardano tutte le persone coinvolte. Tutte le persone che hanno investito tempo, fatica, denaro per creare qualcosa di veramente speciale. Non puoi scappare da questo. Devi affrontarlo, anche se significa chiedere scusa a quattrocento persone, una per una, e in ginocchio. Se fuggi vuol dire che sei una codarda e un'egoista.»

Si interrompe, il respiro affannato, e in sottofondo sento Ernie che comincia a piagnucolare. Sono sconvolta, come se mi avesse preso a schiaffi.

«Hai ragione» dico, alla fine.

«Mi dispiace» dice lei, turbata. «Ma ho ragione.»

«Lo so» dico, stropicciandomi il viso. «Senti... affronterò la cosa a viso aperto. Non so ancora come, ma lo farò.» Ernie non piagnucola più. Ora sta urlando a pieni polmoni. Faccio fatica a sentire quello che dico. «Sarà meglio che tu vada. Da' un bacio al mio nipotino. E digli... digli che la sua madrina è dispiaciuta di essere una simile frana. Ma cercherà di fare meglio.»

«Contraccambia il bacio» dice Suze. E poi aggiunge, dopo un attimo di esitazione: «E dice anche di non dimenticare mai che, anche se ci arrabbiamo con te, siamo sempre pronti a darti una mano. Se è possibile».

«Grazie, Suze» dico, col magone. «Digli che... vi terrò informati degli sviluppi.»

Metto via il telefono e resto lì, immobile, a radunare le idee. Poi mi alzo, mi sistemo i vestiti e torno davanti alla teca.

Alicia è lì, a cinque metri da me.

Mi si stringe lo stomaco. Da quanto tempo si trova lì? Cosa ha sentito?

«Ciao» dico, nervosa.

«Ciao» risponde lei, mentre lentamente viene verso di me e mi scruta.

«Allora» prosegue, affabile. «Robyn sa che stai progettando di fuggire per sposarti su una spiaggia?»

O merda.

«Io...» Mi schiarisco la gola. «Io non sto progettando di fuggire su una spiaggia!»

«A me pareva proprio di sì.» Alicia si osserva attentamente un'unghia. «Nel contratto non c'è una clausola in proposito?»

«Stavo scherzando! Era solo... era solo una battuta.»

«Chissà se Robyn la troverebbe divertente.» Alicia mi rivolge il suo sorriso più accattivante. «Venire a sapere che a Becky Bloomwood non interessa avere un rinfresco grandioso. Venire a sapere che la sua cliente preferita è una santarellina che tiene il piede in due scarpe e sta per tagliare la corda!»

Devo restare calma. Devo risolvere questa cosa.

«Non lo diresti mai a Robyn.»

«No?»

«Non puoi! Tu...» Mi interrompo, cercando di non perdere la calma. «Alicia, noi ci conosciamo da un sacco di tempo. So che non sempre siamo andate d'amore e d'accordo, ma, via... siamo due ragazze inglesi a New York. Tutt'e due stiamo per sposarci. In un certo senso è come se fossimo un po' sorelle.»

Mi uccide dire questo, ma non ho altra scelta. Devo convincerla. Superando la nausea, mi costringo a posare una mano sulla manica rosa di tessuto bouclé.

«Dobbiamo dimostrare un minimo di solidarietà, no? Dobbiamo... aiutarci a vicenda.»

C'è una pausa, durante la quale Alicia mi squadra da capo a piedi con occhi colmi di disprezzo. Poi ritrae il braccio con violenza e si allontana a grandi passi.

«Ci vediamo, Becky» dice, voltandosi appena.

Devo fermarla. Presto.

«Becky!» La voce di Eileen alle mie spalle mi costringe a voltarmi. «Ecco il pezzo in peltro che volevo mostrarti...»

«Grazie» dico io, senza prestarle attenzione. «Ma ora devo...»

Mi volto, ma Alicia è scomparsa.

Dov'è andata?

Mi precipito per le scale senza aspettare l'ascensore. Arrivata al piano terra, mi fermo e mi guardo intorno, alla ricerca disperata di una macchia rosa. Ma il negozio è zeppo di turisti eccitati e urlanti. Vedo colori vivaci ovunque.

Mi faccio strada a spintoni tra la folla, senza fiato, convincendomi che Alicia non racconterebbe mai a Robyn ciò che ha appena sentito. Non può essere così vendicativa. Ma, allo stesso tempo, so che lo farebbe.

Non la vedo da nessuna parte. Alla fine riesco a superare un gruppo di persone accalcate intorno a una teca di orologi, e arrivo alla porta girevole. Esco in strada e mi fermo a guardare a destra e a sinistra. Ma non riesco a vedere nulla. È una giornata limpidissima e la luce accecante del sole rimbalza sulle vetrine scintillanti, trasformando ogni cosa in una silhouette scura.

«Rebecca.» Sento una mano afferrarmi con decisione la spalla. Confusa, mi volto, strizzando gli occhi per difendermi dalla luce, e alzo lo sguardo.

E, quando riesco finalmente a mettere a fuoco, un puro terrore mi assale.

Elinor.

17

Ecco. Sono una donna morta. Non avrei mai dovuto uscire da Tiffany.

«Rebecca, ho bisogno di parlarti» dice Elinor, fredda. «Subito.»

Indossa un lungo cappotto e grandi occhiali neri e assomiglia proprio a un agente della Gestapo. Oh, Dio, ha scoperto tutto. Ha parlato con Robyn. Ha parlato con Alicia. È venuta a prendermi per trascinarmi davanti al comandante e condannarmi ai lavori forzati.

«Io... mmm... sarei piuttosto occupata» dico, cercando di sgattaiolare dentro il negozio. «Non ho tempo per chiacchierare.»

«Non si tratta di chiacchiere.»

«Ho da fare, comunque.»

«È molto importante.»

«Potrebbe sembrare importante» dico, disperata, «ma cerchiamo di vedere le cose nella giusta prospettiva. È solo un matrimonio. In confronto a cose tipo... che so, i trattati internazionali...»

«Non voglio discutere del matrimonio» ribatte lei, aggrottando la fronte. «Voglio discutere di Luke.»

«Luke?» dico, colta in contropiede. «Come mai? Gli ha parlato?»

«Ho ricevuto parecchi inquietanti messaggi da lui in Svizzera. E ieri anche una lettera. Così sono tornata immediatamente a casa.»

«Cosa diceva la lettera?»

«Sto andando da lui» prosegue Elinor, ignorando la mia domanda. «Sarei felice se mi accompagnassi.»

«Davvero? Dov'è?»

«Ho appena parlato con Michael Ellis. Questa mattina è andato a cercare Luke e lo ha trovato a casa mia. Sto andando là. A quanto pare desidera parlarmi.» Fa una pausa. «Ma prima volevo parlare con te, Rebecca.»

«Con me? E perché?»

Prima che lei possa rispondere, un gruppo di turisti esce da Tiffany e ci ritroviamo sommerse dalla folla. Potrei dileguarmi approfittando della confusione. Potrei fuggire.

Ma a questo punto sono curiosa. Perché Elinor vuole parlarmi?

Il gruppo si disperde e noi restiamo a guardarci.

«Per favore» dice, indicando con la testa il bordo della strada. «La mia auto sta aspettando.»

«D'accordo» rispondo, stringendomi nelle spalle. «Verrò.»

Una volta a bordo dell'elegante limousine di Elinor, il mio terrore svanisce. Osservando il suo volto pallido e impenetrabile, sento l'odio prendere gradualmente il sopravvento.

Questa è la donna che ha rovinato Luke. Questa è la donna che ha rinnegato il figlio quattordicenne. Che sta seduta tranquilla nella sua limousine, come se il mondo le appartenesse, come se non fosse successo nulla.

«Allora, cosa diceva Luke nella sua lettera?»

«Cose... confuse» risponde, «vaneggiamenti privi di senso. Pare che abbia avuto una specie di...» Compie un gesto eloquente con la mano.

«Esaurimento nervoso? Sì, è così.»

«Perché?»

«Secondo lei perché?» ribatto, incapace di nascondere una nota sarcastica.

«Lavora molto» dice Elinor. «A volte troppo.»

«Non si tratta del lavoro!» ribatto d'istinto. «Si tratta di lei!»

«Di me?»

«Sì, di lei! È il modo in cui l'ha trattato!»

Segue una lunga pausa. Poi Elinor dice: «A cosa ti riferisci?».

Sembra sinceramente perplessa. Per l'amor del cielo! Ma è davvero così insensibile?

«Okay... da dove cominciamo? Dalla sua fondazione di beneficenza. Quella per cui Luke ha lavorato ore e ore, anche di notte. Quella che a sentire le sue promesse avrebbe giovato all'immagine della Brandon Communications, cosa che, guarda caso, non si è verificata, perché lei si è presa tutto il merito!»

Ah, che soddisfazione! Perché non le ho mai detto prima quello che pensavo?

Le sue narici si dilatano impercettibilmente e capisco che è arrabbiata, ma si limita a dire: «Questa è una interpretazione distorta degli eventi».

«Non è distorta. Lei si è servita di Luke!»

«Luke non si è mai lamentato.»

«Non l'avrebbe mai fatto. Ma lei deve pur aver visto quanto tempo le dedicava, e gratis! Lei ha anche sfruttato un dipendente di Luke. Insomma, poteva avere dei guai già solo per questo.»

«Sono d'accordo.»

«Come?» per un attimo resto spiazzata.

«Quella di utilizzare personale della Brandon Communications non è stata un'idea mia. Anzi, io ero contraria. È stato Luke a insistere. E, come ho già spiegato a lui, dell'articolo sul giornale non sono responsabile. Sono stata informata dell'intervista solo all'ultimo momento. Luke non era disponibile. Ho parlato a lungo del coinvolgimento di Luke e ho consegnato al giornalista la documentazione promozionale della Brandon Communications. Mi ha promesso che l'avrebbe letta, ma poi non l'ha utilizzata. Ti assicuro, Rebecca, che non è dipeso da me.»

«Sciocchezze!» esclamo d'impulso. «Un giornalista decente non avrebbe mai ignorato una cosa come...»

Mmm. A dire il vero... forse sì. Ora che ci penso, quando facevo la giornalista ignoravo metà delle cose che gli intervistati mi dicevano. E di sicuro non ho mai letto quella stupida documentazione promozionale che tutti insistevano a consegnarmi.

«D'accordo» dico, dopo un attimo di esitazione. «Forse non è stata tutta colpa sua. Ma non è questo il problema. Non è questo il motivo per cui Luke è così turbato. Qualche giorno fa è andato a cercare delle foto di famiglia nel suo appartamento, ma non le ha trovate. Però ha trovato delle lettere di suo padre. Così ha scoperto che lei non lo ha mai voluto con sé quando era piccolo, e non era neppure interessata a incontrarlo, neanche per dieci minuti.»

Il viso di Elinor ha un fremito, ma lei non dice nulla.

«E questo ha riportato a galla un sacco di ricordi dolorosi. Tipo quella volta che Luke è venuto a New York e si è seduto fuori da casa sua, ma lei ha quasi fatto finta di non vederlo. Se lo ricorda questo, Elinor?»

So che sono parole dure, ma non mi importa.

«Così era lui» dice, alla fine.

«Ovvio che era lui! Non finga di non averlo capito. Secondo lei, perché si è dato tanto da fare? Perché è venuto a New York? Solo per fare una buona impressione su di lei. Sono anni che è ossessionato da quest'idea! Non c'è da stupirsi che ora sia sull'orlo dell'esaurimento! A essere sinceri, considerata l'infanzia che ha passato, mi meraviglio che abbia tirato avanti così a lungo senza uscire di testa!»

Quando mi interrompo per prendere fiato, mi viene in mente che forse Luke non avrebbe voluto che parlassi delle sue nevrosi a sua madre.

Oh, be'... ormai è troppo tardi. E comunque, era ora che qualcuno vuotasse il sacco con Elinor.

«Ha avuto un'infanzia felice» ribatte lei, fissando immobile fuori dal finestrino. Ci siamo fermati a un incrocio e vedo le persone che passano accanto all'auto riflesse nei suoi occhiali da sole.

«Ma lui le voleva bene. Voleva lei. Sua madre. E sapere che lei era qui, ma non desiderava vederlo...»

«È arrabbiato con me.»

«Naturale che è arrabbiato! Lei lo ha abbandonato ed è partita per l'America, senza pensare a lui, felice come una pasqua...»

«Felice.» Elinor si volta. «Credi davvero che io sia felice, Rebecca?»

Ho un momento di esitazione. Rifletto, con un leggerissimo senso di colpa, che non mi sono mai domandata se Elinor fosse felice. Ho sempre soltanto pensato che fosse una grande stronza.

«Io... non saprei» rispondo alla fine.

«Ho preso una decisione e l'ho rispettata. Ma questo non significa che non me ne sia mai pentita.»

Si toglie gli occhiali da sole. Mi sforzo di non dare a vedere la mia sorpresa. La sua pelle è più tirata che mai e intorno agli occhi ci sono dei lividi. Nonostante si sia appena fatta fare il lifting, sembra molto più vecchia. E più vulnerabile.

«Quel giorno ho riconosciuto Luke» dice, con voce pacata.

«E allora perché non gli andò incontro?»

Nell'auto c'è silenzio e poi, muovendo appena le labbra, lei risponde: «Avevo paura».

«Paura?» ripeto, incredula. Non riesco a concepire che Elinor possa aver paura di qualcosa.

«Rinunciare a un figlio è una decisione tremenda. Accoglierlo nuovamente nella propria vita è... un passo altrettanto grave. Specialmente dopo tanto tempo. Non ero preparata a compiere un simile passo. Non ero preparata a vederlo.»

«Ma non desiderava parlargli? Non desiderava... conoscerlo?»

«Forse sì.»

Colgo un leggero fremito sotto l'occhio sinistro. Che sia l'effetto dell'emozione?

«Alcune persone trovano facile accettare esperienze nuove. Altre no. Altre ancora si tirano indietro. Forse per te è difficile capirlo, Rebecca. Tu sei una persona cordiale e impulsiva. È una delle doti che ammiro di te.»

«Già» rispondo io, sarcastica.

«Cosa intendi dire?»

«Su, Elinor» ribatto, alzando gli occhi al cielo. «Non prendiamoci in giro. Io non le piaccio. Non le sono mai piaciuta.»

«Cosa te lo fa pensare?»

Non può parlare sul serio.

«Non mi lasciano entrare alla mia festa di fidanzamento, lei mi costringe a firmare un contratto prematrimoniale, non è mai gentile con me...»

«Sono dolente per l'incidente avvenuto alla festa. È stato un errore degli organizzatori.» Aggrotta appena la fronte. «Ma non ho mai compreso la tua opposizione a un contratto prematrimoniale. Nessuno dovrebbe sposarsi senza firmarne uno.» Guarda fuori dal finestrino. «Siamo arrivati.»

La macchina si ferma e l'autista scende per aprire la portiera del passeggero. Elinor mi guarda.

«Tu mi piaci, Rebecca. Molto.» Scende dall'auto e il suo sguardo si posa sui miei piedi. «Hai una scarpa graffiata. Fa molto trasandato.»

«Visto?» ribatto, esasperata. «Visto cosa voglio dire?»

«Cosa?» dice, guardandomi come se non capisse.

Oh, ci rinuncio.

L'appartamento di Elinor è illuminato da larghi fasci di luce, e avvolto nel silenzio. Subito penso che si sia sbagliata e che Luke non ci sia ma poi, entrando in soggiorno, lo vedo, in piedi davanti alla grande vetrata. Guarda fuori con un'aria profondamente risentita.

«Luke, ti senti bene?» chiedo cauta mentre lui si volta, sorpreso.

«Becky! Cosa ci fai qui?»

«Ho incontrato tua madre, da Tiffany. Dove sei stato tutta la mattina?»

«In giro» risponde lui. «A riflettere.»

Lancio un'occhiata a Elinor. Sta fissando Luke con uno sguardo indecifrabile.

«Allora, io vado, d'accordo?» dico, imbarazzata. «Se voi due dovete parlare...»

«No, resta» dice Luke. «Non ci vorrà molto.»

Mi siedo sul bracciolo di una poltrona, ma vorrei tanto sprofondarci. L'atmosfera di questo appartamento non mi è mai piaciuta, ma adesso è peggio che essere in un incubo.

«Ho ricevuto i tuoi messaggi» dice Elinor. «E la tua lettera, che francamente non ho capito.» Si sfila i guanti con gesti bruschi e li posa su un tavolino. «Non so proprio di cosa tu mi stia accusando.»

«Non sono qui per accusarti di nulla» dice Luke, facendo un evidente sforzo per mantenersi calmo. «Volevo solo farti sapere che mi sono reso conto di alcune cose. Una di queste è che... per tutti questi anni mi sono illuso sul tuo conto. Tu non mi hai mai realmente voluto con te, vero? Eppure mi hai fatto credere che fosse così.»

«Non essere ridicolo, Luke» risponde Elinor dopo una breve esitazione. «La situazione era molto più complicata di quanto tu possa immaginare.»

«Tu hai fatto leva sulle mie debolezze. Ti sei servita di me. Di me e della mia società. Mi hai trattato come un...» Si interrompe, respirando affannosamente, e attende qualche secondo per calmarsi. «Quel che è triste è che uno dei motivi per cui sono venuto a New York era passare un po' di tempo con te. Per conoscerti meglio, come Becky conosce sua madre.»

Fa un gesto verso di me e io alzo lo sguardo allarmata. Non coinvolgermi in questa vicenda!

«Che spreco di tempo!» Il suo tono si fa più aspro. «Ma non sono neppure sicuro che tu sia capace di una simile relazione.»

«Ora basta!» esclama Elinor. «Luke, non posso parlarti se sei in questo stato.»

Mentre si fronteggiano, capisco che sono più simili di quanto avessi mai pensato. Quando le cose si mettono male, assumono tutti e due quell'espressione impassibile e minacciosa. Si sono dati obiettivi esageratamente alti. E sono molto più vulnerabili di quanto vogliano dare a vedere.

«Non devi parlarmi» dice Luke. «Me ne vado. Non vedrai più né me né Becky.»

Sollevo la testa di colpo, sorpresa. Sta dicendo sul serio?

«Non dire sciocchezze» ribatte Elinor.

«Ho spedito una lettera di dimissioni al consiglio d'amministrazione della Fondazione Elinor Sherman. Quindi non dovrebbe esistere altro motivo per cui le nostre strade si debbano incrociare ancora.»

«Hai dimenticato il matrimonio» dice Elinor secca.

«No, non l'ho affatto dimenticato.» Luke fa un respiro profondo e mi lancia un'occhiata. «Da questo momento, Becky e io provvederemo altrimenti per il nostro matrimonio. Naturalmente, ti risarcirò di tutte le spese che hai sostenuto.»

Cosa?

Cos'ha detto? Lo guardo, allibita.

Ha appena detto...

Ha davvero detto...

Non ho le allucinazioni, vero?

«Luke» dico, cercando di mantenermi calma, «fammi capire... stai dicendo che non intendi più sposarti al Plaza?»

«Becky, so di non averne discusso con te.» Luke mi si avvicina e mi prende le mani. «So che stai progettando questo matrimonio da mesi. So che ti sto chiedendo molto. Ma, date le circostanze, non me la sento di andare avanti.»

«Vuoi rinunciare al matrimonio?» dico, deglutendo. «Lo sai che c'è una penale?»

«Non mi interessa.»

«Non... non ti interessa?»

Non gli interessa.

Non so se piangere o ridere.

«Non è questo che intendevo!» dice Luke vedendo la mia espressione. «Certo che mi interessa. Mi interessa di noi. Ma presentarmi in pubblico fingendo di essere l'affezionato figlio di...» Lancia uno sguardo a Elinor. «Sarebbe una farsa. Svilirebbe tutto. Questo lo capisci, vero?»

«Ma certo, Luke... certo che lo capisco» rispondo, cercando di non lasciar trasparire il mio sollievo. «Se vuoi rinunciare, io sono d'accordo.

Non posso crederci. Sono salva. Sono salva!

«Dici sul serio, vero?» Luke mi fissa, incredulo.

«Ma certo che dico sul serio! Se vuoi annullare il matrimonio, non ho alcuna obiezione. Anzi... cosa aspettiamo?»

«Sei una ragazza unica, Becky Bloomwood.» La voce di Luke si incrina per l'emozione. «Accettare senza un attimo di esitazione...»

«È quello che tu desideri, Luke. E per me è questo che conta.»

È un miracolo!

Non c'è altra spiegazione.

Per una volta nella mia vita, Dio mi ha ascoltato. O lui o la dea Ganesh.

«Non puoi fare questo.» Per la prima volta la voce di Elinor tradisce un leggero tremito. «Non puoi semplicemente annullare il matrimonio che io ho organizzato per te. Che ho finanziato per te.»

«Sì che posso.»

«È un evento importantissimo! Parteciperanno quattrocento persone! Persone importanti. Miei amici, persone legate alla fondazione...»

«Be', dovrai fare le mie scuse.»

Elinor muove qualche passo verso di lui e, con mia grande sorpresa, vedo che sta tremando di rabbia.

«Se mi fai questo, Luke, ti giuro che non ti parlerò mai più.»

«Per me va benissimo. Su, Becky, andiamo.» Mi tira per la mano e io lo seguo, incespicando appena sul tappeto.

Il volto di Elinor si contrae nuovamente e, con sorpresa ancora più grande, sento un moto di comprensione nei suoi confronti. Ma, mentre usciamo dall'appartamento, è già passato. Elinor si è comportata in modo meschino sia con me che con i miei genitori. E si merita quel che ha.

Scendiamo in silenzio. Siamo tutti e due sconvolti. Luke ferma un taxi, dà il nostro indirizzo all'autista e saliamo a bordo.

Dopo circa tre isolati ci guardiamo. Luke è pallido, sta tremando.

«Non so cosa dire. Non riesco a credere di aver fatto una cosa simile.»

«Sei stato magnifico» ribatto con fermezza. «Se l'è voluta.»

Si volta verso di me e mi guarda con aria sincera.

«Becky, mi spiace immensamente per il matrimonio. So quanto ci tenevi. Mi farò perdonare. Te lo prometto. Tu dimmi solo cosa devo fare.»

Lo guardo e il mio cervello comincia a rimuginare. Devo giocarmela bene. Se faccio la mossa sbagliata, tutto potrebbe ancora crollarmi addosso.

«Vuoi... vuoi ancora che ci sposiamo? Così, in via di principio.»

«Ma certo che lo voglio!» Luke sembra scioccato dalla mia domanda. «Becky, io ti amo. Ancora più di prima. Anzi, non ti ho mai amato tanto come poco fa, quando hai fatto quell'incredibile sacrificio per me, senza un attimo di esitazione.»

«Quale sacrificio? Ah, il matrimonio! Già» dico, cercando di ricompormi. «Be', in effetti, è stata dura. Mmm... a proposito di matrimoni...»

Quasi non riesco a dirlo. Mi sento come quando si cerca di posare l'ultima carta sul castello. Non posso commettere errori.

«Cosa ne diresti di sposarci a... Oxshott?»

«Oxshott. Perfetto.» Luke chiude gli occhi e si appoggia al sedile, esausto.

Sono senza parole. È tutto sistemato. Il miracolo è compiuto.

Mentre procediamo lungo la Quinta Strada guardo fuori dal finestrino e per la prima volta mi rendo conto che è arrivata l'estate. Che è una giornata bella e soleggiata. Che Saks ha fatto una nuova vetrina con i costumi da bagno. Piccole cose che la preoccupazione e lo stress non mi permettevano di vedere, tanto meno di apprezzare.

Mi sento come se per un sacco di tempo fossi andata in giro con un peso sulle spalle. Ho dimenticato cosa significhi camminare in posizione eretta. Adesso, però, il peso non c'è più e io posso, seppur con cautela, rialzare la schiena e riprendere a vivere. L'incubo è finito. Finalmente posso riprendere a dormire bene la notte.

18

Purtroppo, non è così.

Anzi, non dormo affatto.

Luke è crollato da un bel po' e io sono ancora lì a fissare il soffitto, inquieta. C'è qualcosa che non va, ma non so cosa.

In apparenza, è tutto perfetto. Elinor è uscita per sempre dalla vita di Luke. Possiamo sposarci a casa nostra. Non devo preoccuparmi di Robyn. Non devo preoccuparmi di nulla. È come se nella mia vita fosse arrivata una grossa palla da bowling e in un colpo solo avesse buttato giù tutti i birilli cattivi, lasciando in piedi solo quelli buoni.

Per festeggiare abbiamo fatto una bella cena, aperto una bottiglia di champagne e brindato alla vita futura di Luke, al matrimonio, a noi due. Poi abbiamo cominciato a parlare della luna di miele: io volevo Bali, Luke proponeva Mosca e ne è seguita una di quelle discussioni ridicole e divertenti che nascono quando si è su di giri per l'euforia e il sollievo. È stata una serata meravigliosa e felice. Dovrei sentirmi totalmente soddisfatta.

Ma ora che sono a letto e la mente si è placata, ci sono alcune cose che mi tormentano. L'atteggiamento di Luke stasera. Anche troppo su di giri. Troppo eccitato. Il modo in cui tutti e due abbiamo continuato a ridere, quasi isterici. Come se non osassimo smettere.

E altre cose. Lo stato di Elinor quando ce ne siamo andati. La conversazione con Annabel, mesi fa.

Dovrei sentirmi trionfante. Dovrei sentirmi vendicata. Ma non è così. C'è qualcosa che non quadra.

Alla fine, verso le tre di notte, scendo dal letto, vado in soggiorno e compongo il numero di Suze.

«Ciao, Bex!» dice lei, sorpresa. «Che ore sono lì?» In sottofondo sento i suoni dei programmi televisivi del mattino, e i gorgoglii di Ernie. «Senti, mi dispiace averti parlato in quel modo, ieri. Sai, ci ho pensato tutto il giorno...»

«Non ti preoccupare, davvero. Me ne sono già dimenticata» dico, avvicinando le ginocchia al petto e coprendole con la camicia da notte. «Senti, Suze. Luke ha avuto un grossa discussione con sua madre. E ha annullato il matrimonio al Plaza. Così possiamo sposarci a Oxshott.»

«*Cosa?!*» esplode la voce di Suze dall'altra parte. «Oh, mio Dio! È incredibile! Sinceramente, non sapevo proprio come avresti potuto fare. Devi essere al settimo cielo! Devi essere...»

«Sì, abbastanza.»

Suze si blocca di colpo.

«Come sarebbe a dire, abbastanza?»

«Capisco che è fantastico che tutto si sia risolto...» Mi arrotolo il nastrino della camicia da notte attorno a un dito «... ma chissà perché non mi sembra poi così fantastico.»

«Cosa intendi dire?» Sento che Suze abbassa il volume del televisore. «Bex, cosa c'è che non va?»

«Mi sento in colpa» dico di getto. «Ho vinto, ma non vorrei aver vinto. Voglio dire, d'accordo, ho ottenuto quello che volevo. Luke ha rotto con Elinor, pagherà la penale alla wedding planner, possiamo sposarci a casa... da un lato è tutto perfetto, ma dall'altro...»

«Quale altro?» dice Suze. «Non esiste un altro lato.»

«Sì che esiste. Almeno, credo.» Mi rosicchio l'unghia del pollice, pensierosa. «Suze, sono preoccupata per Luke. Ha affrontato sua madre di petto e ora dice che non le parlerà mai più.»

«E allora? Non sei contenta?»

«Non lo so.» Resto a fissare per qualche istante il battiscopa. «Al momento è entusiasta, ma se cominciasse a sentirsi in colpa? E se questo in futuro gli si rivoltasse contro? Sai, Annabel, la sua matrigna, una volta mi ha detto che se avessi cercato di tagliare Elinor fuori dalla sua vita, avrei danneggiato anche lui.»

«Ma non sei stata tu a tagliarla fuori, è stato lui» mi fa notare Suze.

«Be', magari si è danneggiato lo stesso. Come se... come se si fosse amputato un braccio o qualcosa del genere.»

«Ehi, che schifo!»

«E ora c'è questa enorme ferita che nessuno vede, ma che andrà in suppurazione e un giorno scoppierà...»

«Bex, piantala! Sto facendo colazione.»

«Oh, scusa. È che sono preoccupata per lui. Non è a posto. E poi l'altra cosa è che...» chiudo gli occhi, quasi incapace di credere a ciò che sto per dire «... in un certo senso ho cambiato idea a proposito di Elinor.»

«Cosa?» esclama Suze con voce stridula. «Bex, ti prego, non dire queste cose! A momenti lascio cadere Ernie!»

«Non è che adesso mi piaccia» mi affretto ad aggiungere, «ma abbiamo parlato a lungo e mi sono convinta che forse lei vuole bene a Luke. A modo suo, ovviamente, come potrebbe voler bene un congelatore.»

«Ma se lo ha abbandonato!»

«Lo so. Ma si è pentita.»

«E allora? Mi sembra il minimo!»

«Suze, io penso che forse si merita un'altra chance.» Mi osservo la punta del dito, che sta lentamente diventando blu. «Voglio dire... guarda me. Ho fatto un milione di cose stupide e senza senso. Ho deluso un sacco di gente, ma tutti mi hanno sempre offerto una seconda possibilità.»

«Bex, non puoi paragonarti a Elinor! Tu non hai mai abbandonato un figlio!»

«Non sto dicendo che sono come lei. Sto solo dicendo...» Lascio la frase in sospeso e aspetto che il nastrino della camicia da notte si allenti.

Davvero non so cosa sto dicendo. E non credo che Suze capirà mai quello che ho in mente. Lei non ha mai fatto un errore in tutta la vita. È sempre andata avanti per la sua strada senza problemi, senza mai scontentare nessuno, senza cacciarsi nei guai. Io no. Io so come ci si sente a fare qualcosa di stupido (se non peggio) e dopo pentirsene amaramente.

«Cosa significa questo? Perché...» La voce di Suze si fa più acuta per la preoccupazione. «Un momento. Bex, non mi stai dicendo che, nonostante tutto, hai ancora intenzione di sposarti a New York, vero?»

«Non è così semplice» rispondo, dopo un attimo di esitazione.

«Bex, io t'ammazzo. Sul serio. Se adesso mi dici che vuoi sposarti a New York...»

«Suze, io non voglio sposarmi a New York. Ovvio che no. Ma se annulliamo il matrimonio adesso... non ci sarà alternativa. Elinor non ci rivolgerà mai più la parola. A nessuno dei due.»

«Non ci posso credere. Io non ci posso credere. Hai intenzione di incasinare di nuovo tutto, è così?»

«Suze...»

«Una volta che va tutto dritto. Una volta, dico una, che non sei completamente nei pasticci, e io posso cominciare a rilassarmi...»

«Suze...»

«Becky?»

Alzo lo sguardo, spaventata. Luke è lì, in boxer e maglietta, che mi guarda confuso e assonnato.

«Tutto bene?» chiede.

«Benissimo» rispondo, coprendo il ricevitore con la mano. «Stavo parlando con Suze. Torna pure a letto. Non starò molto.»

Aspetto che sia tornato in camera e mi avvicino al radiatore, che emana ancora un debole tepore.

«Senti, Suze. Ascoltami, ti prego. Non incasinerò tutto, vedrai. Ci ho riflettuto a lungo e mi è venuta un'idea geniale...»

Alle nove della mattina seguente sono nell'appartamento di Elinor. Mi sono vestita con cura, con un'elegante giacca di lino stile funzionario diplomatico delle Nazioni Unite e un paio di scarpe dalla punta arrotondata per comunicare un'idea di non-aggressività. Ma non sono del tutto certa che Elinor apprezzi i miei sforzi. Quando viene ad aprirmi alla porta sembra ancora più pallida del solito e mi guarda in cagnesco.

«Rebecca» dice, gelida.

«Elinor» ribatto, altrettanto gelida. Ma poi ricordo che sono venuta qui per essere conciliante. «Elinor» ripeto, cercando di infondere un minimo di calore nella parola. «Sono venuta qui per parlare.»

«Per scusarti» dice lei, facendo strada lungo il corridoio.

Dio, che stronza! Cos'ho fatto, io? Niente. Per un attimo sono tentata di girarmi e andarmene. Ma ho deciso di fare una certa cosa e la farò.

«Non esattamente» replico. «Solo per parlare. Di lei. E di Luke.»

«Si è pentito delle sue decisioni avventate.»

«No.»

«Vuole scusarsi.»

«No! Niente affatto! È offeso e arrabbiato e non intende vederla mai più!»

«Allora perché sei qui?»

«Perché... penso che sarebbe una buona cosa se voi due cercaste di rappacificarvi. O per lo meno di parlare.»

«Non ho niente da dire a Luke» risponde Elinor. «E neanche a te. Come Luke ha chiarito ieri, i rapporti tra noi sono chiusi.»

Dio, ma sono proprio uguali!

«Allora... ha già informato Robyn che il matrimonio non si farà?» È questa la mia paura segreta e, mentre aspetto la risposta, mi scopro a trattenere il fiato.

«No. Ho pensato di dare a Luke la possibilità di ripensarci. Evidentemente è stato un errore.»

Faccio un respiro profondo.

«Convincerò Luke a non annullare il matrimonio se lei si scuserà con lui.» La mia voce è un po' incerta. Non riesco a credere a quel che sto facendo.

«Cos'hai detto?» Elinor si volta e mi guarda.

«Lei si scusa con Luke e gli dice... in sostanza gli dice che gli vuole bene, e io lo convincerò a sposarsi al Plaza. Così lei avrà la sua bella cerimonia con tutti i suoi invitati. Questo è l'accordo.»

«Stai... stai contrattando con me?»

«Mmm... sì.» Mi volto e la guardo dritta in faccia, le mani strette a pugno. «Fondamentalmente, Elinor, sono qui per motivi puramente egoistici. Da tutta la vita Luke si tormenta per lei. Ora ha deciso che non vuole più vederla, e per me va benissimo. Ma sono preoccupata che la cosa non finisca qui. Temo che fra due anni possa decidere di dover tornare a New York per accertarsi che lei sia davvero così malvagia come pensa. E tutto ricomincerebbe da capo.»

«È assurdo. Come osi...»

«Elinor, lei vuole che questo matrimonio si faccia. Lo so. Deve solo essere carina con suo figlio e lo avrà. Non le chiedo molto.»

Silenzio. Piano piano gli occhi di Elinor si stringono, almeno di quel poco che è loro concesso dopo l'ultimo intervento di chirurgia plastica.

«Anche tu vuoi questo matrimonio, Rebecca. Non fingere che la tua sia un'offerta puramente altruistica, ti prego. Tu sei rimasta sgomenta quanto me quando lui si è tirato indietro. Ammettilo. Sei qui perché vuoi sposarti al Plaza.»

«Davvero crede che sia qui per questo?» La guardo a bocca aperta. «Perché mi dispiace che il matrimonio al Plaza non si faccia più?»

Avrei voglia di scoppiare a ridere. Quasi quasi avrei voglia di dirle la verità, di raccontarle tutta la storia fin dall'inizio.

«Mi creda, Elinor» dico, alla fine, «non è per questo che sono qui. Io posso fare a meno del matrimonio al Plaza. Sì, è vero, l'idea era elettrizzante e lo aspettavo con ansia. Ma se Luke non lo vuole, per me va bene lo stesso. Posso benissimo rinunciare. Non sono miei amici. Non è la mia città. Davvero non mi importa.»

Segue un altro pesante silenzio. Elinor va verso un tavolino e, con mia grande sorpresa, prende una sigaretta e l'accende. Ha tenuto ben nascosta questa sua abitudine!

«Io posso convincere Luke» proseguo, osservandola posare la scatola portasigarette. «Lei no.»

«Sei davvero incredibile» ribatte. «Usare il tuo matrimonio come merce di scambio.»

«Sì, lo so. Era un sì?»

Ho vinto. Glielo leggo in faccia. Ha già deciso.

«Ecco cosa deve dire.» Tiro fuori un foglio dalla borsa. «Qui ci sono tutte le cose che Luke ha bisogno di sentire. Lei dirà che gli vuole bene, gli dirà quanto lui le è mancato da piccolo, ma che era convinta che stesse meglio in Inghilterra, e che l'unico motivo per cui non voleva vederlo era perché temeva di deluderlo...» Le porgo il foglio. «So che niente di tutto questo potrà sembrare credibile, quindi le consiglio di esordire dicendo: "Mi è difficile pronunciare queste parole".»

Elinor fissa il foglio impassibile. Respira affannosamente e per un istante penso che voglia gettarmelo in faccia. E invece lo piega con cura e lo posa sul tavolo. È un altro segno di emozione quella leggera contrazione del viso che ho intravisto? È turbata? Furibonda? O solo sprezzante?

Non riesco proprio a capire questa donna. Prima penso che nasconda dentro di sé un grande amore inespresso, l'attimo dopo penso che sia una stronza insensibile. Poi credo che mi odi, il momento dopo mi dico che forse lei non ha idea dell'impressione che dà agli altri. E magari, per tutto questo tempo, ha creduto di essersi comportata in maniera cordiale.

Voglio dire, se nessuno le ha mai detto quanto siano odiosi i suoi modi, come fa a saperlo?

«Cosa intendevi quando hai detto che Luke potrebbe decidere di tornare a New York?» dice, gelida. «Avete intenzione di andarvene?»

«Non ne abbiamo ancora parlato» rispondo dopo un attimo di esitazione. «Però penso che sia possibile. New York è fantastica, ma non credo più che sia il posto giusto per noi. Luke è esaurito. Ha bisogno di cambiare aria.»

Ha bisogno di stare lontano da te, aggiungo mentalmente.

«Capisco.» Elinor tira una boccata dalla sigaretta. «Tu sai che avevo organizzato un incontro con il consiglio dei proprietari di questo palazzo, vero? Uno sforzo considerevole.»

«Lo so. Luke me l'ha detto. Ma a essere sinceri, Elinor, noi non saremmo mai venuti ad abitare qui.»

Il suo viso ha un altro fremito e capisco che sta cercando di nascondere un qualche sentimento. Di che genere? Ira per la mia ingratitudine? Disappunto perché Luke non andrà ad abitare nel suo stesso palazzo? Una parte di me è mortalmente curiosa, e vorrebbe vedere oltre per scoprire tutto di lei.

Un'altra parte, più saggia, mi dice di lasciar perdere.

Quando arrivo alla porta, però, non so resistere. «Elinor» dico, « sa, vero, come si dice? Che dentro a ogni persona grassa c'è una persona magra che lotta per uscire? Be'... più ci penso, più mi convinco che dentro di lei potrebbe esserci una persona gentile. Ma finché continuerà a essere cattiva con la gente, finché continuerà a fargli notare che ha le scarpe rovinate, nessuno se ne accorgerà mai.»

Ecco fatto. Probabilmente ora mi ucciderà. Sarà meglio che mi affretti a uscire. Senza dare l'impressione che sto correndo, imbocco il corridoio, esco dall'appartamento, mi richiudo la porta alle spalle e mi ci appoggio, col cuore che batte forte.

Okay. Fin qui tutto bene. E ora occupiamoci di Luke.

«Davvero non capisco perché tu voglia salire in cima al Rockefeller Center» osserva Luke, appoggiandosi allo schienale del taxi e guardando fuori dal finestrino con aria seccata.

«Perché non ci sono mai stata, d'accordo? Voglio vedere il panorama.»

«Ma perché proprio oggi? Perché ora?»

«Perché no?» Lancio un'occhiata all'orologio e poi osservo Luke preoccupata.

Finge di essere felice e sollevato, ma non lo è. È pensoso.

In apparenza, le cose cominciano ad andare leggermente meglio. Se non altro ha smesso di dar via capi di abbigliamento, e questa mattina si è anche fatto la barba. Ma è ben lontano dal Luke di una volta. Oggi non è andato a lavorare. È rimasto seduto a guardare l'ennesima replica di un vecchio film in bianco e nero con Bette Davis.

Strano, non mi ero mai accorta prima della somiglianza tra Elinor e Bette Davis.

La verità è che Annabel aveva ragione, penso, osservandolo. Certo che aveva ragione. Conosce il suo figliastro come se fosse figlio suo. Sa che Elinor è dentro Luke, che è una parte della sua esistenza. Lui non può tagliarla via e continuare con la sua vita. Ha bisogno di avere almeno una possibilità di trovare una soluzione. Anche se è dolorosa.

Chiudo gli occhi e rivolgo una silenziosa preghiera a tutti gli dei. Ti prego, fa' che funzioni. Ti prego. E forse potremo scrivere la parola fine sotto questa vicenda e proseguire con la nostra vita.

«Rockefeller Center» annuncia l'autista, fermandosi. Sorrido a Luke, cercando di non lasciar trapelare il mio nervosismo.

Ho cercato di immaginare il luogo più improbabile per incontrare Elinor e mi è venuta in mente la Rainbow Room, dove vanno tutti i turisti a bere qualcosa per vedere Manhattan dall'alto. Saliamo in silenzio al sessantaseiesimo piano e io prego disperatamente che lei sia lì, che tutto vada per il verso giusto, e che Luke non si arrabbi con me.

Usciamo dall'ascensore e la noto subito. È seduta a un tavolo vicino alla vetrata, giacca scura, il viso che spicca in controluce contro il panorama.

Vedendola, Luke sobbalza.

«Becky. Che cazzo...» Si volta di scatto come per andarsene, ma io lo afferro per un braccio.

«Luke, ti prego. Vuole parlarti. Concedile una possibilità.»

«Sei stata tu a organizzare tutto questo?» È livido di rabbia. «Mi hai portato qui apposta?»

«Dovevo farlo! Se te l'avessi detto non saresti mai venuto. Solo cinque minuti. Ascolta quello che ha da dirti.»

«Perché mai dovrei...»

«Io sono convinta che voi due dobbiate parlare. Luke, non puoi lasciare le cose come stanno. E non miglioreranno se tu non le parli. Su, Luke.» Allento la presa sul braccio e lo guardo con aria supplichevole. «Solo cinque minuti. Non ti chiedo altro.»

Deve accettare. Se se ne va adesso, sono finita.

Un gruppo di turisti tedeschi è salito dopo di noi e li osservo girare per la sala e ammirare estasiati il panorama.

«Cinque minuti» dice Luke alla fine. «Non uno di più.» Attraversa la sala lentamente e va a sedersi di fronte a Elinor. Lei mi lancia un'occhiata e fa un lieve cenno con la testa. Mi volto e mi allontano, col cuore che batte forte. Ti prego, fa' che non rovini tutto. Ti prego.

Esco dal bar ed entro in una saletta deserta dove resto a guardare la città, davanti a una vetrata a tutta parete. Dopo un po' guardo l'orologio. Sono passati cinque minuti e lui non è ancora uscito.

Lei ha tenuto fede alla sua parte di accordo. Ora tocca a me.

Tiro fuori il cellulare, lo stomaco chiuso per la paura. Sarà dura. Sarà molto dura. Non so come reagirà la mamma. Non so cosa dirà.

Ma il punto è che, qualsiasi cosa dica e per quanto si arrabbi, io so che la mamma e io supereremo tutto. Il nostro rapporto è solido.

Mentre fra Luke ed Elinor questa potrebbe essere l'unica occasione per riconciliarsi.

Mentre il telefono squilla guardo l'infinita argentea distesa dei grattacieli di Manhattan. La luce del sole rimbalza da un edificio all'altro, proprio come ha detto Luke. Avanti e indietro, senza mai uscire. I taxi gialli sono così lontani che sembrano macchinine giocattolo e le persone camminano veloci come tante formiche. E là, nel mezzo, c'è il rettangolo verde di Central Park, un plaid da picnic steso a terra per far giocare i bambini.

Guardo fuori, incantata dal panorama. Pensavo davvero quello che ho detto ieri a Elinor? Voglio davvero lasciare questa città incredibile?

«Pronto?» La voce della mamma interrompe i miei pensieri, e io sollevo la testa di scatto. Per un istante il nervosismo mi paralizza. Non posso farlo.

Devo farlo.

Non ho altra scelta.

«Ciao, mamma» dico infine, affondandomi le unghie nel palmo della mano. «Sono Becky. Senti, devo dirti una cosa. E temo che non ti piacerà...»

ANNABEL BRANDON
RIDGE HOUSE
RIDGEWAY
NORTH FULLERTON
DEVON

2 giugno 2002

Cara Becky,

la tua telefonata ci ha lasciati sconcertati. Nonostante le tue assicurazioni che tutto si chiarirà quando ci avrai spiegato, e che dobbiamo fidarci di te, non riusciamo proprio a capire cosa stia accadendo.

Comunque, James e io ne abbiamo discusso a lungo e abbiamo deciso di fare come ci chiedi. Abbiamo già cancellato le prenotazioni sul volo per New York, e avvisato il resto della famiglia.

Becky cara, speriamo che tutto vada per il verso giusto.
Con i migliori auguri e tutto il nostro affetto a Luke.

Annabel

SECOND UNION BANK

300 Wall Street

NEW YORK NY 10005

Rebecca Bloomwood
Appartamento B
251 W 11th Street
New York
NY 10014

10 giugno 2002

Gentile signorina Bloomwood,

la ringraziamo per l'invito alle sue nozze inviato a Walt Pitman.

Dopo esserci a lungo consultati abbiamo deciso di accordarle la nostra fiducia. Walt Pitman in realtà non esiste. È un nome di fantasia che usiamo per rappresentare tutti i nostri responsabili nei rapporti con la clientela.

Il nome "Walt Pitman" è stato scelto dopo approfondite ricerche per veicolare l'immagine di una persona competente ma disponibile. Il riscontro che riceviamo dai nostri clienti ha dimostrato che la presenza costante di Walt nei rapporti con la clientela ha aumentato di oltre il cinquanta per cento il livello di fiducia e fedeltà nei confronti del nostro istituto.

Le saremmo grati se vorrà considerare confidenziale questa informazione. Se desidera ancora che un rappresentante della Second Union Bank sia presente al suo matrimonio, sarò felice di partecipare. Il mio compleanno è il 5 marzo e il mio colore preferito è il blu.

Distinti saluti

Bernard Lieberman
vicepresidente

19

Okay. Niente panico. Funzionerà. Se mantengo la calma e non perdo la testa, funzionerà.

«Non funzionerà mai» dice la voce di Suze al mio orecchio.

«Taci!» ribatto, brusca.

«Non funzionerà mai. Io ti avverto.»

«Tu non devi avvertirmi. Tu devi incoraggiarmi!» E poi aggiungo, abbassando la voce: «Se tutti fanno quel che devono, funzionerà. Deve funzionare».

Sono in piedi davanti alla finestra di una suite al dodicesimo piano del Plaza, e osservo la piazza sotto di me. È una giornata calda e soleggiata. La gente se ne va in giro in calzoncini corti e maglietta, facendo le solite cose, tipo noleggiare una carrozza per fare il giro del parco o gettare monete nella fontana.

E invece io sono qui, avvolta in un asciugamano, i capelli così tirati che sono quasi irriconoscibile con questa acconciatura da Bella Addormentata, un dito di trucco sulla faccia e le scarpe di raso bianco più alte che io abbia mai visto in vita mia. (Christian Louboutin, prese da Barneys. Ma io ho lo sconto.)

«Cosa stai facendo?» dice la voce di Suze.

«Sto guardando fuori dalla finestra.»

«Perché?»

«Non lo so.» Osservo una donna in calzoncini di jeans, seduta su una panchina, che stappa una lattina di Coca-Cola, ignara del fatto che qualcuno la sta guardando. «Per cercare di riprendere il contatto con la normalità, suppongo.»

«La normalità?» esclama la voce di Suze. «Bex, è un po' tardi per la normalità!»

«Sei ingiusta.»

«Se la normalità è il pianeta Terra, sai dove ti trovi tu adesso?»

«Ehm... sulla Luna?»

«Ti trovi a milioni e milioni di anni luce. Ti trovi... in un'altra galassia. In un tempo tanto, tanto lontano da qui.»

«In effetti mi sento un po' in un altro mondo» ammetto, e mi volto a contemplare la splendida suite.

L'atmosfera è ovattata, densa di profumi, lacca per capelli e aspettativa. Ovunque volga lo sguardo, vedo sontuose composizioni di fiori, cesti di frutta, scatole di cioccolatini, bottiglie di champagne in ghiaccio. Al tavolo della toeletta, la parrucchiera e la truccatrice chiacchierano tra di loro mentre si occupano di Erin. Il fotografo cambia la pellicola, il suo assistente guarda Madonna su MTV e il cameriere addetto al servizio della suite porta via l'ennesimo vassoio di tazze e bicchieri.

È tutto molto esclusivo e raffinato ma, allo stesso tempo, mi ricorda moltissimo quando ci preparavamo per le recite estive della scuola. Le finestre coperte di stoffa nera, noi ragazze affollate intorno allo specchio, tutte elettrizzate, mentre i nostri genitori prendevano posto nelle prime file ma a noi non era concesso sbirciare fuori per vederli...

«Cosa stai facendo?» ripete la voce di Suze.

«Sto ancora guardando fuori dalla finestra.»

«Smettila di guardare fuori! Manca meno di un'ora e mezzo!»

«Suze, rilassati.»

«Come faccio a rilassarmi?»

«Va tutto bene. È tutto sotto controllo.»

«E non l'hai detto a nessuno» ripete lei, per la milionesima volta. «Neppure a Danny.»

«Certo che no! Non sono mica così stupida!» Mi sposto in un angolo, dove nessuno può sentirmi. «Lo sa solo Michael. E Laurel. Nessun altro.»

«E nessuno sospetta niente?»

«Assolutamente no» rispondo, proprio mentre Robyn entra nella stanza. «Ciao, Robyn! Suze, ci sentiamo dopo, d'accordo?»

Riattacco e sorrido a Robyn. Indossa un tailleur rosa acceso; porta un auricolare con microfono e tiene in mano una ricetrasmittente.

«Okay, Becky» dice, con tono serio ed efficiente. «La fase uno è completata. Ora è in corso la fase due. Ma abbiamo un problema.»

«Davvero?» dico, deglutendo. «Quale?»

«Nessuno dei familiari di Luke è ancora arrivato. Suo padre, la sua matrigna, alcuni cugini... mi hai detto che hanno parlato con te?»

«Sì» rispondo, schiarendomi la gola. «Veramente, hanno appena richiamato. Temo che il loro aereo abbia avuto dei problemi. Hanno detto di disporre pure liberamente dei loro posti.»

«Oh! Che peccato!» esclama Robyn, dispiaciuta. «Non mi è mai capitato un matrimonio con così tanti cambiamenti all'ultimo momento. Una nuova damigella, un nuovo testimone dello sposo, un nuovo celebrante... pare che sia cambiato tutto!»

«Lo so» dico, con aria contrita. «Sono sinceramente dispiaciuta, e so che significa un sacco di lavoro in più. Ma è che ci è parso naturale che ci sposasse Michael invece di un perfetto sconosciuto. Sai, visto che è un vecchio amico ed è qualificato per farlo... e a quel punto Luke ha dovuto trovarsi un altro testimone.»

«Ma cambiare idea tre settimane prima del matrimonio! Sai, padre Simon c'è rimasto molto male. Temeva fosse per via dei suoi capelli.»

«Ma no, non ha niente a che vedere con lui, davvero.»

«E poi i tuoi che prendono il morbillo. Voglio dire, hai idea delle probabilità?»

«Lo so» dico, facendo una smorfia. «Una vera sfortuna.»

Dalla ricetrasmittente viene un crepitio e Robyn si volta.

«Sì» dice. «Come? No! Ho detto luce radiante gialla, non blu! Okay, vengo subito.» Arrivata alla porta si volta.

«Becky, io devo andare. Volevo solo dirti che è stato tutto così frenetico, con questi cambiamenti, che ci sono un paio di piccoli dettagli che non ho avuto il tempo di discutere con te. Ma tu fa' come ti dico, okay?»

«Certo» dico. «Io mi fido di te. Grazie, Robyn.»

Quando Robyn esce, sento bussare alla porta e subito entra Christina, assolutamente fantastica in un abito color oro di Issey Miyake e un bicchiere di champagne in mano.

«Come va la sposa?» dice, con un sorriso. «Nervosa?»

«No.»

Il che è più o meno la verità.

Anzi, è la pura verità. Ho superato la fase del nervosismo. O tutto fila liscio secondo i piani, oppure è un disastro totale. Ormai non posso più farci nulla.

«Ho appena parlato con Laurel» dice, bevendo un sorso di champagne. «Non sapevo che fosse così coinvolta nel matrimonio.»

«Oh, in realtà non lo è molto» spiego. «Ma mi sta facendo un piccolo favore...»

«Già, così mi risulta.» Christina mi lancia uno sguardo da sopra il bicchiere e all'improvviso mi chiedo cosa le abbia rivelato Laurel.

«Ti ha detto... di che favore si tratta?» dico, con naturalezza.

«Per sommi capi. Becky, se ti riesce questa...» dice Christina, e scuote la testa. «Se ti riesce ti meriti il Nobel per la faccia tosta.» Leva il bicchiere. «Alla tua. E buona fortuna.»

«Grazie.»

«Ehi, Christina!» Ci voltiamo e vediamo Erin che sta venendo verso di noi. Indossa già l'abito lungo, violetto, da damigella d'onore. Ha i capelli raccolti in stile medievale e gli occhi le brillano di felicità. «Non è fantastico questo tema della Bella Addormentata? Hai già visto l'abito di Becky? Non riesco ancora a credere che le farò da damigella d'onore! Non l'ho mai fatto prima d'ora!»

Credo che Erin sia un tantino eccitata per la promozione sul campo. Quando le ho detto che la mia migliore amica non sarebbe potuta venire e le ho chiesto se le sarebbe piaciuto farmi da damigella, è addirittura scoppiata a piangere.

«Non ho ancora visto l'abito da sposa» risponde Christina. «E non oso farlo.»

«È davvero bello!» protesto. «Vieni a vedere.»

La conduco alla lussuosa zona guardaroba, dove è appeso l'abito di Danny.

«È tutto intero?» osserva Christina laconica. «Va già bene così.»

«Christina» dico, «non è come le T-shirt. Questo è di una classe superiore. Guarda!»

Non riesco ancora a credere che Danny abbia fatto un lavoro così fantastico. Non lo ammetterò mai con Christina, ma non speravo di poterlo indossare. Anzi, a essere del tutto sincera, fino a una settimana fa ho continuato a provare abiti di Vera Wang.

Ma poi, una sera, Danny ha bussato alla porta, il volto acceso per l'emozione. Mi ha trascinato da lui, fino alla sua camera, e quando ha spalancato la porta sono rimasta senza parole.

Da lontano sembra un tradizionale abito da sposa bianco, con un corpino stretto, una gonna molto ricca e un lungo strascico. Ma, guardandolo da vicino, si cominciano a notare gli incredibili particolari. Le guarnizioni increspate di denim bianco sul dietro. Le pieghine e le arricciature in vita che sono la firma di Danny. Le minuscole paillette e le incrostazioni di jais luccicanti sullo strascico, come se qualcuno vi avesse rovesciato sopra una scatola di caramelle.

Non ho mai visto un abito da sposa come questo. È un'opera d'arte.

«Be'» commenta Christina, «a essere sincera, quando mi hai detto che avresti indossato una creazione del giovane signor Kovitz ero un tantino preoccupata. Ma ora che l'ho visto...» prosegue, sfiorando una minuscola paillette, «devo ammettere che sono molto colpita. Sempre che lo strascico non si stacchi mentre tu avanzi tra gli invitati.»

«Non si staccherà» la rassicuro. «Me ne sono andata in giro per l'appartamento per più di mezz'ora e non è caduta neppure una paillette!»

«Sarai magnifica» dice Erin con aria sognante. «Proprio come una principessa. E in quella sala...»

«La sala è spettacolare» dice Christina. «Credo proprio che un sacco di gente resterà a bocca aperta.»

«Io non l'ho ancora vista» dico. «Robyn non ha voluto che entrassi.»

«Oh, dovresti dare un'occhiata» insiste Erin. «Solo una sbirciatina. Prima che si riempia di gente.»

«Non posso! E se qualcuno mi vede?»

«Vai» dice Erin. «Mettiti un foulard. Nessuno capirà che sei tu.»

Scendo furtivamente al piano di sotto, nascosta sotto il cappuccio di una giacca a vento che mi sono fatta prestare, girando il viso quando incrocio qualcuno. Ho l'assurda sensazione di compiere una mascalzonata. Ho visto i progetti dell'architetto e, aprendo la porta a due battenti della Terrace Room, so più o meno cosa aspettarmi. Qualcosa di spettacolare, di teatrale.

E, invece, niente avrebbe potuto prepararmi a ciò che vedo.

È come entrare in un altro mondo.

Una foresta magica, argentata, scintillante. Alzando lo sguardo vedo i rami che si intrecciano ad arco. I fiori sembrano spuntare da vere zolle di terra. Ci sono rampicanti, frutti, un melo carico di mele d'argento, una ragnatela tempestata di gocce di rugiada e... sono uccelli veri quelli che vedo volare lassù?

Dai rami degli alberi scende una pioggia di lucine colorate che arriva fino alle file di sedie. Due donne stanno metodicamente spazzolando ogni cuscino. Un uomo in jeans sta fissando un cavo al pavimento coperto di moquette. Un altro operaio su un'incastellatura piena di fari sta sistemando un ramo argentato. Un violinista sta provando trilli e piccole volate, mentre in sottofondo si sentono i colpi sordi dei timpani che vengono accordati.

È come trovarsi dietro le quinte di uno spettacolo del West End.

Me ne resto in disparte a guardarmi intorno, cercando di cogliere ogni particolare. Non ho mai visto niente di simile prima d'ora e non credo che lo vedrò mai più in futuro.

All'improvviso Robyn entra nella sala da una porta laterale. Sta parlando al microfono dell'auricolare e i suoi occhi perlustrano il salone. Mi faccio piccola piccola e, prima che mi scopra, esco dalla Terrace Room e mi infilo in ascensore per salire nella Grand Ballroom.

Le porte stanno per chiudersi quando entrano un paio di anziane signore in gonna scura e camicia bianca.

«Hai visto la torta?» dice una. «Tremila dollari minimo.»

«Che famiglia è?» chiede l'altra.

«Sherman» risponde la prima. «Elinor Sherman.»

«Ah, questo è il matrimonio di Elinor Sherman!»

Le porte si aprono e le due escono.

«Bloomwood» rettifico, troppo tardi. «Credo che la sposa si chiami Becky...»

Tanto non mi avrebbero ascoltato comunque.

Le seguo con cautela nella Grand Ballroom, l'enorme salone bianco e oro in cui Luke e io apriremo le danze.

Oh, mio Dio! È ancora più immenso di come lo ricordavo. Ed è ancora più grandioso, più dorato. Dei riflettori si muovono in cerchio per la sala, illuminando i palchi e i lampadari. All'improvviso le luci passano all'effetto stroboscopico, poi a un lampeggio da discoteca, danzando sui volti dei camerieri che stanno dando i tocchi finali. Su ogni tavolo rotondo è appoggiato un centrotavola a cascata di fiori bianchi. Il soffitto è ricoperto di mussola ornata di festoni di luci che sembrano fili di perle. La pista da ballo è ampia e lucidissima. Sul palcoscenico, un complesso di dieci elementi sta effettuando il sound check. Mi guardo in giro, sbalordita, e vedo una coppia di pasticcieri del laboratorio di Antoine in piedi su due sedie, che sistemano gli ultimi tulipani di zucchero sulla torta a otto piani. Ovunque si sente odore di fiori, di cera di candele, di attesa.

«Mi scusi.» Balzo di lato per far passare un cameriere che spinge un carrello.

«Desidera qualcosa?» chiede una donna con una targhetta del Plaza appuntata sul bavero.

«Stavo solo... dando un'occhiata in giro.»

«Un'occhiata in giro?» ripete, scrutandomi con aria sospettosa.

«Sì, caso mai decidessi di sposarmi» aggiungo e mi allontano prima che possa farmi altre domande. Comunque, ho già visto abbastanza.

Non so come tornare alla mia suite da qui, e questo posto è così grande che rischierei di perdermi. Così torno al piano terra e, cercando di non farmi notare, giro intorno al Palm Court diretta agli ascensori.

Passando davanti a un divanetto mi blocco. Ho visto una testa scura dall'aria familiare, una mano che regge un bicchiere con un drink che sembra un gin and tonic.

«Luke?» Lui si volta e mi guarda, inespressivo. Mi rendo conto che ho il viso mezzo coperto. «Sono io!» dico, a voce bassa.

«Becky?» chiede, incredulo. «Cosa ci fai qui?»

«Volevo vedere tutto. Non è incredibile?» Mi guardo intorno per accertarmi che nessuno ci stia osservando, poi mi siedo sulla poltrona di fronte a lui. «Sei bellissimo.»

Veramente è anche più che bellissimo. È splendido, in smoking e camicia bianca inamidata. I capelli scuri brillano sotto le luci e avverto l'aroma familiare del suo dopobarba. Quando incrocia il mio sguardo sento qualcosa allentarsi dentro, come una molla che si distende. Qualunque cosa avvenga oggi, che il mio piano funzioni o no, noi due siamo insieme. Noi due siamo a posto.

«Non dovremmo parlarci, sai» dice lui sorridendo. «Porta sfortuna.»

«Lo so» rispondo, bevendo un sorso del suo gin and tonic. «Ma, a essere sincera, credo che a questo punto possiamo anche fregarcene delle superstizioni.»

«Cosa vuoi dire?»

«Oh, niente.» Conto fino a cinque, preparandomi mentalmente, e poi aggiungo: «Hai sentito che i tuoi arriveranno in ritardo?».

«Sì, me l'hanno detto» risponde lui aggrottando la fronte. «Hai parlato tu con loro? Ti hanno detto quando arriveranno?»

«Oh, presto, credo» rispondo vaga. «Non ti preoccupare. Hanno detto che di sicuro ci saranno per quando ci dichiarano marito e moglie.»

Il che è vero. In un certo senso.

Luke è completamente all'oscuro dei miei piani. Ha già abbastanza cose a cui pensare per conto suo. Una volta tanto sarò io a guidare.

Nelle ultime settimane ho avuto modo di conoscere un Luke completamente diverso. Un Luke più giovane, più vulnerabile, che il resto del mondo non conosce. Dopo quell'incontro con Elinor è rimasto a lungo taciturno. Non c'è stata alcuna evidente reazione emotiva, nessuna scenata. In un certo senso, è come se fosse tornato quello di sempre. Ma era comunque fragile, spossato, ben lontano dal poter tornare al lavoro. Per quasi due settimane non ha fatto altro che dormire, quattordici o quindici ore al giorno. Era come se dieci anni di lavoro frenetico avessero cominciato a pesargli tutti d'un colpo.

Ora sta lentamente tornando alla normalità. Sta riacquistando quella sua immagine efficiente, quell'espressione impenetrabile che assume quando non vuole rivelare agli altri le sue emozioni, quei suoi modi pratici e sbrigativi. La scorsa settimana si è ripresentato in ufficio e tutto è tornato come prima.

Quasi come prima. Perché, anche se l'apparenza è tornata a essere quella di sempre, io ho visto cosa c'è sotto. Ho visto come funziona Luke, quello che pensa, quello di cui ha paura, quello che realmente vuole dalla vita. Quando è accaduto tutto questo noi stavamo insieme da più di due anni. Avevamo vissuto insieme, eravamo una coppia fortunata. Ma ora sento di conoscerlo come mai prima d'ora.

«Continuo a ripensare a quella conversazione che ho avuto con mia madre» dice, fissando il suo drink. «Lassù alla Rainbow Room.»

«Davvero?» rispondo, cauta. «E cosa...»

«Continuo a trovarla sconcertante.»

«Sconcertante?» ripeto dopo un attimo di esitazione. «Perché?»

«Non l'ho mai sentita parlare in quel modo, prima. Non sembrava neppure lei.»

Mi sporgo in avanti e prendo la sua mano.

«Luke, solo perché non ti ha mai detto prima certe cose, non significa che non sono vere.»

È quanto gli ripeto praticamente ogni giorno da quell'incontro con Elinor. Voglio che la smetta di arrovellarsi, voglio che accetti le sue parole e sia felice. Ma Luke è troppo intelligente. Resta in silenzio per qualche secondo e poi nella testa si ripete quella conversazione.

«Alcune delle sue frasi sembravano così vere e altre così false...»

«Cosa ti è sembrato falso?» dico. «Così, per curiosità.»

«Quando mi ha detto che era orgogliosa di tutto ciò che ho fatto, dalla mia società all'aver scelto te come moglie. Non so... non mi suona...» Lascia la frase in sospeso, scuotendo il capo.

«Io pensavo che suonasse plausibile!» ribatto, prima di riuscire a fermarmi. «Voglio dire.. è una cosa verosimile...»

«Ma c'è un'altra cosa. Mia madre ha affermato che non c'è

stato un solo giorno in cui non abbia pensato a me.» Ha un attimo di esitazione. «E dal modo in cui l'ha detto... io le ho creduto.»

«Ha detto così?» chiedo, sorpresa.

Sul foglio che ho consegnato a Elinor, questo non c'era. Prendo il gin and tonic e ne bevo un altro sorso, riflettendo.

«Io credo che lo pensasse davvero» osservo, alla fine. «Anzi, ne sono certa. Il punto è che voleva farti sapere che ti vuole bene. Anche se non proprio tutto ti è sembrato spontaneo, questo è quello che voleva dirti.»

«Già, suppongo di sì» conclude, guardandomi negli occhi. «Eppure non riesco più a provare gli stessi sentimenti per lei. Non posso tornare indietro.»

«No» convengo dopo un attimo di silenzio. «Be', probabilmente è un bene.»

L'incantesimo si è spezzato. Luke si è finalmente risvegliato.

Mi sporgo in avanti e lo bacio, poi bevo ancora un sorso del suo drink.

«Dovrei andare a cambiarmi.»

«Perché? Non vieni con quella giacca a vento?» risponde Luke con un sorriso.

«Veramente, l'intenzione era quella. Ma ora che l'hai vista, dovrò trovare qualcos'altro.» Mi alzo, poi indugio un attimo. «Senti, Luke, se oggi qualcosa dovesse sembrarti un po' strano, tu fai finta di niente, d'accordo?»

«D'accordo» dice Luke, sorpreso.

«Me lo prometti?»

«Te lo prometto.» E poi mi lancia un'occhiata di traverso. «Becky, c'è qualcosa che devi dirmi?»

«Mmm... no» rispondo con aria innocente. «No, non mi pare. Ci vediamo dentro.»

20

Non riesco a credere di essere arrivata fin qui. Non riesco a credere che stia realmente accadendo. Indosso un abito da sposa. Ho un diadema scintillante fra i capelli.

Sono una sposa.

Mentre Robyn mi fa strada lungo i corridoi deserti e silenziosi del Plaza, mi sembra di essere il presidente degli Stati Uniti in un film di Hollywood. «La Bella Addormentata si è mossa» mormora all'auricolare mentre avanziamo sullo spesso tappeto rosso. «La Bella Addormentata si sta avvicinando.»

Svoltiamo un angolo e io colgo al volo la mia immagine riflessa in un'enorme specchiera antica. È una specie di shock. Ovviamente so che aspetto ho. Diamine, mi sono rimirata almeno per mezz'ora nello specchio della mia suite. Ma a vedermi così, inaspettatamente, non riesco a credere che quella ragazza col velo sono io. Sono proprio io.

Sto per sfilare tra centinaia di invitati, al Plaza, diretta all'altare. Quattrocento persone che osserveranno ogni mio movimento. Oh, Dio.

Oh, Dio. Cosa sto facendo?

Nel vedere le porte della Terrace Room vengo colta dal panico e le mie dita si stringono intorno al bouquet. No, non funzionerà mai. Devo essere pazza. Non posso farcela. Devo scappare.

Ma non saprei dove. Ormai posso solo andare avanti.

Erin e le altre damigelle mi stanno aspettando e, quando mi avvicino, mi accolgono con un coro di esclamazioni sorprese e ammirate. Non ho idea dei loro nomi. Sono figlie delle amiche di Elinor. Probabilmente dopo oggi non le rivedrò mai più.

«Orchestra d'archi. Tenersi pronti per la Bella Addormentata» sta dicendo Robyn nell'auricolare.

«Becky!» Alzo lo sguardo e, grazie al cielo, vedo Danny, in redingote di broccato e pantaloni di pelle, che tiene in mano un programma color tortora vergato in bronzo. «Sei splendida.»

«Davvero? Sto bene?»

«Spettacolare» dice Danny, deciso. Sistema lo strascico, fa un passo indietro per controllare l'effetto, tira fuori un paio di forbici e accorcia un pezzo di nastro.

«Pronta?» chiede Robyn.

«Credo di sì» rispondo. Mi viene da vomitare.

Le doppie porte si spalancano di colpo e sento il fruscio di quattrocento persone che si voltano sulle sedie. L'orchestra d'archi attacca la colonna sonora della *Bella Addormentata nel bosco*, e le damigelle cominciano ad avanzare tra le due ali di invitati.

Di colpo mi accorgo che sto andando avanti. Sto entrando nella foresta incantata, sull'onda della musica. Minuscole lucine scintillano sopra la mia testa, sotto i miei passi gli aghi di pino rilasciano il loro intenso profumo. Si sente l'odore di terra smossa, il cinguettio degli uccelli, e il gocciolio di una piccola cascata. A ogni passo i fiori sbocciano come per magia, le foglie si schiudono tra le esclamazioni sorprese dei presenti. E vedo Luke, il mio bellissimo principe, che mi aspetta, più avanti.

Finalmente comincio a rilassarmi. Ad assaporare il momento.

A ogni passo mi sento come una prima ballerina che ha compiuto un perfetto *arabesque* al Covent Garden. O una stella del cinema che arriva alla notte degli Oscar. L'orchestra che suona, tutti che mi guardano, gemme nei capelli, l'abito più bello che abbia mai indossato. So che non proverò mai più niente di simile in vita mia. Mai più. Arrivata quasi in fondo, rallento, per assaporare l'atmosfera, gli alberi, i fiori, il magnifico profumo. Cercando di imprimermi ogni dettaglio nella mente. Gustando ogni magico istante.

D'accordo. Lo ammetto.

Elinor aveva ragione. Quando ho cercato di salvare questo matrimonio, non ero solo animata da scopi puramente altruistici. Non stavo solo cercando di recuperare il rapporto tra Luke e sua madre.

Volevo questo. Per me. Volevo essere per un giorno una principessa delle fiabe.

Arrivo al fianco di Luke e porgo il bouquet a Erin. Rivolgo un sorriso cordiale a Gary, il nuovo testimone di Luke, e poi cerco la mano del mio principe. Lui stringe la mia e io ricambio la stretta.

Ed ecco Michael che arriva, con un abito scuro dall'aria vagamente clericale.

Mi dedica un piccolo sorriso complice, fa un respiro profondo e si rivolge ai presenti.

«Miei cari. Siamo qui riuniti per testimoniare dell'amore tra due persone. Siamo qui ad assisterli mentre si giurano amore eterno. E per unirci a loro nella gioiosa celebrazione di questo amore. Dio benedice tutti coloro che amano, e certamente oggi Dio benedirà Luke e Becky mentre si scambiano la loro promessa.»

Quindi si rivolge a me, e da dietro mi giunge il fruscio delle persone che si spostano per vedere meglio.

«Rebecca, ami Luke?» dice. «Prometti di amarlo nella buona e nella cattiva sorte, in ricchezza e povertà, in salute e malattia? Riponi la tua fiducia in lui, ora e per sempre?»

«Sì» rispondo, incapace di fermare il leggero tremore nella mia voce.

«Luke, ami Rebecca? Prometti di amarla nella buona e nella cattiva sorte, in ricchezza e in povertà, in salute e malattia? Riponi la tua fiducia in lei, ora e per sempre?»

«Sì» risponde Luke con decisione.

«Possa Dio benedire Luke e Becky e possano essi vivere felici per sempre.» Michael fa una pausa e si guarda attorno, come se sfidasse chiunque a dissentire. Le mie dita si stringono attorno a quelle di Luke. «Possano essi conoscere la gioia della comprensione reciproca, la felicità dell'amore crescente e il calore dell'amicizia eterna. E ora applaudiamo questa coppia felice.» Sorride a Luke e gli dice: «Puoi baciare la sposa».

Mentre Luke si china a baciarmi, Michael comincia a battere

le mani con decisione. Dopo un attimo di incertezza, un gruppetto di persone si unisce a lui e presto tutti i presenti stanno applaudendo.

Gary mormora qualcosa all'orecchio di Luke, che si volta verso di me con aria perplessa.

«E l'anello?»

«Lascia perdere l'anello» rispondo con un sorriso ingessato.

Il cuore mi batte così forte che quasi non riesco a respirare. Mi aspetto ancora che qualcuno si alzi in piedi e dica: «Ehi, un momento...».

Ma nessuno lo fa. Nessuno dice nulla.

Ha funzionato.

Incrocio lo sguardo di Michael per un istante, e subito lo distolgo, prima che qualcuno se ne accorga. Non riesco ancora a rilassarmi.

Il fotografo viene avanti ed Erin si avvicina per porgermi il bouquet; vedo che si sta asciugando le lacrime.

«Che magnifica cerimonia!» mi dice. «Quella parte sul calore dell'amicizia eterna mi ha proprio commosso. Sai, perché è quello che cerco io» prosegue, stringendo il bouquet al petto, «è ciò che ho sempre desiderato.»

«Sono certa che lo troverai» le dico, abbracciandola. «Ne sono sicura.»

«Scusi, signorina?» ci interrompe il fotografo. «Se potesse lasciar soli lo sposo e la sposa...»

Erin mi consegna i fiori e si sposta, mentre io assumo l'aria radiosa della sposina novella.

«Ma Becky» insiste Luke. «Gary dice...»

«Fatti dare l'anello da Gary» gli dico senza muovere la testa. «Digli che ti dispiace per il contrattempo e che lo faremo dopo.»

Alcuni ospiti si sono fatti avanti per scattare delle foto. Appoggio la testa sulla spalla di Luke e sorrido raggiante.

«Ma c'è qualcos'altro che non va» sta dicendo Luke. «Michael non ci ha dichiarati marito e moglie. E poi non dovremmo firmare qualcosa?»

«Shhh!» C'è un flash, ed entrambi restiamo abbagliati.

«Questa è una bella inquadratura!» dice il fotografo. «Fermi così.»

«Siamo sposati o no?» mi chiede Luke guardandomi serio.

«D'accordo» ammetto con una certa riluttanza. «A dire il vero, no.»

C'è un altro lampo accecante. Quando i miei occhi tornano a mettere a fuoco, vedo che Luke mi sta fissando, incredulo.

«Non siamo sposati?»

«Senti, fidati di me, okay?»

«Fidarmi di te?»

«Sì! Come mi hai promesso cinque secondi fa! Ricordi?»

«Te l'ho promesso quando pensavo che stessimo per sposarci!»

Improvvisamente l'orchestra attacca la Marcia nuziale e una squadra di addetti allontana gli ospiti.

«Vai» dice una voce gracchiante e quasi sintetica. «Comincia a camminare.»

Da dove viene? Sono i fiori che mi stanno parlando?

All'improvviso noto un minuscolo altoparlante fissato a un bocciolo di rosa. Robyn mi ha nascosto un altoparlante nel bouquet?

«Sposo e sposa, avanti! Muovetevi!»

«Okay» dico ai fiori. «Andiamo.»

Afferro saldamente il braccio di Luke e comincio a camminare lungo la passatoia, ripercorrendo la foresta incantata.

«Non siamo sposati» sta dicendo Luke, con aria incredula. «Una maledettissima foresta incantata, quattrocento ospiti, un abito bianco e non siamo sposati.»

«Sshh!» dico, seccata. «Non lo dire a nessuno! Mi avevi promesso che anche se le cose ti fossero sembrate un po' strane avresti fatto finta di niente. Be', è venuta l'ora di mantenere la promessa.»

Mentre avanziamo a braccetto, raggi di sole filtrano tra i rami della foresta, punteggiando il pavimento di luce. All'improvviso si sente un ronzio e, con mia grande sorpresa, i rami cominciano a ritirarsi, scoprendo un gioco di arcobaleni sul soffitto. Un coro celestiale inizia a cantare e dal cielo scende una nuvola vaporosa sulla quale sono posate due grasse colombe rosa.

Oh, Dio. Mi scappa da ridere. Questo è davvero troppo. Sono questi i piccoli dettagli di cui parlava Robyn?

Guardo Luke e vedo che anche la sua bocca ha dei tremiti sospetti.

«Cosa ne pensi della foresta?» chiedo. «È bella, vero? Le betulle sono arrivate direttamente dalla Svizzera.»

«Davvero?» dice Luke. «E le colombe da dove vengono?» aggiunge, osservandole. «Mi sembrano un po' grosse per delle colombe. Forse sono tacchini.»

«Non sono tacchini!»

«Io adoro il tacchino.»

«Luke, smettila» mormoro, cercando disperatamente di non scoppiare a ridere. «Sono colombe.»

Passiamo davanti a file e file di invitati vestiti con eleganza, e tutti ci sorridono cordiali, tranne le ragazze, troppo impegnate a farmi la radiografia newyorchese.

«Chi diavolo è tutta questa gente?» dice Luke, scrutando le file di sconosciuti sorridenti.

«Non ne ho idea» rispondo, stringendomi nelle spalle. «Credevo che tu ne conoscessi almeno qualcuno.»

Arriviamo in fondo alla sala per un'ultima serie di fotografie, e Luke mi guarda perplesso.

«Becky, i miei genitori non sono qui. E neanche i tuoi.»

«Mmm... no, non ci sono.»

«Niente familiari. Niente anello. E non siamo sposati.» Si interrompe. «Dimmi che sono pazzo... ma non era così che immaginavo il nostro matrimonio.»

«Questo non è il nostro matrimonio» gli dico, e lo bacio a beneficio delle macchine fotografiche.

Non riesco ancora a credere di averla fatta franca. Nessuno ha detto nulla. Nessuno ha dubitato di nulla. Un paio di persone mi hanno chiesto di vedere l'anello e io gli ho mostrato velocemente la fascia dell'anello di fidanzamento, girato.

Abbiamo mangiato sushi e caviale. Abbiamo consumato una splendida cena di quattro portate. Abbiamo brindato. Tutto è andato secondo i piani. Abbiamo tagliato la torta con una spada d'argento tra gli applausi dei presenti, poi il complesso ha attaccato *The Way You Look Tonight* e Luke mi ha condotto sulla pista da ballo dove abbiamo aperto le danze. Questo è uno dei momenti che ricorderò per sempre. Un turbine di bianco, di oro, di luci, di musica, le braccia di Luke intorno a me, la testa leggera per lo champagne, la consapevolezza che quello era il culmine e presto tutto sarebbe finito.

Ora la festa è in pieno svolgimento. Il complesso sta suonando un pezzo jazz che non conosco, e la pista è piena zeppa. Tra la folla di estranei ben vestiti colgo qualche volto familiare. Christina balla con il suo fidanzato mentre Erin chiacchiera con uno dei testimoni. E c'è anche Laurel, che balla scatenata con... Michael!

Però. Non sarebbe una brutta idea.

«Allora, indovina quante persone mi hanno chiesto il biglietto da visita?» mi dice una voce all'orecchio. Mi volto e vedo Danny, trionfante, un bicchiere di champagne in mano e la sigaretta tra le labbra. «Almeno venti. Una voleva addirittura che le prendessi le misure, qui, seduta stante. Tutti dicono che il vestito è favoloso. E quando ho detto che ho lavorato con John Galliano...»

«Danny, tu non hai mai lavorato con John Galliano!»

«Gli ho portato una tazza di caffè, una volta» ribatte, sulla difensiva. «E lui mi ha ringraziato. In un certo senso si è trattato di un incontro artistico...»

«Se lo dici tu» dico con un sorriso. «Sono felice per te.»

«Allora, ti diverti?»

«Certo!»

«Tua suocera è nel suo elemento.»

Ci voltiamo a guardare Elinor, seduta al tavolo d'onore, circondata da signore elegantissime. Le sue guance hanno un leggero colorito e non l'ho mai vista così animata. Indossa un abito lungo verde pallido molto chic, e una quantità esagerata di diamanti. Sembra la reginetta del ballo. E in un certo senso lo è. Questi sono i suoi amici, questa è la sua festa, non la festa mia e di Luke. È uno spettacolo magnifico, uno splendido evento cui essere invitati.

Perché è così che mi sento io, un'invitata.

Un gruppo di donne mi passa accanto chiacchierando e io colgo qualche frammento di conversazione.

«Spettacolare...»

«Così fantasioso...»

Sorridono a me e a Danny, e io ricambio, ma la mia espressione è un po' fissa. Sono stanca di sorridere a gente che non conosco.

«È un matrimonio fantastico» dice Danny, guardandosi attorno. «Davvero spettacolare. Anche se non rispecchia pienamente il tuo modo di essere.»

«Davvero? Cosa te lo fa dire?»

«Non sto dicendo che non è fantastico. È fastoso, ben ideato ma... non è così che immaginavo il tuo matrimonio. Evidentemente mi sbagliavo» si affretta ad aggiungere, vedendo la mia espressione.

Osservo la sua faccia animata, comica, innocente. Oh, Dio. Devo dirglielo. Non posso non dirlo a Danny.

«Danny, c'è una cosa che dovresti sapere» dico, bisbigliando.

«Cosa?»

«A proposito di questo matrimonio...»

«Salve, ragazzi!»

Mi interrompo con un leggero senso di colpa e mi volto, ma è soltanto Laurel, tutta accaldata e felice per il ballo.

«Una festa fantastica, Becky» mi dice. «E che complesso! Cristo, avevo dimenticato quanto mi piace ballare.»

La guardo, leggermente attonita.

«Laurel, non si rimboccano le maniche di un vestito di Yves Saint Laurent da mille dollari.»

«Avevo caldo» risponde lei, stringendosi nelle spalle divertita. «Ora, Becky, mi dispiace tanto dovertelo dire...» e qui abbassa la voce, «ma presto dovrai andare.»

«Già?» Istintivamente faccio per guardare l'orologio, ma non lo porto.

«La macchina aspetta fuori» dice Laurel. «L'autista conosce tutti i dettagli e arrivati al Kennedy ti indicherà dove dirigervi. Per gli aerei privati le procedure sono diverse, ma dovrebbe essere tutto molto semplice e veloce. Se c'è qualche problema, chiamami.» La sua voce si abbassa fino a diventare un sussurro. Lancio un'occhiata a Danny, lì accanto, che finge di non ascoltare. «Dovresti arrivare in Inghilterra più che in tempo. Spero tanto che vada tutto alla perfezione.»

Tendo le mani e la abbraccio forte.

«Laurel, sei una stella» mormoro. «Non so cosa dire.»

«Becky, credimi, non è niente. Dopo quello che hai fatto per me, avresti potuto chiedermi dieci aerei, non uno.» Mi abbraccia e poi guarda l'orologio. «Sarà meglio che tu vada a cercare Luke. Ci vediamo tra poco.»

Dopo che si è allontanata, segue un breve ma intenso silenzio.

«Becky, ho sentito male, o ha detto aereo privato?» chiede Danny.

«Mmm, sì.»

«Parti con un aereo privato?»

«Sì» rispondo, cercando di apparire naturale. «È il regalo di nozze di Laurel.»

«Ha scelto il jet privato?» esclama Danny scuotendo la testa. «Accidenti! Pensavo di regalartelo io. Quello o la frusta elettrica...»

«Stupido! Laurel è presidente di una compagnia aerea.»

«Gesù! Un aereo privato. E dove siete diretti? O è ancora segreto?» Lo osservo mentre tira una boccata di fumo, e all'improvviso provo un grande affetto per lui.

Non voglio solo rivelare a Danny ciò che sta accadendo, voglio che ne sia parte.

«Danny? Hai con te il passaporto?»

Mi ci vuole un po' a trovare Luke. È bloccato da due uomini di affari, e come mi vede ne approfitta per congedarsi. Facciamo il giro del salone affollato, salutando tutti gli ospiti che conosciamo e ringraziandoli per essere venuti. A essere sinceri, non ci vuole molto.

Infine, ci avviciniamo al tavolo d'onore e interrompiamo Elinor con la massima discrezione possibile.

«Mamma, noi andiamo» dice Luke.

«Adesso?» dice Elinor, accigliata. «Ma è troppo presto.»

«Be'... noi andiamo.»

«Grazie per il magnifico matrimonio» dico, con sincerità. «È stato davvero grandioso, anche a detta di tutti i presenti.» Mi chino a baciarla. «Addio.»

Perché ho la forte sensazione che non la rivedrò mai più?

«Addio Becky» dice la solita formalità. «Addio Luke.»

«Addio, mamma.»

Si guardano e per un istante ho l'impressione che Elinor stia per aggiungere qualcosa. Invece, si sporge in avanti, compassata, e bacia Luke sulla guancia.

«Becky!» dice qualcuno, battendomi sulla spalla. «Becky, non te ne starai già andando!» È Robyn, tutta agitata.

«Mmm... sì. Noi andiamo. Grazie per tutto quello che...»

«Ma non puoi andartene!»

«Non se ne accorgerà nessuno» ribatto, lanciando un'occhiata alla sala.

«Ma devono accorgersene! Abbiamo preparato un'uscita, ricordi? I petali di rose, la musica...»

«Be', potremmo rinunciare all'uscita...»

«Rinunciare all'uscita?» Robyn mi fissa, sbalordita. «Ma stai scherzando? Orchestra!» ordina nell'auricolare. «Via con *Some Day*. Mi sentite? Via con *Some Day*.» Poi solleva la ricetrasmittente. «Cabina luci. Pronti coi petali di rosa.»

«Robyn, davvero, noi vorremmo andarcene senza farci notare.»

«Le mie spose non se ne vanno senza farsi notare! Fanfara, procedere» mormora nell'auricolare. «Cabina luci, preparare proiettori per l'uscita.»

Si sente un improvviso squillo di trombe e gli ospiti che stanno ballando si fermano di colpo. Le luci da discoteca lasciano il posto a un chiarore rosa diffuso e il complesso inizia a suonare *Some Day my Prince Will Come*.

«Bella Addormentata e Principe, via!» dice Robyn dandomi una piccola spinta. «Avanti! Uno, due, tre... uno, due, tre...»

Luke e io ci scambiamo un'occhiata e ci avviamo verso la pista da ballo, dove gli ospiti si fanno da parte per lasciarci passare. La musica ci circonda, un occhio di bue segue il nostro cammino e, all'improvviso, dal soffitto cominciano a cadere petali di rosa.

A dire il vero, è molto bello. Tutti ci sorridono, e, passando, colgo qualche esclamazione di sorpresa. La morbida luce rosa mi fa sentire dentro un arcobaleno, mentre i petali profumatissimi ci piovono sulla testa e sulle braccia, per poi scivolare a terra. Luke e io ci scambiamo un sorriso, e noto che ha un petalo fra i capelli...

«Ferma!»

Quella voce è come un pugno allo stomaco.

La doppia porta si è spalancata e ferma sulla soglia c'è lei, con un tailleur nero e gli stivali più a punta che abbia mai visto.

La strega cattiva in carne e ossa.

Tutti si voltano a guardare, mentre l'orchestra pian piano si interrompe.

«Alicia?» dice Luke, sbigottito. «Cosa ci fai tu qui?»

«Come procede il matrimonio, Luke?» dice lei, con un ghigno malevolo.

Avanza di qualche passo nella sala, e vedo gli ospiti ritrarsi per lasciarla passare.

«Entra» dico in fretta. «Vieni a festeggiare con noi. Ti avremmo invitato...»

«So bene cosa stai facendo, Becky.»

«Stiamo celebrando un matrimonio» ribatto, cercando di sembrare leggera e spensierata. «Non ci vuole molto a indovinarlo!»

«So esattamente cosa stai facendo. Ho degli amici nel Surrey. E sono andati a controllare.» Mi guarda negli occhi, trionfante, e io avverto un brivido lungo la schiena.

No.

Ti prego, no.

Non proprio adesso che ero così vicina alla fine.

«Io credo che tu abbia un piccolo segreto che hai tenuto nascosto ai tuoi ospiti.» Alicia assume un'espressione di rimprovero. «E questo non è carino.»

Non riesco a muovermi. Non riesco a respirare. Ho bisogno delle mie fatine buone. Presto.

Laurel mi lancia uno sguardo terrorizzato.

Christina posa il bicchiere di champagne.

«Codice rosso. Codice rosso» dice la voce stridula di Robyn dal bouquet. «Emergenza. Codice rosso.»

Ora Alicia sta facendo il giro della pista da ballo, prendendosela comoda, godendosi l'attenzione dei presenti.

«La verità è» prosegue affabile «che questa è una finta. Non è così, Becky?»

Il mio sguardo vola oltre le sue spalle. Due nerboruti assistenti vestiti da DJ si stanno avvicinando alla pista da ballo. Ma non riusciranno mai ad arrivare in tempo. E io sarò rovinata.

«È tutto così bello. Così romantico.» La sua voce si fa improvvisamente più aspra. «Ma forse a questa gente farebbe piacere sapere che questo perfetto matrimonio al Plaza in realtà è una completa... aargh!» La voce di Alicia si alza fino a diventare uno strillo. «Mettimi giù!»

Non ci posso credere. Luke.

Si è avvicinato a lei con calma e l'ha sollevata di peso, gettandosela su una spalla. E ora la sta portando fuori come fosse una bambina capricciosa.

«Mettimi giù!» urla lei. «Qualcuno mi aiuti!»

Ma l'ilarità sta cominciando a serpeggiare tra gli ospiti. Alicia sferra calci con i suoi stivali appuntiti, Luke inarca le sopracciglia, ma non si ferma.

«È tutta una farsa!» urla lei, sulla porta. «È una farsa. Non sono realmente...»

La porta si richiude con un tonfo. Segue un silenzio attonito. Nessuno si muove, neppure Robyn. Poi, lentamente, la porta si riapre e ricompare Luke, che si pulisce le mani sfregandole una contro l'altra.

«Non mi sono mai piaciuti gli intrusi» osserva, ironico.

«Bravo» esclama una donna che non conosco. Luke fa un leggero inchino e tutti scoppiano in una risata liberatoria, seguita da uno scroscio di applausi.

Il cuore mi batte così forte che non sono certa di potermi reggere sulle gambe. Quando Luke torna da me, cerco la sua mano e lui stringe forte la mia. Voglio andarmene. Voglio andarmene subito.

Nella sala si leva un vocio sorpreso e, grazie al cielo, mi giungono parole come "squilibrata" e "gelosa". Una donna vestita Prada dalla testa ai piedi sta dicendo, tutta allegra: «Sapete, al nostro matrimonio è accaduta la stessa identica cosa».

Oh, Dio. E ora arrivano Elinor e Robyn, una accanto all'altra, come le due regine di *Alice nel paese delle meraviglie*.

«Sono così dispiaciuta!» dice Robyn, arrivandomi vicina. «Non lasciare che questa cosa ti turbi, cara. È solo una povera ragazza invidiosa.»

«Chi era quella?» chiede Elinor, corrucciata. «La conoscevi?»

«Una mia ex cliente insoddisfatta» risponde Robyn. «Alcune di queste ragazze diventano davvero cattive. Non ho idea di cosa gli prenda! Un minuto sono tutte miele, quello dopo ti trascinano in tribunale. Non ti preoccupare, Becky. Rifacciamo l'uscita. Attenzione, orchestra» ordina. «Riprendere da *Some Day*, al mio via. Cabina luci, pronti con i petali di emergenza.»

«Hai dei petali di emergenza?» chiedo, incredula.

«Cara, io penso sempre a tutto» risponde lei, facendomi l'occhiolino. «È a questo che servono le wedding planner.»

«Robyn» dico, con sincerità, «credo proprio che tu ti sia guadagnata fino all'ultimo centesimo.» La abbraccio e la bacio. «Addio. Addio, Elinor.»

La musica invade nuovamente la sala e noi riprendiamo a camminare, mentre dal soffitto scendono altri petali di rose. Devo ammettere che Robyn ci sa proprio fare. La gente si affolla intorno a noi e applaude e... è la mia immaginazione, o sembrano tutti un po' più cordiali, dopo l'incidente con Alicia? In fondo alla fila vedo Erin che si sporge in avanti e lancio il bouquet tra le sue mani tese.

E poi usciamo.

Le pesanti doppie porte si richiudono alle nostre spalle e ci ritroviamo in un elegante corridoio silenzioso e deserto, a parte due buttafuori, che fissano diligentemente il vuoto.

«Ce l'abbiamo fatta» dico, ridendo euforica per il sollievo. «Luke, ce l'abbiamo fatta!»

«Così pare» dice Luke annuendo. «Siamo stati bravi. E ora, ti dispiacerebbe dirmi cosa diavolo sta succedendo?»

21

Laurel ha organizzato tutto alla perfezione. L'aereo ci aspettava al Kennedy e siamo atterrati a Gatwick verso le otto del mattino, dove ci attendeva una macchina. Ora stiamo sfrecciando attraverso il Surrey alla volta di Oxshott. E presto arriveremo. Non riesco a credere che sia filato tutto così liscio.

«Ovviamente, tu sai qual è il tuo più grosso errore» dice Danny, allungandosi voluttuoso sul sedile di pelle della Mercedes.

«Quale?» chiedo, alzando lo sguardo dal telefono.

«Fermarsi a due matrimoni. Visto che hai deciso di farne più di uno, perché non tre? Perché non sei? Sei feste...»

«Sei abiti...» dice Luke.

«Sei torte...»

«Oh, ora basta!» esclamo, indignata. «Non l'ho fatto apposta, lo sapete benissimo! È... successo.»

«È successo» ripete Danny, prendendomi in giro. «Becky, non c'è bisogno che tu finga con noi. Tu volevi poter indossare due vestiti. Non c'è niente di male.»

«Danny, sono al telefono...» Guardo fuori dal finestrino. «Okay, Suze, dovremmo essere a dieci minuti da lì.»

«Non riesco a credere che tu ce l'abbia fatta» dice Suze dall'altra parte. «Non riesco a credere che abbia funzionato! Mi viene voglia di andare a raccontarlo a tutti!»

«Vedi di non farlo.»

«Ma è così incredibile! Pensare che ieri sera eri al Plaza e ora...» Si blocca, improvvisamente allarmata. «Ehi, non è che per caso indossi ancora l'abito da sposa, vero?»

«Certo che no!» rispondo ridendo. «Non sono mica così stupida. Ci siamo cambiati sull'aereo.»

«È com'è stato?»

«Oh, fantastico! Davvero, Suze, d'ora in poi viaggerò solo su un jet Lear.»

È una giornata limpida e soleggiata e, guardando i campi fuori dal finestrino, mi sento travolgere dalla felicità. Non riesco ancora a credere che ogni cosa sia andata a posto. Dopo tutti questi mesi di ansie e preoccupazioni. Siamo in Inghilterra. C'è il sole. E stiamo per sposarci.

«Sai, sono un tantino preoccupato» dice Danny guardando fuori. «Dove sono i castelli?»

«Qui siamo nel Surrey» spiego. «Qui non ci sono castelli.»

«E dove sono i soldati con la pelle d'orso sulla testa?» Strizza gli occhi. «Becky, sei sicura che siamo in Inghilterra? Sei sicura che il pilota conoscesse la strada?»

«Sicurissima» rispondo, prendendo il rossetto.

«Mah!» esclama lui, dubbioso. «A me questa sembra la Francia.»

Ci fermiamo a un semaforo e lui abbassa il finestrino.

«*Bonjour*» dice a una passante attonita, «*comment allez-vous?*»

«Non saprei» risponde la donna e si affretta ad attraversare la strada.

«Lo sapevo» dice Danny. «Becky, odio darti questa notizia... ma siamo in Francia.»

«Siamo a Oxshott, stupido» ribatto. «Oh, Dio. Questa è la nostra via.»

Nel vedere il familiare cartello stradale provo una morsa allo stomaco. Siamo quasi arrivati.

«Okay» dice l'autista. «Elton Road. Che numero?»

«Numero 43. Quella casa laggiù» rispondo, «quella con i palloncini, le bandiere e i festoni argentati sugli alberi...»

Accidenti. Sembra un luna park. Sull'ippocastano davanti a casa un uomo sta sistemando fili di luci tra i rami, sul vialetto è parcheggiato un furgone bianco, e alcune donne in uniforme verde e bianca entrano ed escono come razzi.

«In ogni caso, pare che ti stiano aspettando» commenta Danny. «Come ti senti?»

«Bene» rispondo. È assurdo, ma mi trema la voce.

La macchina si ferma, subito seguita dall'altra auto che ci segue con i bagagli.

«Quello che non capisco» dice Luke, osservando l'attività frenetica, «è come hai fatto a spostare il matrimonio di un giorno intero. Con sole tre settimane di preavviso. Voglio dire, il rinfresco, il complesso, operai di ditte diverse...»

«Luke, questa non è Manhattan» rispondo, aprendo la portiera. «Vedrai.»

Mentre scendiamo, la porta d'ingresso si spalanca ed esce la mamma. Indossa calzoni a quadri e una felpa con la scritta MAMMA DELLA SPOSA.

«Becky!» esclama, correndo verso di me per abbracciarmi.

«Mamma» dico, ricambiando il suo abbraccio. «È tutto a posto?»

«Tutto sotto controllo. Almeno credo» risponde un po' affannata. «Abbiamo avuto un problema con i mazzolini centrotavola, ma, incrociamo le dita, dovrebbero arrivare entro breve... Luke, come stai? Com'è andato il convegno?»

«È... è andato bene» dice lui. «Molto bene, grazie. Mi spiace aver causato tanti problemi con i preparativi del matrimonio...»

«Oh, figuriamoci!» dice la mamma. «Devo ammettere che quando Becky mi ha telefonato sono rimasta un po' sconcertata. Ma alla fine non è stato poi così difficile. La maggior parte degli ospiti si sarebbe fermata comunque anche per lo spuntino del giorno dopo. E Peter è stato molto comprensivo. Ha detto che solitamente non celebra matrimoni la domenica, ma che in questo caso avrebbe fatto un'eccezione...»

«Ma... il rinfresco? Non era prenotato per ieri?»

«Oh, a Lulu non importa. Non è vero, Lulu?» dice, rivolta a una delle donne in uniforme a righe verdi e bianche.

«No!» risponde Lulu. «Certo che no. Ciao, Becky! Come stai?»

Oh, mio Dio! È la Lulu che mi vendeva i *brownies*, i biscotti al cioccolato.

«Ciao! Non sapevo che organizzassi rinfreschi.»

«Oh, be'...» risponde lei, con aria modesta. «Lo faccio solo per tenermi occupata, ora che i bambini sono cresciuti.»

«Sai, Aaron, il figlio di Lulu, suona nel complesso!» mi spiega la mamma, orgogliosa. «È alle tastiere. E sono proprio bra-

vi. Hanno provato un sacco di volte *Unchained Melody* espressamente...»

«Assaggia un po' questo» dice Lulu, infilando una mano sotto la carta argentata che copre un vassoio e prendendo un canapè. «È il nostro nuovo fagottino di pasta filo alla thailandese. Siamo molto orgogliosi. Sai, ora la pasta filo va molto di moda.»

«Davvero?»

«Oh, sì» risponde Lulu, come una che è ben informata. «Nessuno vuole più le tartine di pasta brisée. I vol-au-vent, poi...» Fa una smorfia. «Passati.»

«Come ha ragione» osserva Danny, vivace. «I vol-au-vent sono storia. Sono morti e sepolti. Posso chiederle cosa ne pensa degli involtini di asparagi?»

«Mamma, questo è Danny» mi affretto a dire. «Il mio vicino, ricordi?»

«Signora B, è un onore conoscerla» dice Danny, chinandosi per il baciamano. «Non le dispiace che abbia accompagnato Becky?»

«Certo che no!» dice la mamma. «Più siamo, meglio è! E ora venite a vedere il gazebo.»

Quando arriviamo in giardino resto a bocca aperta. Sul prato è stato montato un grande gazebo a righe bianche e argento. In tutte le aiuole c'è scritto "Becky e Luke" con le viole del pensiero. Tutti gli alberi e tutti i cespugli sono disseminati di lampioncini veneziani. Un giardiniere in tuta sta lucidando una fontana di granito nuova, un altro sta spazzando la veranda e sotto il gazebo vedo un gruppetto di donne di mezza età sedute in cerchio, con dei taccuini in mano.

«Janice sta dando le ultime istruzioni alle ragazze» dice la mamma sottovoce. «Sai, è molto presa da questo gioco dell'organizzazione del matrimonio. Sta pensando di mettersi a farlo seriamente, come professione.»

«Dunque» sta dicendo Janice mentre ci avviciniamo, «i petali di rose d'emergenza saranno in un cesto d'argento accanto alla colonna A. Se volete annotarlo sulle vostre piantine...»

«Sai, credo proprio che avrà successo» dico, osservandola.

«Betty e Margot, voi potreste prendervi cura dei fiori da mettere all'occhiello. Annabel, tu potresti occuparti dei...»

«Mia madre?» dice Luke, sbirciando incredulo sotto il gazebo.

Oh, mio Dio! Ma quella è Annabel! È la matrigna di Luke, seduta insieme alle altre.

«Luke!» Annabel si gira e il suo volto si illumina di gioia. «Janice, vuoi scusarmi un momento?»

Corre verso di noi e stringe Luke in un abbraccio fortissimo. «Sei qui! Sono così felice di vederti.» Poi lo scruta con aria preoccupata. «Stai bene, tesoro?»

«Sto bene» risponde lui. «Almeno credo. Sai, sono successe tante cose...»

«Sì, ho saputo» dice Annabel, lanciandomi un'occhiata. «Becky!» Allunga una mano e abbraccia anche me. «Con te voglio fare una lunga chiacchierata, più tardi» mi sussurra all'orecchio.

«Stai dando una mano per i preparativi?» dice Luke a sua madre.

«Oh, qui siamo tutti una squadra» dice la mamma, allegra. «Annabel è diventata una di noi!»

«Dov'è papà?» chiede Luke, guardandosi attorno.

«È andato a prendere degli altri bicchieri con Graham» risponde la mamma. «Quei due si sono proprio trovati. Per caso qualcuno vuole una tazza di caffè?»

«Andate molto d'accordo coi genitori di Luke» osservo, seguendo la mamma in cucina.

«Oh, sono fantastici!» risponde lei, felice. «Davvero simpatici. Ci hanno già invitati ad andarli a trovare nel Devon. È gente normale, gentile, coi piedi per terra. Non come quella... donna.»

«No. Sono molto diversi da Elinor.»

«Non sembrava affatto interessata al matrimonio» prosegue la mamma, con aria indignata. «Sai, non ha neppure risposto all'invito.»

«Davvero?»

Accidenti. Eppure ero convinta di aver scritto una risposta a nome di Elinor.

«L'hai vista spesso, di recente?» chiede la mamma.

«Mmm... no. Non spesso.»

Saliamo di sopra con un vassoio col caffè che portiamo nella camera da letto della mamma. Aprendo la porta vedo Suze e Danny seduti sul letto, con Ernie sdraiato in mezzo, che si lecca un piedino. E, appeso all'anta del guardaroba, l'abito da sposa della mamma, più bianco e più pieno di volant che mai.

«Suze!» esclamo, abbracciandola. «E il magnifico Ernie! Com'è cresciuto...» Mi chino a baciarlo e lui mi rivolge un gran sorriso sdentato.

«Ce l'hai fatta» dice Suze, sorridendomi. «Brava, Bex.»

«Mrs B, Suze mi stava mostrando il suo abito da sposa, il cimelio di famiglia» dice Danny, inarcando le sopracciglia verso di me. «È davvero unico.»

«Ah, questo abito è stato miracolato» dice la mamma felice. «Credevamo che fosse rovinato per sempre, e invece la macchia di caffè è venuta via!»

«Un miracolo davvero!» osserva Danny.

«E questa mattina, il piccolo Ernie gli ha buttato sopra la mela grattuggiata...»

«Oh, davvero?» dico, lanciando un'occhiata a Suze, che arrossisce leggermente.

«Ma fortunatamente l'avevo coperto con un cellophane!» aggiunge la mamma. Prende l'abito e sistema i volant, con gli occhi rossi per l'emozione. «Ho sognato così tanto questo momento! Becky che indossa il mio abito da sposa. Sono una sciocca, vero?»

«Non sei una sciocca» rispondo, abbracciandola. «I matrimoni sono fatti anche di questo.»

«Signora Bloomwood, Becky mi aveva descritto l'abito» dice Danny. «E sinceramente devo dire che non gli aveva reso giustizia, ma non le dispiace se faccio qualche piccola modifica, vero?»

«Niente affatto!» risponde la mamma, lanciando uno sguardo all'orologio. «Be', io devo andare. Devo ancora recuperare quei centritavola.»

Appena la porta si chiude, Danny e Suze si scambiano un'occhiata.

«Okay» dice Danny. «Cosa facciamo con questo?»

«Tanto per cominciare potresti togliere le maniche» risponde Suze. «E tutti i volant dal corpino.»

«Insomma, quanto ne dobbiamo tenere? Becky, tu cosa ne pensi?» chiede, alzando gli occhi verso di me.

Non rispondo. Sto guardando fuori dalla finestra. Vedo Luke e Annabel che passeggiano in giardino, le teste vicine, e parlano fitto fitto. E poi c'è la mamma che parla animatamente con Janice, e indica il ciliegio in fiore.

«Becky?» ripete Danny.

«Non toccarlo» rispondo, voltandomi.

«Cosa?»

«Non fare niente.» Sorrido nel vedere l'espressione sgomenta di Danny. «Lascialo com'è.»

Alle tre meno dieci sono pronta. Indosso l'abito-salsiccia; il trucco è opera di Janice, "Sposa radiosa di primavera", leggermente sfumato con un fazzoletto imbevuto d'acqua. Nei capelli ho la ghirlanda di garofani rosa e gisofila che mamma ha ordinato con il bouquet. L'unico dettaglio elegante sono le scarpe di Christian Louboutin, che però non si vedono.

Ma non mi interessa. Il mio aspetto è esattamente quello che volevo.

Abbiamo scattato le foto accanto al ciliegio in fiore e mamma ha pianto, sciogliendo il trucco "Eleganza d'estate" e ha dovuto farsi fare qualche ritocco. Ora tutti sono andati in chiesa. Restiamo solo io e papà.

«Pronta?» mi chiede, quando vede una Rolls-Royce bianca percorrere silenziosa il vialetto.

«Credo di sì» dico, con voce tremante.

Sto per sposarmi. Sto davvero per sposarmi.

«Pensi che stia facendo la cosa giusta?» dico, scherzando solo in parte.

«Oh, direi di sì.» Papà si guarda nello specchio dell'attaccapanni a parete e si aggiusta la cravatta di seta. «Ricordo che il primo giorno che ho conosciuto Luke, ho detto a tua madre: "Questo ragazzo terrà testa a Becky".» Incrocia il mio sguardo nello specchio. «Avevo ragione, tesoro? Ti tiene testa?»

«Non del tutto» rispondo con un gran sorriso. «Ma è sulla buona strada.»

«Bene.» Papà ricambia il sorriso. «Probabilmente è il massimo che tu possa sperare.»

L'autista suona il campanello. Vado ad aprire e guardo la

faccia sotto il berretto a visiera. Non ci posso credere. È Clive, il mio vecchio istruttore di guida.

«Clive! Come sta?»

«Becky Bloomwood!» esclama. «Ma guarda! Becky Bloomwood che si sposa! Allora, l'avevi poi passato l'esame?»

«Ehm... sì, alla fine.»

«Chi l'avrebbe mai detto?» prosegue, scuotendo la testa, meravigliato. «Ricordo che tornavo a casa da mia moglie e le dicevo: "Se quella ragazza passa l'esame, mi faccio frate". E poi, ovviamente, quando è venuto il momento...»

«Be', è andata...»

«Quell'esaminatore disse che non aveva mai visto niente del genere. Il tuo futuro marito ti ha mai visto guidare?»

«Sì.»

«E vuole ancora sposarti?»

«Sì!» rispondo, seccata.

Insomma! Questo è il giorno del mio matrimonio. Non dovrei essere costretta a ripensare a quegli stupidi esami di guida di tanti anni fa.

«Andiamo?» chiede papà, con molto tatto. «Salve, Clive. È un piacere rivederla.»

Usciamo sul vialetto e, arrivata alla macchina, mi volto a guardare la casa. Quando la rivedrò sarò una donna sposata. Faccio un respiro profondo e salgo in auto.

«Fermaaa!» grida una voce. «Becky, fermati!»

Mi blocco, terrorizzata, un piede già dentro l'auto. Cos'è successo? Chi l'ha scoperto? Cosa sanno?

«Non posso lasciartelo fare!»

Cosa? Non ha senso. Tom Webster, il nostro vicino, sta correndo verso di noi in tight. Ma cos'ha nella testa? Dovrebbe essere in chiesa ad accogliere gli invitati.

«Becky, non posso restarmene lì a guardare» dice, senza fiato, appoggiando una mano sulla Rolls-Royce. «Questo potrebbe essere l'errore più grosso della tua vita. Non ci hai riflettuto abbastanza.»

Oh, per l'amor del cielo!

«Sì che ci ho riflettuto» ribatto, cercando di spingerlo via con il gomito, ma lui mi afferra per la spalla.

«L'ho capito la notte scorsa. Noi apparteniamo l'uno all'altra. Pensaci, Becky. Tu e io. Ci conosciamo da una vita. Siamo cresciuti insieme. Forse ci abbiamo messo un po' a capire i veri sentimenti che nutriamo l'uno per l'altra, ma non meritiamo una possibilità?»

«Tom, io non nutro sentimenti per te» rispondo. «E tra due minuti mi sposo. Quindi, ti spiace toglierti di mezzo?»

«Tu non sai in che pasticcio ti stai cacciando! Tu non hai idea di cosa sia realmente il matrimonio! Becky, dimmelo sinceramente. Davvero vuoi passare il resto della tua vita con Luke? Giorno dopo giorno, notte dopo notte? Ora dopo interminabile ora?»

«Sì!» esclamo, perdendo la pazienza. «Sì! Io amo Luke e voglio passare il resto della mia vita con lui! Tom, c'è voluto un sacco di tempo, di sforzi e di preoccupazioni per arrivare a questo momento. Più di quanti tu possa immaginare. E se non ti togli subito di mezzo, e non mi lasci andare al mio matrimonio... ti ammazzo.»

«Tom» si intromette papà, «credo che la risposta sia no.»

«Oh.» Tom resta in silenzio per un attimo. «Be'... okay.» Si stringe nelle spalle, imbarazzato. «Scusa.»

«Tu non hai mai avuto tempismo, Tom Webster» dice Clive, sprezzante. «Ricordo ancora la prima volta che ti sei immesso in una rotatoria. Per poco non ci facevi ammazzare tutti e due!»

«È tutto a posto. Nessun problema. Adesso, possiamo andare?» dico, salendo in macchina. Poi mi aggiusto l'abito e papà sale accanto a me.

«Tom, vuoi un passaggio fino alla chiesa?»

«Oh, grazie. Sarebbe fantastico. Salve Graham» dice a mio padre impacciato, e poi si siede. «Scusa per prima.»

«Tutto a posto, Tom» risponde mio padre, dandogli una pacca sulla schiena. «Tutti noi abbiamo i nostri momenti no.» Mi fa una smorfia da dietro la testa di Tom e io soffoco una risatina.

«Allora, siamo a posto?» dice Clive, voltandosi a guardarci. «Qualche ripensamento? Qualche altra dichiarazione d'amore dell'ultimo minuto? Qualche inversione di marcia?»

«No!» rispondo. «Non c'è altro. Andiamo!»

Quando arriviamo alla chiesa, le campane stanno suonando, il sole splende e un'ultima coppia di invitati sta entrando di corsa. Tom apre la portiera e si precipita nel vialetto senza neppure voltarsi a guardare, e io sistemo lo strascico tra gli sguardi ammirati dei passanti.

Dio, quant'è divertente essere una sposa! Mi mancherà.

«Pronta?» dice papà, porgendomi il bouquet.

«Credo di sì» rispondo, con un sorriso, e prendo il braccio che lui mi porge.

«Buona fortuna» dice Clive, poi fa un cenno col capo in direzione della strada. «C'è una coppia di ritardatari.»

Un taxi nero si sta fermando davanti alla chiesa e le portiere posteriori si spalancano di colpo. Fisso incredula la scena, chiedendomi se per caso non sto sognando. Per primo scende Michael, ancora con lo smoking che indossava al Plaza. Allunga una mano dentro il taxi e un attimo dopo compare Laurel, con il vestito di Yves Saint Laurent con le maniche rimboccate.

«Non stare ad aspettare noi!» dice. «Ci infileremo in chiesa in qualche modo...»

«Ma... ma cosa accidenti ci fate qui?»

«Ehi, parla bene» dice Clive con aria di rimprovero.

«A cosa serve far volare un centinaio di jet privati se non puoi andare dove ti pare?» risponde Laurel, venendo ad abbracciarmi. «Abbiamo deciso che volevamo essere presenti al vostro matrimonio.»

«Al matrimonio vero» aggiunge Michael, parlandomi all'orecchio. «Complimenti, Becky.»

Quando anche loro sono entrati in chiesa, papà e io ci avviamo lungo il vialetto, in fondo al quale Suze ci aspetta tutta emozionata. Indossa un abito blu argento e tiene in braccio Ernie, con un pagliaccetto della stessa stoffa. Sbirciando dentro la chiesa vedo i volti dei miei familiari, dei miei vecchi amici, di tutti i parenti e gli amici di Luke. Seduti gli uni accanto agli altri, emozionati, felici, impazienti.

L'organo smette di suonare; io sento una fitta di agitazione.

Finalmente ci siamo. Sto per sposarmi. Per davvero.

Poi attacca la Marcia nuziale. Papà mi stringe appena il braccio e cominciamo ad avanzare lungo la navata.

22

Siamo sposati.

Siamo sposati per davvero.

Abbasso lo sguardo sulla vera lucente che Luke mi ha messo al dito in chiesa. Poi mi guardo attorno. Il gazebo scintilla nel crepuscolo estivo, il complesso suona una scalcagnata versione di *Smoke Gets in Your Eyes*, e gli ospiti stanno ballando. Forse la musica non è perfetta come al Plaza. Forse gli invitati non sono tutti così eleganti. Ma sono i nostri invitati. Sono tutti nostri.

Abbiamo consumato una bella cena a base di minestra di crescione, agnello arrosto e pudding, e abbiamo bevuto un sacco di champagne e il vino che mamma e papà hanno acquistato in Francia. E poi papà ha fatto tintinnare la forchetta contro il bicchiere e ha pronunciato un discorso per me e Luke. Ha detto che lui e la mamma avevano parlato spesso del tipo di uomo che avrei sposato, e non si erano mai trovati d'accordo su nulla, tranne su una cosa e cioè "che doveva essere uno in gamba". Poi ha guardato Luke che si è alzato in piedi ed è rimasto su una gamba sola, e tutti sono scoppiati a ridere. Papà ha detto di essersi molto affezionato a Luke e ai suoi, e che questo era più di un matrimonio, era l'unione di due famiglie. E poi ha detto che sapeva che io sarei stata una moglie forte e leale e ha raccontato la storia di quando, a otto anni, scrissi a Downing Street, proponendo mio padre come Primo ministro e poi, una settimana dopo, scrissi ancora per chiedere come mai non avessero ancora risposto, e tutti i presenti hanno riso di nuovo.

Poi Luke ha raccontato che ci siamo conosciuti a Londra, quando facevo la giornalista finanziaria, e che mi aveva notata alla mia prima conferenza stampa, dove avevo chiesto al direttore delle PR della Barclays Bank perché non facessero delle custodie alla moda per i libretti degli assegni, come quelle dei telefoni cellulari. E poi ha confessato di aver cominciato a mandarmi inviti per gli eventi più svariati, anche quando non erano rilevanti per la mia rivista, solo perché io vivacizzavo l'ambiente.

(Non me l'aveva mai detto prima. Ma ora capisco perché continuavano a invitarmi a quelle stranissime conferenze sull'interscambio di materie prime e sullo stato dell'industria siderurgica.)

Da ultimo si è alzato Michael. Si è presentato con quella sua voce calda e roca, e ha parlato di Luke. Di come sia una persona di straordinario successo che però ha bisogno di qualcuno al suo fianco, di qualcuno che lo ami davvero per la persona che è e che gli impedisca di prendere la vita troppo sul serio. Poi ha detto che era un onore conoscere i miei genitori, che erano stati cordiali e ospitali anche con due perfetti sconosciuti, e che questo gli faceva capire da dove venisse il mio temperamento solare. Ha detto anche che recentemente sono molto maturata. Che mi ha visto districarmi in alcuni frangenti molto complicati e che, senza entrare nei dettagli, avevo dovuto affrontare situazioni difficili ed ero riuscita a risolverle.

Senza usare una carta di credito, ha aggiunto, e questo ha causato la risata più fragorosa di tutte.

Poi ha detto di aver partecipato a molti matrimoni, ma di non aver mai avvertito la gioia che si respira qui. Ha concluso che Luke e io siamo fatti l'uno per l'altra, che è molto affezionato a entrambi, e che noi non ci rendiamo conto di quanto siamo fortunati. E se avremo dei bambini, neppure loro se ne renderanno conto.

A dire il vero, il discorso di Michael mi ha quasi fatto piangere.

Ora sono seduta con Luke sul prato. Noi due soli, lontani da tutti, per un momento. Le mie scarpe di Christian Louboutin sono tutte macchiate d'erba, e le ditine sporche di fragola di Ernie hanno lasciato il segno sul corpino del vestito. Devo essere proprio impresentabile. Ma sono felice.

Credo di non esserlo mai stata tanto in vita mia.

«Allora» dice Luke, e si appoggia sui gomiti fissando il cielo azzurro che si sta oscurando. «Ce l'abbiamo fatta.»

«Ce l'abbiamo fatta» ripeto. La coroncina di fiori comincia a scendermi sulla fronte; la stacco con cura e la poso sull'erba. «E senza incidenti.»

«Sai, mi sento come se le ultime quattro settimane fossero state uno strano sogno» dice Luke. «Sono rimasto chiuso nel mio mondo, assorto nei miei problemi, senza avere la minima idea di ciò che stava accadendo nella vita reale.» Scuote la testa. «Credo di essere stato davvero sul punto di scoppiare.»

«Sul punto?»

«D'accordo. Sono scoppiato.» Si volta a guardarmi, e i suoi occhi scuri brillano colpiti dalle luci provenienti dal gazebo. «Ti devo molto, Becky.»

«Non mi devi niente» rispondo sorpresa. «Ora siamo sposati. È come... è come se tutto fosse un conto cointestato.»

Si sente un rombo provenire da un lato della casa. Alzo gli occhi e vedo papà che sta caricando le nostre valigie in macchina. Tutto è pronto per la nostra partenza.

«Allora» dice Luke, seguendo il mio sguardo. «La nostra famosa luna di miele. Posso sapere dove stiamo andando o è ancora un segreto?»

Mi sento pervadere da una leggera ansia. Ecco, ci siamo. L'ultima parte del mio piano. La ciliegina sulla torta.

«D'accordo» dico, respirando a fondo. «Ultimamente ho riflettuto molto, Luke. Sul fatto di essere sposati, su dove dovremmo vivere. Se dobbiamo restare a New York oppure no. Cosa dovremmo fare...» Mi fermo, scegliendo con cura le parole. «E mi sono resa conto che non sono ancora pronta a mettere la testa a posto. Tom e Lucy hanno cercato di farlo troppo presto, e guarda cosa gli è successo. Adoro il piccolo Ernie, ma vedere cos'è stato per Suze... mi ha fatto capire che non sono pronta neanche per un bambino. Non ancora.» Alzo lo sguardo, preoccupata. «Luke, ci sono così tante cose che non ho mai fatto. Non ho mai viaggiato. Non ho mai visto il mondo. E neanche tu.»

«Abbiamo vissuto a New York» mi fa notare Luke.

«New York è una città fantastica e io l'adoro. Ma ci sono altre grandi città, sparse per il mondo. Io voglio vedere anche quelle. Sydney, Hong Kong... e non solo le città!» Allargo le braccia. «Fiumi... monti... tutte le bellezze del mondo...»

«Giusto» conviene Luke, divertito. «E così, restringendo tutto questo a una luna di miele...»

«Okay.» Mi interrompo e deglutisco. «Ecco cosa ho fatto. Ho convertito in denaro tutti i regali di nozze che abbiamo ricevuto a New York. Stupidi candelabri e teiere d'argento, e cose simili. E ho acquistato due biglietti di prima classe per un giro intorno al mondo.»

«Un giro intorno al mondo?» Luke sembra sinceramente sconcertato. «Dici sul serio?»

«Sì! Intorno al mondo!» Intreccio le dita. «Possiamo metterci il tempo che vogliamo. Tre settimane o...» lo guardo, tesa e speranzosa «... un anno.»

«Un anno?» Luke mi guarda. «Stai scherzando.»

«Non sto scherzando. Ho detto a Christina che potrei anche non tornare a lavorare da Barneys. E lei ha capito. Danny sgombrerà il nostro appartamento e metterà tutto in un deposito temporaneo...»

«Becky!» dice Luke, scuotendo la testa. «È una bella idea. Ma non posso mollare tutto così, su due piedi, e...»

«Sì che puoi! È tutto sistemato. Michael terrà d'occhio l'ufficio di New York. L'ufficio di Londra va già avanti da solo, comunque. Puoi farlo, Luke. Tutti pensano che dovresti.»

«Tutti?»

Conto sulle dita.

«I tuoi genitori... i miei... Michael... Laurel... Clive, il mio vecchio istruttore di guida...»

Luke mi guarda.

«Clive, il tuo vecchio istruttore di guida?»

«D'accordo. Lascia perdere lui» mi affretto a dire. «Ma tutti quelli di cui ti fidi sono convinti che tu abbia bisogno di staccare. Hai lavorato così tanto, per così tanto tempo...» mi sporgo verso di lui, e lo guardo con aria grave. «Luke, questo è il momento di farlo. Finché siamo ancora giovani. Prima che vengano dei bambini. Pensaci. Noi due, in giro per il mondo, a vedere cose incredibili, a imparare da altre culture.»

Silenzio. Luke guarda a terra, corrucciato.

«Hai parlato con Michael» dice alla fine. «E lui sarebbe disposto...»

«Sarebbe più che disposto. Si annoia a vivere a New York senza far niente, a parte marciare nel parco! Luke, lui ha detto che anche se non te ne vai, hai bisogno di un lungo periodo di riposo. Hai bisogno di una vera vacanza.»

«Un anno» dice Luke, grattandosi la fronte. «È più di una vacanza.»

«Potrebbe essere più breve. O magari più lunga! Il punto è che possiamo decidere strada facendo. Possiamo essere degli spiriti liberi, per una volta nella vita. Niente legami, niente impegni, niente che ci trattenga...»

«Becky, tesoro» chiama papà dalla macchina. «Sei sicura che ti lasceranno portare sei valigie?»

«Non c'è problema, pagheremo per il bagaglio extra» rispondo, e torno a voltarmi verso Luke. «Allora, cosa ne dici?»

Per qualche istante Luke non dice nulla e io mi sento mancare. Ho la terribile sensazione che stia per trasformarsi ancora una volta nel vecchio Luke. Il vecchio Luke che ha in mente solo una cosa: il lavoro.

Poi alza lo sguardo... e vedo che c'è un sorriso ironico sul suo viso.

«Ho un'altra scelta?»

«No» rispondo, afferrando la sua mano.

Faremo un giro intorno al mondo! Saremo dei viaggiatori!

«Queste ultime due sono leggerissime!» grida papà, sollevandole per aria. «C'è qualcosa dentro?»

«No, sono vuote!» Mi volto verso Luke, raggiante di felicità. «Oh, Luke, sei fantastico! Questa è la nostra unica possibilità di avere un anno di evasione. Un anno di vita semplice. Noi due soli, e nient'altro!»

C'è silenzio. Luke mi guarda e la sua bocca ha un fremito.

«E portiamo due grosse valigie vuote con noi perché...»

«Be', non si sa mai» spiego. «Potremmo trovare qualcosa lungo la strada. I viaggiatori dovrebbero sempre sostenere le economie locali...» Lascio la frase in sospeso perché Luke comincia a ridere.

«Cosa c'è?» dico indignata. «È vero!»

«Lo so.» Luke si asciuga gli occhi. «Lo so. Becky Bloomwood, io ti amo.»

«Ora sono Becky Brandon, ricordatelo!» ribatto, lanciando un'occhiata al mio bellissimo anello nuovo. «La signora Rebecca Brandon.» Ma Luke scuote la testa.

«C'è una sola Becky Bloomwood. Non smettere mai di esserlo.» Mi prende le mani e mi guarda con una strana intensità. «Qualunque cosa tu faccia, non smettere mai di essere Becky Bloomwood.»

«Okay... d'accordo» dico, perplessa. «Come vuoi tu.»

«Becky! Luke!» La voce della mamma ci giunge dall'altra parte del prato. «È ora di tagliare la torta! Graham, accendi i lampioncini!»

«Subito!» grida lui.

«Arrivo!» dico io. «Un attimo che mi rimetto la coroncina!»

«Lascia fare a me.» Luke prende la ghirlanda di fiori e me la posa sui capelli con un sorriso.

«Ho l'aria da stupida?» chiedo, con una smorfia.

«Sì. Molto.» Mi dà un bacio, poi si alza e aiuta me. «Su, Becky B. Il tuo pubblico ti aspetta.»

E, mentre le luci cominciano ad ammiccare ovunque, ci avviamo sull'erba baciata dal crepuscolo, la mano di Luke stretta intorno alla mia.

CONTRATTO PREMATRIMONIALE
tra Rebecca Bloomwood e Luke Brandon
22 giugno 2002
(*addendum*)

5. CONTO BANCARIO COINTESTATO

5.1 Il conto cointestato verrà utilizzato per spese indispensabili alla conduzione della casa. Si specifica che il termine "spese indispensabili alla conduzione della casa" comprende gonne di Miu Miu, scarpe e altri capi di abbigliamento ritenuti essenziali dalla Sposa.
5.2 In ogni caso le decisioni della Sposa in merito a tali spese saranno inappellabili.
5.3 Ogni interrogazione che lo Sposo riterrà di fare alla Sposa in merito a tali spese non potrà essere presentata senza preavviso, ma dovrà essere esposta per iscritto, concedendo ventiquattro ore di tempo per la risposta.

6. DATE SIGNIFICATIVE

6.1 Lo Sposo dovrà ricordare tutti i compleanni e gli anniversari, contrassegnando dette ricorrenze con doni a sorpresa.*
6.2 La Sposa dovrà mostrarsi felice e sorpresa per le scelte dello Sposo.

7. TETTO CONIUGALE

La Sposa dovrà fare del suo meglio per mantenere l'ordine e la pulizia sotto il tetto coniugale. TUTTAVIA, il mancato rispetto di questa clausola non potrà essere considerata un'inadempienza al presente contratto.

8. MEZZI DI TRASPORTO

Lo Sposo non dovrà fare commenti sulle capacità di guida della Sposa.

9. VITA SOCIALE

9.1 La Sposa non potrà chiedere allo Sposo di ricordare i nomi e le vicende sentimentali di tutte le sue amiche, soprattutto di quelle che egli non ha mai conosciuto.
9.2 Lo Sposo dovrà fare ogni sforzo per dedicare una porzione significativa di ogni settimana alle attività ricreative e distensive.
9.3 Lo shopping dovrà essere considerato un'attività ricreativa.

* Per doni a sorpresa si intendono tutti quegli articoli indicati con discrezione dalla Sposa su cataloghi e riviste lasciate in evidenza sotto il Tetto coniugale nelle settimane immediatamente precedenti le suddette ricorrenze.

RINGRAZIAMENTI

Scrivere questo libro è stato molto divertente, ma ancor più divertente è stato fare le ricerche necessarie. Sono incredibilmente grata a tutti coloro che, in Gran Bretagna e negli Stati Uniti, mi hanno concesso di porre un sacco di domande stupide e con le loro risposte mi sono stati di grande ispirazione.

I miei ringraziamenti vanno a Lawrence Harvey del Plaza, che non avrebbe potuto fare di meglio, e alla magnifica Sharyn Soleimani di Barneys. Come pure a Ron Ben-Israel, Elizabeth e Susan Allen, Fran Bernard, Preston Bailey, Claire Mosley, Joe Dance di Crate and Barrel, Julia Kleyner e Lillian Sabatelli di Tiffany, Charlotte Curry della redazione di "Brides", Robin Michaelson, Theresa Ward, Guy Lancaster e Kate Mailer, David Stefanou e Jason Antony, e all'incantevole Lola Bubbosh.

Mille ringraziamenti, come sempre, alla mia splendida agente Araminta Whitley e a Celia Hayley, a Linda Evans, per il suo continuo sostegno e incoraggiamento, e, ovviamente, a Patrick Plonkington-Smythe.

E infine alle persone che mi sono state costantemente vicine, Henry, Freddy e Hugo, e alla squadra rossa. Voi sapete a chi mi riferisco.

Sophie Kinsella

in Oscar Bestsellers

I LOVE SHOPPING

Becky, una giornalista carina e determinata, soffre di una irrefrenabile passione: la shopping-mania. Che la spinge a comprare tutto, ma proprio tutto... Un romanzo scintillante, ironico e intelligente, fatto di situazioni tanto paradossali ma per nulla improbabili, che riesce a tenere avvinto il lettore dalla prima pagina all'ultima.

(n.1177), pp. 304, cod. 449854, € 8,40

Sophie Kinsella

in Oscar Bestsellers

I love shopping a New York

Becky Bloomwood si trasferisce a New York. La Grande Mela l'aspetta, con i suoi musei, il Central Park... e i suoi negozi dalle mille luci sfavillanti! La conferma del talento umoristico di Sophie Kinsella, capace di mettere a fuoco con sguardo affettuosamente divertito le nostre debolezze e svelare i nostri sogni segreti.

(n.1306), pp. 308, cod. 451276, € 8,40